CLUBE DO LIVRO DOS
Homens

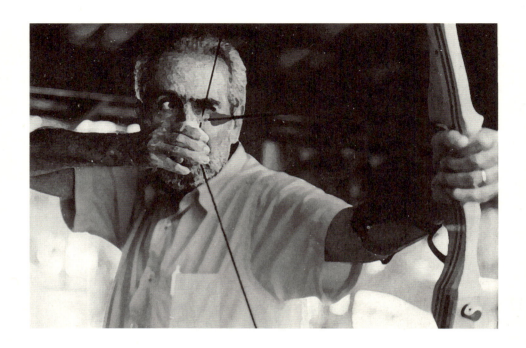

O Arqueiro

GERALDO JORDÃO PEREIRA (1938-2008) começou sua carreira aos 17 anos, quando foi trabalhar com seu pai, o célebre editor José Olympio, publicando obras marcantes como *O menino do dedo verde*, de Maurice Druon, e *Minha vida*, de Charles Chaplin.

Em 1976, fundou a Editora Salamandra com o propósito de formar uma nova geração de leitores e acabou criando um dos catálogos infantis mais premiados do Brasil. Em 1992, fugindo de sua linha editorial, lançou *Muitas vidas, muitos mestres*, de Brian Weiss, livro que deu origem à Editora Sextante.

Fã de histórias de suspense, Geraldo descobriu *O Código Da Vinci* antes mesmo de ele ser lançado nos Estados Unidos. A aposta em ficção, que não era o foco da Sextante, foi certeira: o título se transformou em um dos maiores fenômenos editoriais de todos os tempos.

Mas não foi só aos livros que se dedicou. Com seu desejo de ajudar o próximo, Geraldo desenvolveu diversos projetos sociais que se tornaram sua grande paixão.

Com a missão de publicar histórias empolgantes, tornar os livros cada vez mais acessíveis e despertar o amor pela leitura, a Editora Arqueiro é uma homenagem a esta figura extraordinária, capaz de enxergar mais além, mirar nas coisas verdadeiramente importantes e não perder o idealismo e a esperança diante dos desafios e contratempos da vida.

CLUBE DO LIVRO DOS Homens

LYSSA KAY ADAMS

Título original: *The Bromance Book Club*

Copyright © 2019 por Lyssa Kay Adams
Copyright da tradução © 2021 por Editora Arqueiro Ltda.

Publicado em acordo com Berkeley, selo do Penguin Publishing Group,
uma divisão da Penguin Random House LLC.

Todos os direitos reservados. Nenhuma parte deste livro pode ser utilizada ou
reproduzida sob quaisquer meios existentes sem autorização por escrito dos editores.

tradução: Regiane Winarski
preparo de originais: Rayssa Galvão
revisão: Ana Sarah Maciel e Rebeca Bolite
projeto gráfico e diagramação: Valéria Teixeira
capa: Colleen Reinhart
imagem de capa: Jess Cruickshank
adaptação de capa: Miriam Lerner | Equatorium Design
impressão e acabamento: Cromosete Gráfica e Editora Ltda.

CIP-BRASIL. CATALOGAÇÃO NA PUBLICAÇÃO
SINDICATO NACIONAL DOS EDITORES DE LIVROS, RJ

A176c

    Adams, Lyssa Kay
       Clube do Livro dos Homens / Lyssa Kay Adams ; [tradução
Regiane Winarski]. - 1. ed. - São Paulo : Arqueiro, 2021.
       320 p. ; 23 cm.

       Tradução de : The bromance book club
       ISBN 978-65-5565-065-5

       1. Ficção americana. I. Winarski, Regiane. II. Título.

20-67441
              CDD: 813
              CDU: 82-3(73)

Camila Donis Hartmann - Bibliotecária - CRB-7/6472

Todos os direitos reservados, no Brasil, por
Editora Arqueiro Ltda.
Rua Artur de Azevedo, 1.767 – Conj. 177 – Pinheiros
05404-014 – São Paulo – SP
Tel.: (11) 2894-4987
E-mail: atendimento@editoraarqueiro.com.br
www.editoraarqueiro.com.br

Para a vovó

*Parece que finalmente consegui
meu unicórnio de três chifres, hein?*

UM

Gavin Scott não tinha o costume de beber, e havia um motivo para isso.

Ele lidava muito mal com bebida.

Mal no nível *cair de cara no tapete quando tentava pegar a garrafa*. E ficava tão bêbado que não conseguia enxergar direito no escuro, então achava melhor permanecer no chão mesmo.

E foi por isso que não levantou quando seu melhor amigo e companheiro de time do Nashville Legends, Delray Hicks, bateu à porta do seu quarto, um poço de depressão localizado no quarto andar de um hotel. Um lugar que só servia para lembrá-lo de como era o melhor na arte de fazer besteira.

– Tá aberta – anunciou Gavin, a voz arrastada.

A porta se abriu. Del acendeu a luz ofuscante e soltou um palavrão.

– Merda. Ele está no chão. – Del se virou para falar com outra pessoa. – Me ajude aqui.

Del e um ser humano gigante foram até ele, e quatro mãos enormes agarraram seus ombros. Em um instante, Gavin tinha sido levantado e estava apoiado no sofá vagabundo do quarto. O teto girava sem parar enquanto ele recostava a cabeça nas almofadas.

– Qual é, cara. – Del deu um tapa em seu rosto. – Não morre, não.

Gavin inspirou e conseguiu erguer a cabeça. Piscou duas vezes, então teve que cobrir os olhos com as palmas das mãos, massageando-os.

– Estou bêbado.

– Ah, jura? – retrucou Del. – O que estava bebendo?

Gavin ergueu o braço, querendo apontar para a garrafa de bourbon artesanal na mesa de centro. A destilaria dera uma garrafa para cada um do time, no fim da temporada, algumas semanas antes. Del xingou outra vez.

– Ah, cara! Era mais fácil ter entornado álcool puro!

– Não tinha.

– Vou pegar uma água – anunciou o outro sujeito, cujo rosto borrado lembrava um pouco o de Braden Mack, dono de várias casas noturnas de Nashville.

Mas claro que não era ele, não faria o menor sentido. Por que Braden Mack estaria ali? Só tinham se visto uma vez, em algum evento beneficente de golfe. Desde quando ele e Del eram amigos?

Um outro homem entrou no quarto. Esse Gavin reconheceu: era um de seus companheiros de time, Yan Feliciano.

– *Cómo está él?*

Del balançou a cabeça.

– Está a uma dose de ouvir Ed Sheeran.

Gavin soltou um soluço bêbado antes de anunciar:

– *No me gusta* Ed Sheeran.

– Cala a boca – retrucou Del.

– Eu não gaguejo quando fico espanhol. – Gavin soltou outro soluço, e subiu um gosto azedo por sua garganta. – Quer dizer, quando fico bêbado.

Yan xingou alto.

– *Qué pasó?*

– Thea pediu o divórcio – explicou Del.

Yan grunhiu, como se não levasse aquilo a sério.

– Minha esposa disse que tinha ouvido boatos sobre os dois estarem com problemas, mas não acreditei.

– Mas pode acreditar.

Gavin gemeu, deixando a cabeça cair de volta no sofá. *Divórcio*. Um casamento de três anos, com filhas gêmeas, e a mulher que o fizera perceber que realmente existia amor à primeira vista não queria mais saber dele. E a culpa era todinha sua.

– Beba isto – ordenou Del, estendendo uma garrafa de água para Gavin. Então se virou para Yan. – Ele já está hospedado aqui há duas semanas.

– Ela me expulsou de casa – explicou Gavin, deixando a garrafa ainda fechada cair.

– Porque você foi um babaca.

– Eu sei.

Del balançou a cabeça.

– Eu avisei, cara.

– Eu sei.

– Eu disse que ela ia acabar cansando se você não tomasse jeito.

– Eu sei – repetiu Gavin, agora gemendo, e levantou a cabeça.

Grande erro. Tinha se mexido rápido demais. Uma onda de náusea avisou que o bourbon estava buscando a saída mais próxima. Gavin engoliu e respirou fundo, mas, droga… a testa e as axilas ficaram encharcadas de suor.

– Ah, caramba, ele está ficando verde! – gritou o cara que talvez fosse Braden Mack.

Mãos enormes o seguraram de novo e o levantaram. Gavin mal sentiu os pés tocarem o chão enquanto Del e o suposto Braden Mack o arrastaram para o banheiro. Ele cambaleou até a privada no instante em que um líquido com a cor de uma decisão ruim irrompia pela boca. Mack soltou um palavrão, já com ânsia de vômito, e saiu correndo. Del ficou ali, mesmo quando Gavin grunhiu como um jogador de tênis acertando a bola e vomitou várias outras vezes.

– Você nunca deu conta de bebida pesada – comentou Del.

– Estou morrendo.

Gavin gemeu de novo, se apoiando em um só joelho.

– Você não está morrendo.

– Então dê um fim ao meu sofrimento.

– Estou tentando, pode acreditar.

Gavin caiu sentado e se encostou na parede de azulejos bege. O joelho bateu na banheira também bege escondida por uma cortina de plástico, mais uma vez bege. Ganhava 15 milhões de dólares por ano e estava hospedado num hotel mais vagabundo que os do início da carreira. Podia pagar por um lugar bem melhor, mas aquilo era uma punição. Autoimposta, claro. Havia permitido que o orgulho estragasse a melhor coisa da sua vida.

Del deu descarga e fechou a tampa do vaso, então saiu do banheiro. Voltou um momento depois com a água.

– Agora beba. Estou falando sério.

Gavin abriu a garrafa e tomou metade. Depois de alguns minutos, o banheiro parou de rodar.

– O que os outros dois estão fazendo aqui?

– Você já vai descobrir. – Del se sentou na tampa do vaso e se inclinou para a frente, apoiando os cotovelos nos joelhos. – Está bem?

– Não.

Gavin sentiu um nó na garganta. *Droga.* Ia perder o controle na frente de Del. Fechou bem os olhos e pressionou o polegar no espaço entre as sobrancelhas.

– Pode chorar, cara – encorajou Del, cutucando o pé de Gavin com a ponta do tênis. – Não é vergonha nenhuma.

Gavin voltou a apoiar a cabeça na parede, e lágrimas gêmeas escorreram pelas bochechas.

– Não acredito que perdi a Thea.

– Você não vai perder ninguém.

– Ela q-q-quer o divórcio, seu imbecil.

Del não esboçou nenhuma reação à gagueira. Ninguém mais do time reagia, principalmente porque Gavin tinha parado de tentar lutar contra o problema perto deles. Só mais um item na longa lista de coisas para agradecer a Thea. Antes de conhecê-la, ficava com vergonha da gagueira e hesitava em falar, mesmo com pessoas conhecidas. Mas Thea nem sequer se alterou na primeira vez que o viu gaguejar. Não tentou terminar a frase, não afastou o olhar, incomodada. Só esperou até ele conseguir terminar as palavras. Sem contar sua família, ninguém nunca o fizera se sentir como algo além de um atleta gago e esquisito.

Isso só aumentou a intensidade da traição, quando Gavin descobriu a mentira um mês antes.

A esposa fingia ter prazer na cama desde o começo do casamento.

– Ela disse isso? – perguntou Del. – Ou só falou que acha que é hora de pensar em divórcio?

– E que diferença faz?

– A primeira coisa significa que você talvez ainda tenha uma chance. A segunda, que ela não quer mais saber de você.

Gavin virou a cabeça ainda encostada à parede de um lado para outro, discordando, mas sem forças.

– Não tenho a menor chance. Você não ouviu como ela falou. Parecia que eu estava conversando com uma estranha.

Del se levantou, parando na frente dele.

– Você quer lutar pelo seu casamento?

– Quero.

E como queria. Mais do que tudo. Droga, sentia outra vez o aperto na garganta.

– E você está disposto a fazer o que for preciso?

– Estou.

– Sério?

– C-c-como assim? Claro que é sério.

– Ótimo. – Del estendeu a mão para ele. – Vamos.

Gavin aceitou a ajuda e seguiu o amigo até o quarto. O corpo parecia pesar mil quilos quando cambaleou até o sofá e desabou nas almofadas.

– Lugar maneiro, hein, Scott – debochou Mack, saindo da cozinha.

Esfregou uma maçã verde no ombro da camisa para limpá-la e deu uma mordida grande e barulhenta.

– Essa maçã é minha – resmungou Gavin.

– Você não comeu.

– Eu ia comer.

– Sei. Depois que encontrasse o fundo daquela garrafa.

Gavin respondeu mostrando o dedo do meio.

– Pare com isso – mandou Del, ralhando com Mack. – Todos aqui já passaram por isso.

Passaram? Como assim? Do que estavam falando?

Yan se acomodou na outra ponta do sofá, apoiando as botas de caubói na mesa de centro. Mack se recostou na parede.

Del olhou para os dois.

– O que acham?

Mack deu outra mordida e retrucou, de boca cheia:

– Sei não. Acha que ele aguenta?

Gavin passou a mão no rosto. A sensação era de que tinha entrado no cinema no meio de um filme. Um filme bem ruim.

– Alguém pode me explicar o q-que está acontecendo?

Del cruzou os braços.

– Nós vamos salvar seu casamento.

Gavin deu uma risadinha debochada, mas os três continuavam olhando para ele, sérios.

– Estou ferrado.

– Você disse que estava disposto a fazer o que fosse preciso para ter a Thea de volta – lembrou Del.

– Disse mesmo.

– Então tem que ser sincero comigo.

Gavin ficou tenso. Del se sentou na mesa de centro. O móvel rangeu, protestando sob o peso do corpo de 1,90 metro.

– Conte o que aconteceu.

– Já contei. Ela disse…

– Não estou falando de hoje. O que *aconteceu*?

Gavin deu uma olhada para os três homens. Não falaria sobre aquilo nem mesmo se Yan e Mack, o ladrão de maçãs, não estivessem presentes. Era humilhante demais. Já seria bem ruim admitir que não conseguia satisfazer a própria esposa na cama, mas confessar a incrível idiotice que o fez surtar, mudar para o quarto de hóspedes, punir a esposa com um gelo e se recusar a ouvir as explicações porque seu ego era frágil demais para aguentar? Ah, de jeito nenhum. Levaria aquilo para o túmulo.

– Não posso contar – resmungou, por fim.

– Por quê?

– É pessoal.

– Cara, é o seu casamento. Claro que é pessoal – retrucou Del.

– Mas é muito…

Mack o interrompeu com um grunhido frustrado.

– Ele quer saber se você traiu sua esposa, seu burro.

Gavin virou a cabeça, olhando feio para Del.

– Você acha mesmo que eu trairia a Thea?

Só de pensar naquilo, vinha de novo a vontade de correr para a privada, para liberar tudo o que restava do jantar alcoólico.

– Não – respondeu Del. – Mas temos que perguntar. É uma das regras. Nós não ajudamos traidores.

– *Nós* quem? O que está acontecendo?

– Você disse que, ontem à noite, Thea parecia uma estranha… – continuou Del. – Já pensou que talvez ela *seja* uma estranha?

Gavin o encarou, incrédulo.

– Em qualquer casamento, em algum momento, um cônjuge se torna estranho para o outro – explicou o amigo. – Os humanos mudam constantemente, e nem todos avançam no mesmo ritmo. Quem sabe quantos casais não se separaram só porque não conseguiam perceber que o que viam como problemas insuperáveis na verdade era apenas uma fase? – Del abriu os braços, as mãos espalmadas para cima. – Mas… vocês dois? Acho impressionante que vocês tenham sequer *se conhecido*.

– Isso tudo é para eu me sentir m-m-melhor?

– Vocês namoraram por quanto tempo antes de ela ficar grávida? Quatro meses?

– Três.

Mack tossiu para disfarçar algum comentário ácido. Pelo que Gavin entendeu, parecia ser *casamento forçado*.

– Certo – continuou Del. – Depois disso, os dois se casaram no cartório. Então, antes de as gêmeas nascerem, você foi chamado para o time? Ora, Gavin, desde que se casaram, você passa quase todo o tempo viajando, enquanto a Thea fica em casa criando as meninas praticamente sozinha, em uma cidade estranha. Acha que ela vai continuar sendo a mesma pessoa depois disso tudo?

Claro que não achava. Mas, caramba, não era esse o problema entre ele e Thea. Claro que a mulher tinha mudado. Ele também tinha. Só que os dois eram bons pais, eram felizes. Ou melhor, *achava* que eram felizes.

Del deu de ombros e se empertigou.

– Olha, só estou dizendo que nossa vida profissional já é bem complicada para um casal que namora por anos, onde cada um sabe exatamente no que está se metendo antes de casar de fato. Mas vocês dois pularam direto no lado fundo da piscina, e sem boia. Nenhum casamento sobrevive a isso, mesmo na melhor das circunstâncias. Não sem ajuda.

– Bem, já está meio tarde para terapia.

– Não está, não. Mas também não é disso que estou falando.

– Então *do que* você está falando?

Del o ignorou, olhando outra vez para Yan e Mack.

– E aí?

– Eu topo – comentou Yan. – Ele não vai servir de nada na próxima temporada se não ajudarmos os dois.

Mack deu de ombros.

– Por mim tudo bem. Nem que seja só para tirar o cara daqui. Porque, olha, pelo amor de Deus… – Ele gesticulou para o quarto.

Gavin se inclinou na direção de Yan.

– Me ensina a xingar em espanhol?

Mack deu a última mordida na maçã e jogou o miolo para trás, por cima do ombro. Caiu certinho dentro da pia. O ódio de Gavin superou o desprezo por qualquer outra pessoa no mundo.

– Minhas filhas me deram essa maçã.

– Opa – fez Mack.

– Olha, acho que agora é melhor você dormir, descansar – sugeriu Del. – Amanhã à noite teremos a sua primeira reunião oficial.

– Reunião oficial *para quê*?

– Para resolver todos os seus problemas.

Os três simplesmente o encararam, como se aquilo fosse a resposta definitiva.

– Só isso?

– Tem mais uma coisa – declarou Del. – Você não pode ver sua esposa, de jeito nenhum.

DOIS

Nada no mundo é tão forte quanto uma mulher cansada de fazer papel de trouxa.

De todos os ensinamentos que ouvira da avó, Thea Scott esperava que pelo menos esse fosse verdade, porque, nossa, como aquela marreta era pesada. Quatro tentativas de atingir o alvo tinham resultado apenas em um pequeno amassado na parede e uma distensão muscular nas costas. Mas não ia desistir. A família estava há três anos morando naquela casa, e Thea passara cada segundo desse tempo sonhando em derrubar aquela parede.

Depois que o casamento oficialmente desmoronara, no dia anterior, parecia justo que agora fosse a vez da parede.

Além do mais, ela *realmente* precisava bater em alguma coisa.

Golpeou mais uma vez, grunhindo com o esforço. A parte pesada da marreta acertou a parede com um ruído satisfatório – até que enfim – e deixou um buraco. Com um gritinho de vitória, Thea largou a ferramenta no chão e foi examinar o buraco. Quase sentia a luz do outro lado, só esperando para se libertar daquela enorme prisão bege. Quem tivera a ideia de colocar uma parede ali, afinal? Que arquiteto insano achou uma boa ideia separar a sala de estar da de jantar, impedindo aquela luz gloriosa de se espalhar por todo o espaço?

Thea golpeou de novo, abrindo um segundo buraco perto do primeiro. Um pedaço do reboco da parede de drywall caiu aos seus pés, e a poeira redemoinhou no ar, pousando em seus braços. Impressionante como aquilo era bom.

Ofegando de cansaço, Thea largou a marreta na lona que comprara para proteger o piso de madeira e massageou o ombro enquanto se virava para olhar a sala. Sim, bem ali, perto das portas de vidro que levavam ao quintal: o lugar perfeito para o cavalete e as tintas. Um dia, depois de terminar a faculdade, talvez tivesse o próprio ateliê. Mas, por ora, ficaria satisfeita só de voltar a pintar. Não tocava em uma tela desde o nascimento das meninas. Seu maior feito artístico no momento era tingir as camisetas brancas para fazer as manchas parecerem intencionais.

Tentara conviver com a parede. Havia pendurado as fotos da família de forma criativa. Tinha emoldurado impressões das mãos das meninas, junto de alguns desenhos e pinturas delas. Tudo pensando que um dia daria um jeito naquilo. Um dia pintaria a parede de uma cor mais vibrante. Quem sabe acrescentaria uns nichos. Ou derrubaria aquela droga de uma vez, para poder começar do zero.

Thea soube que o dia havia chegado logo ao acordar, os olhos ainda inchados depois de um momento de fraqueza no meio da noite, quando chorou no banheiro, tapando a boca para abafar os soluços.

Não adiantava chorar. Arrependimentos não a ajudariam a recomeçar. Só havia uma forma de seguir em frente: golpeando com tudo.

Literalmente.

Por isso, depois do café da manhã, mandou as meninas para a aula de dança com sua irmã, Liv, que tinha ido morar na casa logo que Gavin saiu. Ela pegou o velho macacão de pintura, foi até a loja de ferragens mais próxima e comprou a marreta.

– *A senhora sabe usar esse negócio?* – *perguntou o vendedor atrás do balcão, arqueando a sobrancelha, já querendo começar a palestrinha.*

Thea curvou os lábios em um quase sorriso.

– *Sei.*

– *Segure a ponta do cabo com a mão mais forte.*

– *Sim. Eu sei.* – Thea enfiou o troco no bolso.

O homem ajeitou os suspensórios.

– *O que você vai derrubar?*

– *As estruturas de poder do patriarcado.*

Ele piscou, sem entender.

– *Uma parede* – *completou ela.*

– *Não se esqueça de verificar se não tem algum pilar de sustentação.*

A necessidade de bater em alguma coisa voltou, borbulhando. Thea ergueu a marreta acima do ombro, mas, quando ia dar o golpe, a porta da frente se abriu. As meninas entraram correndo, os tutus balançando por cima das meias-calças cor-de-rosa, as marias-chiquinhas loiras sacudindo em sincronia. Manteiga, o golden retriever da família, seguia as duas com a paciência de uma babá canina. Sua irmã, Liv, fechava o cortejo, segurando a guia do cachorro.

– Mamãe, o que você está fazendo? – perguntou Amelia, parando de repente, uma mistura de surpresa e tremor na vozinha aguda.

Thea não podia culpá-la. A mamãe não devia estar parecendo muito bem.

– Estou derrubando uma parede – explicou, mantendo a voz suave.

– Ah, oba! – exclamou Liv, esfregando as mãos. – Quero ajudar. – Ela soltou a guia de Manteiga, cruzou a sala e pegou a marreta. – Posso fingir que é a cara dele?

– Liv… – alertou Thea, a voz séria.

Sabia que a irmã não diria nada de ruim sobre Gavin na frente das meninas, não de propósito. Tinham aprendido da maneira mais difícil que só os filhos sofrem quando um dos pais fala mal do outro. Mas a boca de Liv às vezes tinha vida própria. Como naquele momento.

– Cara de quem, tia Livie? – perguntou Amelia.

Thea olhou para a irmã como quem diz: *eu avisei.*

– Do meu chefe – respondeu a tia, mais que depressa.

Liv trabalhava em um restaurante famoso de Nashville, com um chef celebridade conhecido por ser tirano. E reclamava tanto dele que as meninas nem duvidaram.

– A gente também pode bater na parede? – perguntou Amelia.

– Isso é trabalho perigoso de adulto – retrucou Thea. – Mas vocês podem assistir.

Liv golpeou a parede com um grito digno do Tarzan, derrubando outro pedaço do drywall. As meninas comemoraram, pulando animadas. Ava soltou um gritinho e deu um chute de caratê no ar. Amelia tentou dar uma estrela. Estava aberta a farra na sala.

– Nossa, como foi bom! – comentou Liv, devolvendo a marreta para Thea. – Precisamos de música.

Thea segurou a ferramenta, Liv pegou o celular, mexeu na tela algumas vezes, e a música *Respect* irrompeu pelos alto-falantes da casa, com Aretha Franklin exigindo respeito em alto e bom som.

Liv pegou o bastão de beisebol de Gavin do chão e o segurou como um microfone, cantando bem alto. Estendeu a mão para a irmã. Thea entrou na cantoria, fazendo gracinha para as meninas, que morreram de rir, como se o show improvisado fosse a coisa mais engraçada que já tinham visto.

E, de repente, ela e Liv eram adolescentes de novo, cantando a plenos pulmões no quarto abafado que dividiam na casa da vovó. Enquanto a mãe estava longe, mergulhada num mar de raiva e atraso no pagamento da pensão, e o pai se ocupava em trair a esposa número dois, sem tempo para dar atenção às filhas, foi naquele quarto que decoraram as músicas da P!nk e prometeram nunca confiar nos homens, nunca serem fracas como a mãe nem egoístas como o pai e sempre proteger uma à outra.

Eram as duas contra o mundo. Sempre.

E, naquele momento, tudo voltou. Só que, daquela vez, Thea não tinha apenas uma irmãzinha para proteger. Tinha as meninas. E as protegeria a qualquer custo. Cuidaria para que as duas nunca soubessem como era crescer em meio a tanta tensão, como um peão entre o pai e a mãe em guerra.

Thea ficou emocionada, com os cantos dos olhos ardendo e uma dor se espalhando no peito. A voz engasgou quando a garganta se contraiu. Ela rodopiou para longe das meninas e secou o rosto.

Liv ajudou, sugerindo casualmente:

– Ei, meninas, corram lá em cima para trocar de roupa, está bem? A primeira a chegar à escada escolhe o filme de hoje à noite.

A promessa de competição fez as duas correrem. Segundos depois, a música foi silenciada.

– Está tudo bem? – perguntou Liv.

Um nó doloroso na garganta bloqueava a voz de Thea.

– E se eu já tiver magoado as duas?

– Não magoou – retrucou Liv. – Você é a melhor mãe que eu conheço.

– Eu só queria... Tudo que eu sempre quis foi dar a elas a vida que nunca tivemos. Com segurança, proteção e...

Liv segurou Thea pelos ombros, virando-a para encará-la.

– Foi *ele* quem saiu de casa.

– É, mas porque eu mandei.

Thea não aguentava mais ser ignorada por Gavin. Durante quase um mês ele se recusara a conversar sobre qualquer assunto, passando o tempo emburrado no quarto de hóspedes. Ela já lidava com duas crianças pequenas, não queria mais uma na casa.

– E ele nem pestanejou antes de sair – observou Liv.

Era verdade. Mesmo assim, Thea sentia a culpa corroer suas entranhas. Liv não sabia de algumas coisas. Gavin tinha errado em reagir daquela maneira quando descobriu que ela fingia ter prazer na cama, mas a verdade era que Thea não devia ter permitido que ele descobrisse daquela forma.

– Não tem como uma pessoa destruir um relacionamento sozinha.

Liv inclinou a cabeça.

– Verdade. Mas eu sou sua irmã, então estou biologicamente predisposta a ficar do seu lado.

As duas se encararam, mais uma vez agradecendo a Deus por terem pelo menos uma pessoa com quem sempre podiam contar.

Thea um dia achou que Gavin era uma dessas pessoas.

Maldito! Pegou a marreta. Estava na hora de caminhar com os próprios pés. De continuar de onde tinha parado quando abriu mão de tudo pelo marido e pela carreira de atleta dele. Estava na hora de começar a viver as promessas que ela e Liv fizeram para si mesmas, tantos anos antes.

Thea golpeou a parede, abrindo outro buraco.

Liv riu.

– Então não sou mais a única visualizando o rosto dele, não é mesmo?

– Não – resmungou Thea, e golpeou de novo.

– Que bom. Bote tudo para fora. Você é incrível, não precisa de homem nenhum.

Os alto-falantes ecoavam Taylor Swift, cantando, cheia de raiva, sobre queimar fotos velhas.

Liv pegou o bastão de beisebol outra vez.

– Cuidado. Estou chegando.

– Não! Espera! Esse é o bastão favorito do Gavin!

– Se Gavin o quisesse, deveria ter levado quando saiu – retrucou Liv.

Thea se abaixou quando a irmã golpeou a parede com um estrondo.

Ela largou a marreta e pegou o bastão da mão de Liv.

– Não podemos quebrar isto.

– É só um bastão de beisebol.

– Gavin ganhou o campeonato estadual do ensino médio com ele.

Liv revirou os olhos.

– Ah, por que os homens gostam tanto desses pedaços de madeira?

– É importante para ele.

– E não era esse o problema? – retrucou Liv, ríspida. – O beisebol sempre foi mais importante do que você.

– Não foi, não. – A voz grave de Gavin as assustou, fazendo as duas se virarem juntas.

Ele estava ali perto, parado, como se tivesse sido invocado pela conversa delas. Manteiga, o cachorro traidor, latiu e correu para ele, balançando o rabo, todo contente.

Thea sentiu um tremor sacudir seu corpo enquanto observava Gavin afagar a cabeça e coçar a orelha do cachorro. Ele usava jeans surrados e uma camiseta cinza lisa. O cabelo úmido estava desgrenhado, como se ele tivesse tomado banho correndo e só passado uma toalha na cabeça. Os olhos cor de mel estavam vermelhos e com olheiras. Pelo menos dois dias da barba clara por fazer escureciam seu queixo.

Mas era injusto que ele continuasse tão irresistível e sexy.

Liv baixou a música e cruzou os braços.

21

– O que você quer, seu cretino?

– Liv… – alertou Thea. Então se virou para o ex: – Você não mora mais aqui, Gavin. Não pode ir entrando assim.

Ele gesticulou para a porta atrás de si.

– Eu tentei bater. – Ele olhou para a parede quebrada e a marreta no chão. – O que… O que você está fazendo?

– Derrubando a parede.

– Percebi… – respondeu Gavin. – E por quê, exatamente?

– Porque eu odeio essa parede.

Gavin franziu o cenho.

– E esse aí é o meu bastão de beisebol?

Thea sentiu uma coisa quente e mesquinha abrir caminho em meio ao bom senso de antes.

– É. Funciona que é uma beleza.

Ela se virou e bateu com o bastão na parede.

Gavin se abaixou por instinto.

– Vou montar meu cavalete aqui – explicou e bateu com o bastão outra vez. – Essa parede idiota bloqueia toda a luz.

– Acho que a gente devia conversar sobre isso antes de você… – Gavin fez careta quando Thea golpeou com o bastão uma terceira vez.

– A gente já devia ter conversado sobre muitas coisas – retrucou a mulher, ríspida, se afastando da parede. Enxugou uma gota de suor da testa.

Um gritinho na escada os interrompeu.

– Papai! – Amelia saltou do degrau mais baixo da escada e correu na direção de Gavin, abraçando as pernas dele. – A mamãe está quebrando a parede! – A menininha riu e ergueu os braços para que ele a pegasse no colo.

Gavin pegou a filha, ainda olhando hesitante para Thea. Amelia inclinou a cabeça.

– Tá doente, papai?

– Hã, não, querida. Só não dormi muito bem ontem à noite. – Deu um beijo na bochecha dela. – Você está com cheiro de calda. Mamãe fez as panquecas especiais de sábado no café da manhã?

– Fez, com gotas de chocolate! Não *xobrou* nada.

Gavin olhou para Thea. Por um momento, os dois deixaram de ser rivais e se tornaram apenas pais. Amelia estava dando sinais de problema com a fala havia alguns meses, aparecia de vez em quando, e Gavin temia que fosse o começo de um distúrbio permanente, como o dele. Thea abriu um sorriso gentil e disse, baixinho:

– Não é nada.

Gavin estendeu o outro braço para Ava, que viera lentamente atrás da irmã.

– Ei, pequena.

Ava não quis chegar perto dele e foi para junto da mãe. O ato de proteção instintiva deixou Thea com um aperto no peito, que aumentou quando a filha ergueu a cabeça, atrevida, e declarou:

– A mamãe chorou.

Ah, não. Desde que Gavin saíra de casa, Ava tinha começado a ir para a cama de Thea no meio da noite. Será que ouvira a mãe se levantar e ir escondida para o banheiro na noite anterior? Não queria que as meninas a ouvissem chorar, *nunca*.

Gavin engoliu em seco. Examinou o rosto de Thea como se nunca a tivesse visto, o olhar se demorando nas sardas e manchas que ela não se dera o trabalho de cobrir com maquiagem, até os olhos dos dois se encontrarem de novo. Thea corou. Por que ele a encarava daquele jeito?

– A gente pode levar o Manteiga para dar uma volta? – perguntou Amelia.

Sempre passeavam juntos com o cachorro pelo bairro. Ao menos quando Gavin ainda morava lá.

– Outra hora, querida – respondeu Gavin. – Preciso conversar com a mamãe.

Amelia fez beicinho, uma técnica nova e arrasadoramente eficiente descoberta havia pouco tempo. Gavin engoliu em seco e Thea quase sentiu pena.

– Eu vou à sua apresentação de dança na segunda. Que tal darmos uma volta com o Manteiga depois disso?

– Eu levo todo mundo para dar uma volta – anunciou Liv, o tom de voz transparecendo o tanto que queria xingá-lo.

Manteiga ficou esperando, todo agitado, diante da porta enquanto Liv prendia a guia na coleira e ajudava as meninas a vestirem os casacos. Ela saiu, mas botou a cabeça de volta para dentro.

– Não demorem muito. Ainda precisamos criar seu perfil no aplicativo de encontros.

Liv bateu a porta de tela.

Gavin soltou um ruído indecifrável.

Thea disfarçou um sorriso.

– Você não atende o celular – protestou Gavin, assim que as meninas saíram.

– A bateria acabou ontem à noite. Não tive forças para carregar.

Ele se aproximou, os olhos cheios de preocupação.

– Está tudo bem?

Thea ignorou o salto que seu coração deu.

– Não sou eu quem está fedendo como se tivesse passado a noite numa poça de uísque.

– Eu enchi a cara ontem à noite.

Thea se virou para a parede, pronta para outro golpe.

– Comemorando a liberdade?

– Se acha mesmo isso, então fiz mais merda do que pensava.

O som do bastão batendo na parede não foi tão satisfatório.

– Bom, isso é um problema, Gavin, porque você fez uma grande merda.

Ele não argumentou.

– Você vai mesmo criar um perfil num aplicativo de encontros?

– Meu Deus, não! – Thea soltou um muxoxo debochado e passou a mão na testa. – É a última coisa de que preciso.

Mais um homem? Mais promessas nas quais não poderia acreditar? Não, obrigada.

Gavin assentiu, o alívio evidente no rosto.

– Se veio pegar suas coisas, seja rápido, porque as meninas não vão demorar.

– Eu não vim pegar nada.

– Então veio fazer o quê?

– Eu q-q-q...

Thea sentiu o coração dar outro salto enquanto o via lutar contra os músculos da garganta. Até que Gavin finalmente terminou a frase:

– Eu quero conversar.

– Não temos mais nada para conversar.

– Por favor, Thea.

Maldito coração saltitante.

– Tá bom.

Ela entregou o bastão a ele e foi até a cozinha batendo os pés. Deu-lhe as costas para encher um copo de água e sentiu a raiva borbulhar quando olhou o calendário enorme no quadro branco que ocupava a parede ao lado da geladeira. Antes, gostava de ser impulsiva e despreocupada, mas agora vivia e respirava segundo o código de cores do centro de controle, em que ela anotava os planos de cada minuto da vida: aulas de dança, consultas no dentista, cardápios de jantar, dias de voluntariado na pré-escola e, em letras vermelhas e garrafais, para dar um ar de ESQUEÇA POR SUA PRÓPRIA CONTA E RISCO, lembretes de encontrar a meia-calça favorita de Ava antes da apresentação de dança de segunda-feira.

Antes, o calendário também era cheio de compromissos beneficentes e sociais de uma mulher membro oficial do clube EEN (esposas e namoradas) do Nashville Legends, mas, desde que começaram os boatos de que ela e Gavin estavam com problemas, muitas das esposas e namoradas se afastaram. Nem fora convidada para o almoço idiota do mês, que foi *antes* de ela pedir o divórcio.

Bem, nunca tinha se sentido parte do grupo mesmo. Por mais que tentasse. Junto daquelas mulheres, sempre ficava com a sensação de que era *aquela garota*, a que todas desconfiavam que engravidara de propósito para fisgar um atleta profissional rico.

Mal sabiam elas que o último motivo no mundo para Thea se casar com alguém seria dinheiro. Experimentara em primeira mão, na infância, como o dinheiro corrompia e corroía tudo.

Não. Tinha se casado com Gavin por amor.

Bem, considerando o resultado, talvez tivesse sido melhor se casar por dinheiro.

Thea não estava nem um pouco preparada para a vida de esposa de jogador de beisebol. E fazer parte do clube EEN vinha com responsabilidades e certo status de celebridade. Participar de eventos beneficentes e ser paga para fazer aparições era como viver em uma sororidade da qual nunca quisera fazer parte. Não tinha nada contra sororidades. Até participara de uma na faculdade – um grupo do pessoal de teatro, de música e de estudos feministas que se unia para protestar contra os cortes de orçamento nas clínicas para mulheres.

Mas aquela era uma sororidade diferente. Exigia que ela se enquadrasse nos padrões e obedecesse às normas sociais que iam contra tudo o que sempre defendera. E teve que descobrir como fazer tudo sozinha, *enquanto* cuidava das bebês gêmeas, porque Gavin passava quase todo o tempo fora. E, no processo, acabou se perdendo tanto que nem sequer se reconhecia mais. Como foi que a revista *Southern Lifestyle* a descrevera, no último verão, em um artigo sobre os atletas profissionais do Tennessee e suas famílias? *Totalmente em tons pastel*. E o artigo estava certo. Seu armário tinha se tornado um tributo a variações de algodão--doce. E justo ela, que antes usava tantas camisetas vintage do Depeche Mode e All Star preto.

A matéria foi como um balde de água fria. Um alarme para que acordasse. Depois de um tempo de confusão, hesitação e sofrimento, acabou percebendo que tinha se tornado tudo o que antes desprezava. E Gavin não tinha reparado – ou não tinha se importado – que Thea se transformara em uma versão apagada de si mesma.

Ou pior: talvez ele preferisse a Thea apagada.

Thea o ouviu pigarreando e finalmente se virou. As olheiras ficaram ainda mais evidentes à luz da cozinha, pareciam hematomas gêmeos. Ele estava mesmo parecendo péssimo. Gavin nunca aguentou nada muito forte. E não só no quesito álcool.

Deslizou o copo pela ilha da cozinha na direção dele.

– Quer uma aspirina?

– Já tomei.

– Não ajudou?

– Não muito.

Ele abriu um meio sorriso e pegou o copo que ela acabara de oferecer, o polegar esfregando a condensação no vidro. Thea não conseguiu segurar a pontada de saudade que fez certas partes de seu corpo doerem e outras formigarem. Ou tinha mesmo virado aquela pessoa digna de pena, ou estava carente demais, considerando que a simples imagem do polegar dele acariciando distraidamente um copo de água conseguia deixar suas partes sensíveis em alerta. Gavin não a tocava desde aquela noite – a noite da Grande Descoberta. Mas, apesar do que Gavin parecia pensar, Thea sempre amou seu toque. E nunca tinha fingido *isso*.

Maldito.

– Quero ficar com a casa.

Gavin inclinou a cabeça, como se não tivesse ouvido direito. Parecia um cachorro confuso.

– O q-quê?

– Sei que estou pedindo muito, mas não vou precisar de um valor de pensão muito alto, se você estiver disposto a pagar o resto da casa para eu morar com as meninas. Vou trabalhar, claro, mas...

Gavin empurrou o copo para longe.

– Thea...

– Acho que as coisas teriam sido mais fáceis para Liv e eu se meu pai não tivesse vendido a casa depois de ter deixado minha mãe. E, como esta é a única casa que as meninas conhecem... – Sua voz falhou. Inspirou fundo para disfarçar. – E temos que contar juntos. Só não sei bem qual vai ser a hora certa. Antes do Natal? Depois? Não sei... Nem sei se elas vão entender. As duas ainda acham que você só viajou para jogar beisebol, mas isso não vai durar muito...

– Thea, pare!

A voz dele saiu aguda, o que foi tão perturbador quanto atípico. Thea levou um susto.

– Parar com o quê?

– Eu não quero isso.

– A casa?

– Não! Droga! – Ele passou a mão no cabelo. – Quer dizer, sim. Eu quero a casa. Q-q-quero você e as meninas na casa.

– Não entendi.

– Eu quero *você*!

Thea ficou boquiaberta. A surpresa a deixou sem voz por um instante, mas o ceticismo logo a trouxe de volta.

– Pare, Gavin. É tarde demais.

Ele apertou a beirada da bancada até ficar com as veias dos antebraços musculosos saltadas.

– Não é, não.

– É melhor fazermos isso agora que as meninas ainda estão pequenas e não vão nem lembrar…

Ela não conseguiu terminar a frase, estava com um nó na garganta. Mas não tinha tempo para esse drama.

Gavin ficou ainda mais sério.

– Lembrar o quê? Que os pais um dia foram casados?

– Prefiro que elas não se lembrem *disso*, em vez de passarem pela dor de ver a família dilacerada.

– Então vamos manter a família unida.

– Você dilacerou a família quando saiu de casa.

– Você me mandou embora, Thea!

– E você nem protestou, só saiu correndo.

Gavin abriu a boca para responder, mas a fechou. Até que explicou:

– Eu precisava de tempo para pensar.

– E agora vai ter todo o tempo de que precisa.

Gavin se curvou para a frente, apoiando os cotovelos na ilha da cozinha e a cabeça nas mãos.

– Nada está saindo como eu q-queria.

Thea se afastou da bancada de repente.

– É mesmo!? E como você imaginou que seria? Acha que bastava aparecer aqui, que eu ia sorrir e fingir que estava tudo bem? Estou fazendo isso há três anos, Gavin. Não aguento mais.

Ela foi até a parede. Precisava bater em alguma coisa de novo.

– C-c-como assim? – perguntou ele, logo atrás.

– Os meus orgasmos eram o menor dos nossos problemas!

Era isso que mais a irritava. Gavin tinha ficado chateado porque ela fingia os orgasmos, mas não sabia que já fazia anos que ela estava fingindo tudo?

Thea pegou o bastão e golpeou com toda a força que tinha. Abriu outro buraco na parede.

– Thea, espere – pediu Gavin, agarrando o bastão para impedi-la de bater na parede de novo. – Por favor, me escute, só um segundo.

Ela se virou.

– Já passamos da fase de escutar um ao outro, Gavin. Eu pedi para você me escutar mil vezes desde aquela noite, mas você se recusou!

– Nem tudo naquela noite foi horrível, Thea.

A mulher partiu para cima dele, impelida pela raiva.

– Você só pode estar de brincadeira! Acha que agora é uma boa hora de lembrar a gloriosa conquista da sua carreira?

Seria cômico se não fosse tão trágico. A piada perfeita. A noite da maior façanha da carreira dele, o *grand slam* da vitória no sexto jogo do Campeonato da Liga Americana, trouxe um acontecimento ainda maior na cama, para Thea.

– Estou falando do que fizemos depois do jogo – respondeu ele, diminuindo a distância entre os dois, baixando a voz para um tom sedutor: – *Aquilo* não foi horrível.

– Então por que você foi para o quarto de hóspedes depois que acabou?

Gavin ergueu as mãos, pedindo uma trégua.

– Porque reagi muito mal e fiz besteira! Eu *sei* disso. E eu q-q-q...

A boca se mexia, tentando emitir as palavras que os músculos da garganta estavam determinados a segurar. Gavin passou a mão no queixo e segurou a nuca. Até que, finalmente, olhou para o chão, grunhindo, a frustração repuxando os lábios em uma careta.

A porta da frente se abriu de repente pela segunda vez naquela manhã. Gavin engoliu um palavrão quando Amelia e Manteiga entraram correndo, seguidos por Ava e Liv. Amelia parou no corredor, segurando um biscoito canino o mais alto que seu bracinho permitia.

– Olha, papai!

Amelia mandou Manteiga pular. O cachorro simplesmente ergueu a cabeça e pegou o biscoito dos dedos da menina, que deu gritinhos animados, como se tivesse ensinado Manteiga a falar.

Gavin abriu um sorriso carinhoso.

– Que legal, meu amor – respondeu, a voz tensa.

Liv entrou na cozinha trocando olhares com Thea. Alguns segundos depois, *Single Ladies* começou a tocar na caixa de som.

– Ela adora uma indireta – comentou Gavin, baixinho.

– Ninguém é tão leal quanto uma irmã caçula.

– Vamos pular na cama elástica – anunciou Liv, captando a tensão ainda não resolvida.

E aumentou a música antes de sair com as meninas.

Gavin se aproximou de Thea, hesitante.

– Só me diga o que p-p-precisa acontecer. O que eu preciso fazer?

Seu rosto expressava uma súplica ardente, que lembrava demais o tom falso do *amor, por favor* que o pai usava sempre que pedia uma segunda chance à mãe dela. Ou uma terceira, ou uma quarta. Quantas vezes a mãe acreditou nas promessas do pai e o aceitou de volta? Muitas. Thea não cometeria esse erro.

Ela suspirou, repetindo as palavras de antes:

– É tarde demais, Gavin.

Ele ficou pálido.

– Me dê uma chance.

Thea balançou a cabeça.

Gavin estreitou os olhos. Segurando um grunhido, deu as costas para ela, botando as mãos na cabeça. O tecido da camiseta esticou sobre os músculos contraídos, empenhados na luta dele contra os pensamentos. Depois de um momento carregado de tensão, Gavin se virou de volta para ela. Então, com passos determinados, diminuiu a distância entre os dois.

– Faço qualquer coisa, Thea. Por favor.

– Por quê, Gavin? Depois de todo esse tempo, *por quê*?

Gavin baixou o olhar para os lábios dela e... Ah, Deus, ele ia...

Ele grunhiu, segurou-a pela nuca e grudou os lábios nos dela. Thea cambaleou para trás e se segurou no encosto do sofá para não cair, mas não precisava, pois Gavin já tinha passado um braço por suas costas, ajudando-a a manter o equilíbrio. Era um braço forte e musculoso, segurando-a junto a seu corpo rígido. Gavin pressionou a boca na dela, beijando-a várias vezes. E, quando sentiu a língua dele passar por entre seus lábios, Thea não conseguiu mais se segurar. Agarrou a frente da camiseta dele e abriu bem a boca, soltando um suspiro. Gavin tinha gosto de pasta de dente e uísque e uma dose de sonhos perdidos.

Mas em seguida vieram a confusão e a traição. Ela era mesmo tão fácil? Bastava um beijo e caía, fraca, nos braços dele? Um beijo, e esquecia tudo o que tinha acontecido?

Thea se afastou.

– O que você está fazendo?

– Você perguntou por quê – explicou ele, ofegante, com o olhar sombrio. – É por isso.

TRÊS

– Você *o quê?*

Gavin se encolheu no banco do passageiro da picape de Del. O cheiro de pizza, asinhas de frango e outras comidas no banco de trás ameaçava acabar com a trégua em seu estômago. Já fazia muitas horas que tinha vomitado pela última vez, mas o cheiro de molho apimentado veio com o aviso de que não seria difícil mudar essa situação.

– Eu a beijei.

Del soltou um palavrão.

– Eu *falei* para você não ir atrás dela!

– Eu sei.

– E eu tenho certeza de que não dei permissão para você beijar ninguém.

– Eu não sabia que precisava de permissão.

– Pois precisa. E o mais importante é que você precisa da permissão *dela*. Merda. – Del bateu com a mão no volante. – Essa palhaçada pode ter custado *semanas* de progresso.

Gavin não discutiu; tinha a horrível sensação de que Del estava certo. Se Thea estivesse perto de uma frigideira, teria batido na cabeça dele. Depois de empurrá-lo para longe, disse que ele não tinha direito de beijá-la daquele jeito, sem mais nem menos, e o mandou embora.

Mas também houve um momento em que Thea se aproximou mais, em que se entregou a ele, tocou a língua na dele e deu um suspirinho. Um suspiro *de verdade*. Foi por pouco tempo, mas ela retribuiu o beijo. Talvez nem tudo estivesse completamente perdido.

Del virou à direita, entrando na via expressa. O interior do carro estava iluminado pelo brilho amarelo dos faróis que vinham na direção oposta a caminho do centro de Nashville para uma noitada country. Seguiram por quase quinze minutos, até Del pegar a saída perto de Brentwood, uma subdivisão fora da cidade onde moravam muitos atletas e astros do country.

Gavin preferia Franklin. Também havia muitas celebridades morando por lá, mas as ruas históricas e arborizadas davam ao bairro uma atmosfera de cidade pequena. Morava em uma área normal, não em uma subdivisão pretensiosa e cheia de mansões. A casa ficava perto do centro, de forma que as meninas podiam pegar um livro na biblioteca e tomar um sorvete na lanchonete com bancos de vinil rachados, da qual eram clientes regulares. Os únicos turistas por lá eram os fanáticos pela Guerra de Secessão que queriam visitar os campos de batalha da região.

Gavin tinha ficado meio hesitante quando Thea sugeriu que morassem lá. Seu salário permitia algo mais luxuoso. Mas, quando viu como os olhos dela brilharam enquanto lhe mostrava uma casa de tijolos de 1930 num anúncio do celular, nem pensou em outro lugar. E, agora, não queria abrir mão do estilo de vida de cidade pequena por nada.

Só que quase abrira.

Cinco minutos depois, Gavin equilibrava cinco caixas de pizza e quatro de asinhas de frango pela calçada bem-cuidada.

– De quem é essa casa?

Considerando os carros esportivos na garagem, temia que fosse do cretino da maçã.

E estava certo. Quando a porta se abriu, Mack os cumprimentou com uma risada debochada.

– Ei, olha só quem está sóbrio!

Gavin largou as caixas nos braços dele.

– Ei, olha quem continua um babaca.

– Vocês dois precisam parar com essa besteira – rosnou Del, entrando.
Mack fechou a porta com o pé.

– Está tudo numa boa, não é, cara?

– Não. Eu meio que te odeio mesmo – retrucou Gavin.

Del se virou.

– Todos chegaram?

– Chegaram. Estão no porão. Ele está pronto para a iniciação? Tenho que levar a ovelha de volta para a fazenda à meia-noite.

Gavin fez cara feia, mas seguiu os dois pelo corredor com pé-direito alto, passando por uma escada curva bem larga. Entraram em uma cozinha com o dobro do tamanho da cozinha da casa onde morava com Thea. O som de vozes foi ficando mais alto quando se aproximaram de uma porta que levava ao porão.

Gavin esperou Mack e Del entrarem primeiro.

– A comida chegou! – anunciou Mack, virando no fim da escada. Várias vozes masculinas responderam em aprovação, muitos dizendo *já estava na hora.*

– Estamos atrasados? – perguntou Gavin para as costas de Del.

– Que nada. Eles chegaram cedo para finalizar o plano.

Gavin agarrou a camisa do amigo.

– Espere aí. Que plano?

– O plano para juntar Thea e você, seu otário – respondeu Del, virando no mesmo ponto em que Mack tinha desaparecido. – Plano esse que você complicou bastante hoje.

Gavin inspirou fundo e soltou o ar, parando no último degrau. Reuniu coragem, lembrando que aquelas pessoas iam ajudar a salvar seu casamento, e foi atrás de Del.

Dez dos figurões mais poderosos e influentes de Nashville – atletas profissionais, empresários e funcionários do alto escalão da prefeitura – estavam junto a um bar elaborado, aglomerados, comendo pizza e asinhas de frango. Del largou um saco de papel com outros petiscos ali perto, deixando cair vários sacos de batata chips lá de dentro. Uma única maçã verde rolou pelo chão.

Mack balançou a cabeça, pegando a maçã.

– Nossa, mas como você é vingativo.

– Anda logo, gente – chamou Del. – Temos que começar. O imbecil aqui beijou a esposa.

A sala virou um caos. Cabeças se viraram. Cadeiras caíram. Um jogador de hóquei, no canto, soltou um palavrão em russo.

– Como assim, cara? – gritou Mack. – A gente disse que você não poderia se encontrar com ela!

Um cara que ele reconheceu como Malcolm James, *running back* no time de futebol americano de Nashville, engasgou com a cerveja.

– Você pelo menos pediu permissão, ou o beijo veio em um ataque sorrateiro?

– Hã... Acho que foi ataque sorrateiro.

Yan deu um tapa em sua nuca.

– Esse é o pior tipo de atitude, cara! Você não pode fazer isso, não ainda.

– Por que é o pior tipo?

Uma incrível variedade de caras feias e caretas de desaprovação o examinava enquanto os homens se serviam e iam para a enorme mesa de jogo do outro lado do porão.

O russo resmungou um pouco, analisando o que restava da comida, até que se contentou com um pacote de salgadinhos. Enfiou o pacote debaixo do braço, como se alguém fosse tentar roubar.

– Tem pizza demais – reclamou, fazendo cara feia ao passar por Gavin. – Queijo... Sai direto pela porta dos fundos.

Era uma imagem mental desnecessária.

– Gavin, venha aqui. Está na hora de começar.

Gavin pegou a maçã verde da bancada e se arrastou até a cadeira que restava.

Del se levantou, pigarreando.

– Prontos?

Os homens assentiram, todos de boca cheia.

– Que bom. Qual é a primeira regra do clube do livro?

Eles responderam em uníssono:

– Não falar sobre o clube do livro.

Que maluquice era aquela?

Gavin olhou em volta, procurando uma câmera escondida. Só podia ser pegadinha.

– Clube do livro? Esse é o grande plano para salvar meu casamento?

Del assentiu para Mack, que se inclinou na cadeira e tirou um livro do bolso de trás da calça. Jogou o livro na cara de Gavin.

– Está com uns reflexos ótimos, hein? Espero que seja melhor como interbases.

– Eu jogo na segunda base, idiota.

Mack deu de ombros.

– Não é a mesma coisa?

Gavin o ignorou e pegou o livro, que tinha caído na mesa. Ele olhou para a capa e piscou, confuso. Uma mulher que devia ser do século XIX estava beijando um sujeito com a camisa aberta.

– *Cortejando a condessa* – leu Gavin, confuso. Cerrou os dentes e olhou para a frente. – Isso é piada?

– Não – respondeu Del.

– É um romance.

– É.

Gavin se levantou.

– Não acredito. Minha vida está desmoronando, e vocês ficam aí, de deboche.

– Eu pensei a mesma coisa quando o Malcolm me trouxe aqui – explicou Del. – Mas não é brincadeira. Senta e escuta.

Gavin pressionou a palma da mão na testa e fechou os olhos. Quando os abriu outra vez, viu que todos ainda o encaravam. Então também não era um sonho esquisito.

– O q-q-que está acontecendo aqui?

– Se calar a boca por um segundo, vamos poder explicar, seu animal – retrucou Mack.

Gavin voltou para a cadeira.

– Vocês ficam lendo *romances*?

– Nós chamamos de *manuais* – interveio o russo.

– E é bem mais do que só leitura – explicou Malcolm.

Gavin ficou gelado.

– Se estão querendo me arrastar para algum clube de suingue com fetiches estranhos, estou fora.

Del se inclinou para a frente, apoiando os cotovelos na mesa.

– Olha, vou contar uma coisa que você nunca soube.

– Ah, não sei se quero saber.

– Dois anos atrás, Nessa pediu o divórcio.

Gavin vacilou.

– O quê? Por que você não me contou?

– Primeiro porque, na época, mal nos conhecíamos. E, segundo, provavelmente pelo mesmo motivo de você estar relutante em contar para qualquer um o que aconteceu entre você e a Thea. É emocional, é pessoal.

– Mas você e a Nessa são perfeitos.

– As coisas sempre são diferentes por trás de portas fechadas, não é mesmo?

Sim, eram diferentes, mas, no caso de Gavin, parte do problema incluía ele ser burro demais para saber que era péssimo na cama e que a esposa tinha começado a odiá-lo. A forma como Thea olhou para ele naquele dia... Gavin estremeceu só de pensar. Duvidava que Del conseguisse entender.

– Quase todos aqui já estiveram prestes a perder a esposa, namorada ou noiva – explicou, e Gavin se lembrou do comentário enigmático de Del, na noite anterior. *Todos aqui já passaram por isso.* – E cada um de nós aqui não só recuperou a garota, mas deixou o relacionamento *ainda melhor.*

Gavin observou os rostos ao redor da mesa. Alguns assentiam e sorriam, e Mack mostrou o dedo do meio. Gavin retribuiu o gesto e balançou a cabeça.

– Ainda não entendi nada e não sei o que estou fazendo aqui.

– Olha, cara – interveio Malcolm, as mãos enormes como as do Hulk coçando a barba densa o suficiente para solicitar ao governo proteção florestal. – Os homens são uns idiotas. Ficamos reclamando que as mulheres são misteriosas e tal e que não temos como saber o que elas querem... E, com isso, destruímos relacionamentos, porque nos convencemos de que é difícil demais entender nossas parceiras. Mas o problema na verdade somos nós. Achamos que não devemos sentir coisas, chorar e nos expressar... E esperamos que as mulheres façam todo o trabalho emocional. Daí, quando elas desistem, ficamos sem entender por quê.

Gavin soltou o ar, nervoso. Malcolm tinha acertado em cheio. *Acha que bastava aparecer aqui, que eu ia sorrir e fingir que estava tudo bem? Estou fazendo isso há três anos, Gavin. Não aguento mais.*

– Eu a-ainda não sei do que você está falando – gaguejou.

– Romances são escritos basicamente por mulheres, para mulheres. E todos falam sobre como elas querem ser tratadas e o que querem da vida e de um relacionamento. Lemos esses livros para ficarmos mais à vontade em nos expressarmos e para vermos as coisas da perspectiva delas.

Gavin piscou.

– Então vocês estão falando sério.

– Muito – respondeu Del.

O russo que tinha problemas com queijo assentiu, acrescentando:

– Ler romances me ensina o quanto minha esposa e eu vemos o mundo de jeitos diferentes e como preciso aprender a falar a língua dela.

– A língua dela?

– Você já disse alguma coisa para Thea que achava que era normal, mas ela saiu batendo os pés e passou horas dizendo que não era nada e que estava ótima? – perguntou Malcolm.

– Já.

– Ou falou alguma coisa engraçada, mas ela ficou superofendida?

– Bom, já, mas...

Yan se manifestou:

– Ou já foi lá contar para ela que botou a louça na máquina e ela ficou furiosa dizendo que você não deveria esperar uma medalha por fazer o que deveria ser a responsabilidade de qualquer adulto na porcaria da casa?

Gavin sentiu um arrepio na espinha.

– Vocês andaram conversando com ela?

Yan riu.

– Vocês dois falam línguas diferentes. – Ele apontou para o livro. – Lendo esses romances, você aprende a língua dela.

– Mas Thea nem lê esse tipo de livro!

Os homens trocaram olhares e caíram na gargalhada. Del deu um tapinha nas costas dele.

– Você pode ficar se enganando, meu amigo.

– Eu nunca vi nada assim lá em casa.

Derek Wilson, um empresário local que Gavin reconheceu de algumas propagandas da TV, se manifestou:

– Ela tem um desses leitores digitais?

– Tem... Quer dizer, sei lá. Acho que tem.

– Está cheio de romances. Pode acreditar.

Gavin olhou para o livro em suas mãos.

– Então vocês estão dizendo que preciso f-fazer igual ao c-cara deste livro?

Estava mesmo começando a dar ouvidos àquela maluquice?

– Não precisa seguir o passo a passo – respondeu Del. – A questão é adequar as lições ao seu próprio casamento. Além do mais, esse livro é da Regência, então...

– Regência? Que droga é essa?

– Quer dizer que se passa na Inglaterra do século XVIII ou do começo do século XIX.

– Ah, que ótimo. Parece bem atual.

– Mas é – observou Malcolm. – As autoras dos romances usam a sociedade patriarcal da antiga aristocracia britânica para refletir sobre as limitações impostas pelo gênero que as mulheres de hoje sofrem, tanto na esfera profissional quanto na pessoal. É uma leitura bem feminista.

Mack deu uma piscadela, acrescentando:

– E as cenas de sexo são coisa de louco.

Gavin largou o livro.

Mack e Wilson riram e fizeram *high-five*.

– Eu adorei esse aí – complementou Wilson. – É pelo menos um 4 na escala EL.

– Eu preciso saber o que é essa escala? – indagou Gavin, hesitante.

– É nosso sistema de pontuação para a quantidade de sexo em um livro – explicou Wilson.

– Mas o que significa EL?

A mesa toda respondeu ao mesmo tempo:

– Ereção Literária.

Gavin se levantou de novo.

– Isso é ridículo. Minha e-e-esposa não vai me aceitar de volta só por eu ter lido uns livros idiotas.

Porém, o mais ridículo era que estava realmente cogitando aquilo. Afinal, não tinha como errar *mais* do que já tinha errado.

– Os livros são só uma parte – explicou Del, pegando *A condessa nua*, ou seja lá o título que fosse. – Todos aqui passaram por isso e saíram da situação como homens, maridos e amantes melhores.

Gavin ergueu os olhos para ele.

– Como assim?

– Ah, então conseguimos despertar o interesse dele... – Mack riu com deboche. – Esse é o problema, cara? Dificuldades na cama?

A vermelhidão tomou o pescoço de Gavin.

– Não – respondeu, num fio de voz.

– Porque você sabe que problemas na cama derivam de problemas fora da cama, né? Não tem como resolver uma parte sem resolver a outra.

Os meus orgasmos eram o menor dos nossos problemas!

Gavin apontou com o polegar na direção de Mack, mas falou com Del:

– Por que esse miolo mole faz parte do clube? Ele nem é casado!

– Estou aqui pela sacanagem – explicou Mack, dando uma piscadela enquanto abocanhava metade de uma fatia de pizza de uma vez só.

Yan se levantou e foi até Gavin.

– Olha, cara, eu também achava que eles estavam zoando com a minha cara. Levei um mês só para olhar para os livros que me deram. Mas estou dizendo, aliás, *todos nós* estamos dizendo, que podemos ajudar. O clube do livro não é só sobre livros.

Malcolm assentiu com ar solene.

– É uma irmandade, cara.

– Um estilo de vida – completou um sujeito, uma das autoridades da cidade.

Mack passou o braço pelo ombro de Wilson.

– Uma jornada emocional, até.

Gavin recuou.

– Eu não gosto de jornadas emocionais.

– Confia na gente – pediu Del. – Vamos bolar um plano para salvar seu casamento e acompanhar cada passo.

– Tem certeza de que não estão só zoando com a minha cara?

– Você é um dos meus melhores amigos – declarou Del. – Acha mesmo que eu iria querer sacanear o fim do seu relacionamento com a Thea?

– Não.

Gavin suspirou. A questão era que parecia fácil demais. Bastava ler uns livros e pronto? Thea o aceitaria de volta de braços abertos? Estava mesmo tão desesperado?

Imaginou a vida sem Thea.

Sim, estava desesperado.

Gavin examinou a capa do livro mais uma vez.

– E por que este livro em especial?

Mack deu um sorrisinho.

– Porque é sobre um idiota que estraga o casamento e precisa reconquistar a esposa. Reconhece a história?

Gavin engoliu em seco, tentando disfarçar a humilhação crescente.

– E o que eu preciso fazer?

– É simples – respondeu Malcolm. – Basta escutar o que a gente diz e ler o livro.

– É. – Del riu. – E, por tudo que é mais sagrado, não beije a sua esposa de novo enquanto eu não mandar.

Cortejando a condessa

Aos 29 anos, o sétimo conde de Latford já tinha visto diversas mulheres em variados estágios de nudez, mas nada o preparara para a primeira visão deslumbrante de sua esposa na noite de núpcias. A mulher parecia um anjo naquele robe diáfano.

Sobretudo porque seus olhos transmitiam a mensagem clara de que ela preferiria se banhar em fezes de porco a sentir na pele as mãos dele.

Um enorme inconveniente, claro. Porque, pela primeira vez na vida, Benedict Charles Arthur Seymor estava verdadeiramente apaixonado.

– Cumprirei meu dever, milorde – disse a nova esposa, com a voz seca, as mãos tremendo enquanto desamarravam a faixa da cintura.

O robe caiu no chão em um montinho de seda branca, e a mulher ficou parada diante dele com uma camisola simples, deixando o conde sem fala, incapaz de pensar.

Benedict ordenou que os pés se soltassem das raízes que o

prendiam à porta que separava seu quarto do dela. Quando se aproximou, sentia o coração se partindo a cada sinal de desconforto dela: os punhos fechados junto ao corpo, a respiração trêmula, o olhar de desafio, que a mulher recusava a desviar do dele.

Ele causara aquilo. A culpa era sua.

— Pode ficar tranquila — disse Benedict, a voz rouca, inclinando-se para pegar o traje de seda no chão.

Os pés descalços da esposa eram a cena mais erótica que já tinha visto. Ele se levantou e estendeu o robe aberto na direção dela.

— Não vim aqui para isso.

Por um breve momento, a confusão substituiu a raiva no olhar dela. A condessa permitiu que ele segurasse o robe enquanto o vestia, passando os braços pelas mangas sedosas, e corou de leve quando Benedict amarrou a faixa na cintura dela — uma liberdade que não deveria ter tomado, mas à qual não conseguira resistir. Por Deus, estar perto dela já era o suficiente para acabar com todos os seus pensamentos coerentes.

— Então posso perguntar por que o senhor está em meu quarto? — indagou a condessa, se afastando dele.

— Trouxe um presente para você — explicou Benedict, tirando um pacotinho do bolso do próprio robe.

O olhar dela pousou no papel marrom liso.

— Não preciso de um presente de casamento, milorde.

— Benedict.

— Perdão?

A mulher arqueou a sobrancelha, em uma expressão sarcástica demais para uma jovem de tão boa procedência. Era exatamente o tipo de surpresa que o fizera se apaixonar.

— Estamos casados. Quero que você use meu nome de batismo. — Benedict estendeu a mão com o presente. — Por favor.

Ela deixou um suspiro profundo escapar pelos lábios carnudos.

– Qual é o propósito disso?

– Um marido precisa de motivo para dar presentes à esposa?

– Achei que tivesse deixado claro que não teremos esse tipo de casamento, milorde.

– Benedict. E não me lembro de ter concordado com nenhum termo que definisse o tipo de casamento que teríamos.

– O senhor estabeleceu muito bem os termos do casamento com aquela acusação.

O arrependimento o dilacerou, abrindo ainda mais a ferida que começara a sangrar em seu peito assim que ele percebeu o quanto tinha se enganado. Mas, quando descobriu a verdade, era tarde demais. Tinha traído a confiança dela, e justo no momento em que mais importava.

– Um erro pelo qual lamentarei eternamente – respondeu ele, por fim.

– E isso é um pedido de desculpas? – indagou a mulher, encarando o presente.

– Não sou tolo a ponto de pensar que posso comprar seu perdão, meu amor. É só uma demonstração do meu afeto.

Evitando o olhar do conde, a mulher desembrulhou o papel com cuidado e abriu a comprida caixa de veludo. Lá dentro, encontrou um colar de rubis e diamantes que valia uma pequena fortuna. Ela arregalou os olhos.

– Milorde… – sussurrou.

– Benedict – corrigiu ele, baixinho. – É do seu agrado?

– É lindo. Mas extravagante demais para mim.

– Bobagem. Você é a condessa de Latford. Deveria viver coberta de joias.

– Obrigada, milorde. – Ela deixou a caixa na penteadeira. – Se não houver mais nada…

A educação com que ela o tratava era como uma corrente de ar frio entrando no quarto. Benedict queria o calor de volta, queria o fogo que ardia entre os dois antes daquele momento fatídico, em que deixara o orgulho apagar as chamas com um mal-entendido imprudente. Benedict mais uma vez diminuiu a distância entre os dois.

— Por favor, meu amor. Imploro por uma chance de consertar as coisas.

Ela pestanejou, os longos cílios tremeram e as pupilas se dilataram.

— Com que propósito, Benedict?

— Com o propósito de termos uma vida longa e feliz juntos.

Ela tentou evitar o impulso de engolir em seco, movimentando os músculos do pescoço esguio e elegante.

— Não acredito mais nessas coisas. — A condessa passou por ele, atravessando o quarto até a cama. — Falei que cumpriria meu dever, e cumprirei. Quero dar ao senhor um herdeiro o mais rápido possível. Depois, eu e a criança iremos para o campo, para o senhor se ver livre de mim.

— Não quero me ver livre de você.

— Milorde, duas semanas atrás o senhor me acusou, na frente da víbora mais cruel da alta sociedade, de planejar que fôssemos pegos em uma situação comprometedora para forçá-lo a se casar comigo em troca do título de condessa.

— E depois disso descobri a verdade.

— Mas o dano já está feito.

— Então me deixe consertar as coisas. — As palavras saíam rápidas como seus passos. — Por favor, Irena.

Ela entreabriu os lábios. Talvez tivesse sido o uso de seu nome, ou talvez a tensão na voz do conde, carregando o peso de um pedido de desculpas que ele jamais pararia de repetir. Ao menos até que ela acreditasse.

— Não posso mudar o que fiz nem retirar as coisas horríveis que falei. Só posso tentar provar que me arrependo do que fiz e a sinceridade de meus sentimentos. Se você me permitir.

Um vislumbre de algo diferente de desdém iluminou os

olhos dela. Dissipou-se imediatamente, mas o importante é que tinha aparecido.

— Irena…

— É tarde demais — sussurrou ela.

— Nunca é tarde demais. Não para o amor. — O conde levou as mãos dela aos lábios, beijando lentamente cada dedo antes de encarar seu olhar chocado. — E é verdade, Irena. Eu amo você.

Ela abriu um sorriso frágil ao ouvir aquelas palavras, então puxou as mãos.

— Amor não basta, milorde.

— Benedict — corrigiu ele, passando o dedo pelo contorno delicado do maxilar de Irena. — E você está enganada: o amor é tudo que importa. E farei o que for preciso para provar isso.

Ela arqueou a sobrancelha outra vez.

— E posso perguntar como o senhor pretende fazer isso?

— Pretendo cortejá-la.

Irene soltou uma risada debochada e nada feminina.

— Não seja ridículo.

A risada o fez se empertigar, a ideia criando raízes enquanto florescia de certezas.

— Meu amor, nós vamos recomeçar.

QUATRO

– Estou tão decepcionada com você…

Thea deu um pulo quando ouviu a voz de Liv atrás de si. A mão escorregou na pá de lixo, e a pilha de sujeira e detritos da parede caiu de novo no chão. Ela olhou feio por cima do ombro.

– Por quê?

– Deixo você sozinha com uma garrafa de vinho da melhor qualidade e você a ignora e vai fazer faxina?

Era noite de domingo, e Liv havia se oferecido para botar as meninas na cama, para que Thea pudesse ficar um tempo olhando para o nada, mas a verdade é que não tinha tempo de ficar à toa. Precisava limpar a sujeira da parede antes que as meninas e o cachorro decidissem brincar na poeira. Thea jogou o lixo na lata enquanto Liv abria uma garrafa do Riesling que deixara gelando. Serviu duas taças, ofereceu uma a Thea e se sentou no sofá.

– Qual é a graça de se divorciar se você não pode usar a separação como desculpa para encher a cara?

– Ainda não vi graça em nenhuma parte de me divorciar – retrucou Thea, se sentando na outra ponta do sofá.

– Por isso o vinho – explicou Liv, esticando as pernas até apoiá-las no colo da irmã.

Ver as pernas longas de Liv não ajudou em nada a melhorar o humor de Thea. Como Liv tivera a sorte de herdar o corpo alto e magro do pai, enquanto ela precisava se resignar com a estatura de um Smurf? Mas, sempre que reclamava da própria altura, Gavin dizia que ela era perfeita, porque ele conseguia apoiar o queixo em sua cabeça quando a abraçava.

– Você parece muito em dúvida – comentou Liv.

– Não estou.

A irmã inclinou a cabeça e estreitou os olhos, como se não acreditasse.

– Você está tomando a decisão certa.

– Eu sei. – Thea tomou um golinho do vinho para disfarçar a culpa por todas as coisas que não tinha contado para a irmã. E que nem contaria. Apontou para a parede esburacada para mudar de assunto. – Acho que isso foi meio impulsivo.

– Eu sei. É o que eu mais amo nessa história. A Thea de antes, impulsiva e mal-humorada, voltou com tudo, mostrando as garras.

Thea ergueu as sobrancelhas.

– Impulsiva e mal-humorada?

– É, se lembra dela? A Thea que passou por uma fase de pintar nua e que uma vez se algemou a uma escavadeira só para proteger uma árvore do campus? Eu já estava com saudade.

Ela olhou para a parede, analisando o pouco progresso que conquistara.

– Eu também.

Quando tinha sido a última vez que fizera *alguma coisa* por impulso? Claro que a impulsividade era parcialmente responsável pela situação em que estava: bastou um rompante no banco de trás do carro de Gavin para o espermatozoide se encontrar com o óvulo. E foi assim que os erros de sua família se repetiram: a gravidez não planejada, o casamento às pressas, a mudança para o subúrbio, o marido que nunca estava em casa.

Falando nisso...

– Já respondeu ao convite? – perguntou Thea.

O pai ia se casar pela quarta vez em dezembro.

Liv soltou uma risada debochada.

– Para quê?

Thea assentiu.

– Estou pensando em responder *talvez no próximo*, mas parece muita maldade.

– O que só torna o recado perfeito.

– Qual é o problema dessas mulheres? Como ele as convence a ignorar completamente o passado?

– Ele mostra a conta bancária.

Era mesmo a única coisa que fazia sentido. Nenhuma mulher em sã consciência veria o padrão de infidelidade crônica e pensaria: *Ah, sim, esse é para casar.*

Liv virou o resto do vinho.

– Ela tem 32 anos.

– Quem?

– Nossa nova madrasta.

Thea ficou boquiaberta. A mulher era só seis anos mais velha que ela.

– Ah, a mamãe vai *amar* isso – comentou, com uma risada debochada.

– Falando na nossa adorável mãe, ela me ligou duas vezes hoje.

Thea se empertigou. Ela e a irmã não falavam com a mãe havia meses, cada uma por seus motivos.

– Eu não liguei de volta.

– Você acha que ela sabe do casamento?

Liv deu de ombros e tomou um gole de água.

– Não faço ideia, mas não sou *eu* quem vai contar.

Thea fez careta. Realmente, não seria uma cena bonita. Mas o outro possível motivo do telefonema também não era nada bom.

– Pode ser que ela tenha ouvido falar sobre mim e Gavin.

– Duvido. Ela teria dito alguma coisa no recado que deixou na caixa postal.

– Ou teria ligado diretamente para mim.

Nada deixaria a mãe mais feliz do que o fracasso do casamento da filha.

Tantos anos me julgando, mas você vai ver. Acha que está tão apaixonada que nada vai dar errado. Mas ele um dia vai partir seu coração, e você vai ter que me pedir desculpas.

Esse tinha sido o conselho que ouvira da mãe no dia do casamento.

Thea apoiou a cabeça na almofada, ansiosa para mudar de assunto.

– Como Alexis está com o café?

Liv estava ajudando a elaborar o cardápio de uma amiga que abriria um café e lanchonete que aceitava – e fornecia – felinos.

A irmã a encarou, notando a mudança proposital de assunto, mas deixou passar.

– Está bem. Acho que vai abrir no final de janeiro.

– Já decidiu se vai deixar ela usar a receita de biscoito da vovó?

– Ainda não. Parte de mim quer guardar para... – Ela deu de ombros. – Ah, você sabe.

O próprio restaurante. Sempre fora o sonho de Liv.

Bom, *sempre* era um exagero. Durante vários anos, o único sonho de Liv era encontrar formas novas e criativas de se rebelar. Notas ruins. Comportamento ruim. Garotos ruins. Liv abusou disso tudo na adolescência. *Parece que está procurando um unicórnio de três chifres*, como vovó dizia. Para falar a verdade, Thea nunca tinha entendido muito bem o que aquilo queria dizer, mas achava que significava que Liv estava atrás de uma coisa que não existia.

E isso Thea conseguia entender. Nenhuma das duas saíra ilesa da infância traumática. Só esconderam as cicatrizes de formas diferentes.

Mas, por mais que Liv quisesse abrir o próprio negócio, recusara várias vezes a proposta de empréstimo de Thea. Queria fazer as coisas sozinha, mesmo que significasse aguentar o abuso infernal do chefe tirano.

– Obrigada por estar aqui – disse Thea, virando a cabeça para a irmã.

– Não precisa agradecer. Você ficou do meu lado mais vezes do que eu poderia retribuir.

– Era minha função. Eu sou a irmã mais velha.

– Você era uma criança.

Thea terminou o vinho e se levantou com um suspiro.

– Acho que vou dormir.

Liv segurou sua mão quando ela passou.

– Vai ficar tudo bem, Thea.

– Você e eu contra o mundo, né?

Liv abriu um sorriso e apertou a mão dela.

No andar de cima, Thea entrou no quarto das meninas para dar uma olhada nas duas. Inclinou-se primeiro sobre a cama de Amelia, afastando o cabelo da testa dela para dar um beijo leve. Então, atravessou o quarto até a cama de Ava e repetiu o gesto, mas ficou parada mais tempo ali. Mesmo dormindo, Ava era a irmã mais séria. Segurava o bicho de pelúcia favorito com força contra o peito, e os lábios pequenos e rosados apertados em uma linha fina. Era como se a diferença de um minuto entre elas a tornasse oficialmente a irmã mais velha, com todas as responsabilidades que vinham com o cargo.

Thea saiu do quarto e fechou a porta. Estalando os dedos bem baixinho, chamou Manteiga. Vestiu uma camisola e foi para o banheiro, para a rotina noturna. Quando voltou para a cama, parou na frente da cômoda de Gavin. Uma pontada de arrependimento tirou seu coração do ritmo normal. Ele deixara quase tudo lá: roupas, sapatos, a coleção de bonés… Em cima da cômoda havia um pratinho cheio das coisas que ele tirava do bolso; moedas, canhotos de posto de gasolina, uma caixa de Tic Tac de laranja.

Thea passou os dedos na caixinha. Quase sentia o gosto, o toque da bala sempre presente no hálito dele, quando passava os lábios sobre os dela antes de sair para outra viagem com o time.

Tão diferente do beijo daquele dia.

Thea jogou as balas no lixo, apagou a luz e se deitou. Manteiga pulou na cama com ela, deu algumas voltas e se acomodou no lugar de Gavin.

Só que não era mais o lugar de Gavin. Gavin tinha ido embora. E suplicar e pedir desculpas não mudaria isso. Afinal, quem ele achava que era? Não podia entrar ali e sair beijando ela daquele jeito, depois de tudo. Como se Thea fosse se derreter e esquecer o que acontecera.

Tudo bem que foi isso que aconteceu, mas só por um breve momento. É que fazia tanto tempo que ele não a beijava daquele jeito, como antes de ela ficar grávida, quando ainda estavam se apaixonando, loucos um pelo outro. Naquela época, Thea nunca acreditaria que o homem que mal aguentava passar um dia sem arrancar suas roupas viraria aquele sujeito que quase pedia desculpas ao procurá-la, à noite. Que começara a procurá-la cada vez menos. Que nem prestava atenção às suas necessidades, a ponto de não reparar que ela acabava frustrada todas as vezes.

Até aquela noite. A noite da Grande Descoberta.

Thea cobriu os olhos com o braço, apertando-os para bloquear os pensamentos, mas, como uma música chata que tinha grudado no cérebro, as lembranças não a deixavam em paz.

Na ocasião, não faziam sexo havia dois meses e mal estavam se falando, além das conversas diárias sobre as crianças, a casa e a agenda de jogos. Thea não queria ir, mas, mesmo na crise em que se encontrava, questionando quem tinha se tornado, não conseguia ser tão mesquinha. Não podia perder uma partida daquelas. Não com tantas coisas importantes em jogo. Então, como uma boa esposa de atleta, vestiu a camisa dele, posou para as fotos e ficou sentada na área da família, com seu sorriso idiota.

E aí chegou a nona entrada. As bases estavam ocupadas. Dois *outs*. E Gavin foi para a base. Ele precisava rebater o arremesso apenas uma vez para empatar o placar. Se rebatesse duas, seria a vitória. Era o momento mais importante da carreira dele, e, pela primeira vez em muito tempo, pareceu importante para ela também. Thea não teve tempo de se perguntar por quê; assim que ele moveu o bastão, começou a chorar. Só pelo som, soube que Gavin tinha conseguido. Tinha acertado um *home run*. E não qualquer *home run*. O *grand slam* da vitória.

As lágrimas escorreram pelo rosto enquanto via o marido correndo pelas bases, os braços no ar. Os colegas do time o esperavam na base principal, numa confusão de gritos e comemoração. A torcida gritava o nome dele. Del o encharcou de Gatorade. Os apresentadores chamaram de final hollywoodiano. Foi o tipo de momento com que todos os jogadores sonham, mas que poucos vivem. E Thea ficou tão envolvida quanto todo mundo. Tomou champanhe no vestiário. Deixou que Gavin a levantasse do chão e a beijasse.

Quando chegaram em casa, estavam como antigamente. Desesperados. Enlouquecidos um pelo outro. Mal chegaram ao quarto, foram arrancando as roupas pelo caminho. E Gavin. Ah, Gavin... ele a devorou como antes.

Seu toque trazia uma ferocidade que Thea não sentia havia muito tempo. Uma urgência que a excitou, a emocionou. E ela retribuiu o fervor, a loucura. Estava embriagada dele, de champanhe, de desejo.

O orgasmo a tomou de surpresa, cegando-a, fazendo-a tremer e gritar. Mas Gavin parou de repente.

– O q-q-que foi isso?

Thea riu, preenchida de alegria, transbordando.

– Sei que tem um tempo que não fazemos isso, mas você já esqueceu como se chama?

Gavin apoiou as mãos dos dois lados do corpo dela e ergueu o tronco.

– Que diabos foi isso, Thea?

A frieza na voz dele a deixou arrepiada.

– Como assim?

Gavin saiu de dentro dela sem cerimônia. O que restava do prazer começou a passar, e o desejo no rosto dele foi substituído por uma expressão que Thea não conseguia interpretar – mas nem precisava. O medo azedou seu estômago. Ele sabia. Ah, droga. Ele *sabia*.

– V-você…? – Ele parou de falar. Piscou. Engoliu em seco. – Você gozou?

Thea tentou sorrir, mas não conseguiu.

– Ah, meu Deus – sussurrou ele, se afastando. – Você fingia.

Foi uma declaração. Não uma pergunta.

Thea engoliu em seco.

– O quê!? Não fingia, não.

O rosto dele era uma máscara de dor e traição, as emoções tão intensas que Thea estendeu a mão para confortá-lo. Ele se afastou.

– Não mente para mim, Thea. Há quanto tempo você finge?

– Gavin…

– Há quanto tempo? – gritou ele, a voz tão atípica que ela deu um pulo.

Thea pegou a camiseta do time no chão e a vestiu. A ilusão cintilante das duas horas anteriores estava passando depressa, se revelando como a miragem que era.

Como ela ficou em silêncio, Gavin apoiou as mãos na cabeça.

– Você *sempre* fingiu?

Não fazia sentido mentir. E, caramba, estava mesmo cansada das mentiras. Cansada de abrir sorrisos falsos. Cansada de fingir que as coisas estavam bem. Cansada de fingir qualquer coisa.

– Sempre? – retrucou, com rispidez. – Não. Nem sempre. Só desde que as meninas nasceram.

– Isso é nosso casamento todo!

– É mesmo. Como você demorou para reparar, hein?

Gavin a encarou por um momento, então, sem mais uma palavra, saiu batendo os pés até o quarto de hóspedes. E nunca voltou para a cama do casal.

O que mais vovó dizia? *Quando um homem quiser ir embora, diga adeus e tranque a porta. Você tem mais o que fazer, não tem tempo para cuidar de causas perdidas.*

Thea tinha mesmo mais o que fazer. Como se formar na faculdade, reconstruir a carreira que abandonara por Gavin, criar filhas fortes e confiantes. E nunca mais ser burra a ponto de confiar o coração a um homem.

CINCO

Na manhã de segunda, Gavin sentia que não tinha como ficar mais deprimido. Mas, quando bateram à porta do quarto do hotel às oito em ponto, ele percebeu que estava enganado.

Do outro lado da porta estava Braden Mack, juiz da escala de Ereção Literária.

– O que você está fazendo aqui?

– É assim que se cumprimenta um amigo que trouxe café?

– Você não é meu amigo, é uma mala sem alça. – Mas café era uma boa, então se afastou da porta para Mack entrar. – E você não respondeu à minha pergunta.

– Estou esperando o Del.

– Aqui? Por quê?

– Porque temos trabalho a fazer. – Mack tirou o copo do suporte de papelão que carregava. – Comprei um latte com essência de abóbora e especiarias. E confeitos de canela. Achei que fosse seu tipo bebida.

Gavin fez careta e mostrou o dedo do meio antes de dar as costas, mas a necessidade de cafeína superou o orgulho. Abriu a aba da tampa de plástico e bebeu. Uma explosão de sabores travou seus pés no lugar, e a boca soltou um gemido. Pelos deuses sagrados do café doce, aquela porcaria era uma delícia. Parecia uma torta de abóbora líquida. Por que nunca tinha experimentado aquilo? Agora entendia por que as mulheres bebiam esse tipo de coisa.

Mack sorriu.

– Bom, não é? Eu adoro esse negócio.

A porta sacudiu com outra batida insistente. Era Del, que entrou com cara de quem não estava com humor para bobagens, rosnando:

– É melhor ter um café para mim aí.

Mack apontou para o suporte de papelão.

– Café com leite e essência de abóbora e especiarias, como você pediu.

Gavin ficou boquiaberto.

– Você também bebe isso?

Del se sentou em uma poltrona perto da janela, sem a menor cerimônia.

– Eu adoro, mas morro de vergonha de pedir.

Mack se sentou no sofá, apoiando os pés na mesa de centro.

– Não tenha vergonha de gostar. A revolta contra o latte de abóbora com especiarias é um exemplo de como a masculinidade tóxica permeia até as coisas mais mundanas. Se as mulheres gostam de alguma coisa, a sociedade debocha delas automaticamente. O mesmo acontece com os romances. Se as mulheres gostam, é porque devem ser ridículos, né?

Gavin piscou, confuso.

– Você está falando que nem o Malcolm.

– Eu não sou só um rostinho bonito, cara. – Mack deixou o café na mesa e se levantou. – Quero ver suas roupas.

Gavin se engasgou com o café.

– Quê?

– Temos que escolher o que você vai usar hoje à noite, no musical da escola.

– Vocês vieram me ajudar a escolher roupa?

– Dentre outras coisas – respondeu Del.

Mack foi até o armário em frente ao banheiro e abriu a porta.

– Nossa, que deprimente – comentou, empurrando vários cabides para o lado. – Isso é tudo que você tem?

– Não, palhaço. A maioria das roupas ficou em casa.

– Bom, não dá para usar isso. Acho que teremos que fazer umas comprinhas.

– Eu *não vou* sair com você para fazer compras.

– Olha a masculinidade tóxica... – retrucou Mack.

Del soltou um suspiro, resignado como um motorista de ônibus que sabia que estaria preso por mais três horas de passeio da escola.

– Sabe, eu poderia estar em casa transando com a minha esposa.

Com um gritinho uníssono, Mack e Gavin se viraram para ele.

– E ela estava a fim. Tentou me atrair de volta para a cama e tudo...

Mack tapou as orelhas.

– Não fala essas coisas na frente das crianças!

– Então se comportem! – gritou Del. E apontou para Mack. – Pare de insultar as roupas dele e encontre alguma coisa. E você. – Ele apontou para Gavin. – Pode ir falando.

Gavin olhou em volta, como se Del estivesse falando com outra pessoa.

– Falar o quê?

– O que aprendeu até agora.

– O que aprendi?

– Com o livro – explicou Del, cruzando os braços. – Você já começou a ler, né?

Gavin fez careta.

Del se endireitou, crescendo alguns centímetros – pelo menos foi o que pareceu.

– Você está levando isso a sério, Gavin?

– Estou...

– Porque nós assumimos um risco, aceitando você no clube.

– Vocês me entregaram a droga do livro no sábado!

– Ah, me desculpe – retrucou Del. – Tem algum assunto mais importante na sua vida exigindo atenção? Eu achava que salvar o casamento era a sua prioridade. – Ele passou a mão na cabeça, olhando para o nada. Em seguida, se virou para Gavin. – Quanto você leu?

– O primeiro capítulo.

– Meu Deus... – murmurou Del.

– Olha, Del. Preciso ser sincero. Não sei bem o que eu deveria aprender com esse livro.

– Porque você não está se esforçando. Vá lá pegar o livro.

Gavin foi até a mesa de cabeceira. Sentia-se um garoto indo para a
diretoria por não ter feito o dever de casa. Pegou na gaveta *A condessa
irritada*, ou qualquer que fosse o título. Del tirou o livro da mão dele,
segurando-o como um pastor prestes a compartilhar suas pérolas de
sabedoria.

– Escolhemos este livro para você por um motivo.

– Porque é sobre um homem que faz besteira no casamento. Eu
entendi.

– Não só isso. – Del abriu o livro, virando algumas páginas até encontrar o que estava procurando. Ele pigarreou e começou a ler: – "Meu
amor, vamos recomeçar."

– O que tem isso? – perguntou Gavin.

– Isso é exatamente o que você e Thea vão fazer.

– Não entendi.

– Você vai cortejar sua esposa de novo. – Del jogou o livro na cama. –
E não temos muito tempo, então levanta daí de uma vez.

– Por quê?

– Porque você precisa praticar a paquera.

Gavin se engasgou com o café pela segunda vez.

– Não preciso, não.

– Você estragou tudo quando foi lá no sábado, então vai ter que se esforçar ainda mais hoje. Fazer a Thea amolecer um pouco para conseguir
abrir caminho. Venha cá.

Gavin recuou.

– De jeito nenhum. Thea odeia paquera.

– O quê? – Mack soltou uma risada debochada. – Que besteira. Como
você convenceu essa mulher a ir ao primeiro encontro?

– Não foi paquerando.

E era verdade. Thea inclusive lhe contara, certa vez, que tinha reparado nele, no café onde trabalhava, justamente porque Gavin nunca fazia comentários idiotas nem tentava forçar a intimidade. Será que Thea

o teria achado tão legal se soubesse que Gavin só estava morrendo de medo de ela rir da sua cara? Bem, ao menos tinha dado certo.

Del soltou outro suspiro.

– Gavin, todas as mulheres gostam de paquera, só que cada uma de um tipo diferente. Algumas preferem baixaria, outras gostam que o homem aja como um perfeito cavalheiro. E ainda tem as que gostam de uma abordagem mais calma e sensível.

– E como é que eu vou saber do que a Thea gosta?

Mack botou a cabeça para fora do armário com uma expressão incrédula.

– Há quanto tempo vocês estão casados?

Del interveio.

– Aprender a língua dela envolve isso.

– Mas eu não vou aprender isso hoje!

Meu Deus, quanta humilhação.

Del inclinou a cabeça para Mack, transmitindo alguma mensagem, e ele resmungou:

– Por que eu?

Então saiu do quarto. Voltou logo em seguida, transformado. Apoiou-se na moldura da porta, cruzou os braços sobre o peito e abriu um sorrisinho. E piscou.

Gavin olhou para trás, então de volta para Mack.

– O que é isso?

– Você está incrível. Não acredito que tenho a sorte de ser visto ao seu lado.

– Hum…

– Você devia avisar antes de sair com um vestido desses… – Ele lançou um olhar lento e demorado, examinando Gavin de cima a baixo. De repente, acabou. Ele deu de ombros e se afastou da porta. – Paquerar é questão de confiança, cara. Só isso.

– Coisa que eu não tenho muito, no momento.

– Não estou falando da *sua* confiança, animal, e sim da confiança dela. Seu objetivo é fazer com que ela se sinta a única mulher do mundo. Botar um sorriso no rosto dela, uma energia no andar, um rubor nas bochechas... Dizer coisas que ela vai ficar repassando sem parar quando estiver na cama.

Pensar naquilo quase o fez gemer. Thea na cama. Usando uma daquelas coisinhas curtas de seda de que ela gostava... e sozinha. Ou, pior, com outro homem. Ah, não, ia vomitar.

– Deixe o café na mesa – mandou Del.

Gavin obedeceu. O amigo abriu um sorriso esquisito e foi se aproximando. Colou o olhar no dele, e, caramba, Gavin não conseguiu desviar o rosto. Só se deu conta de que estava recuando quando bateu na parede. Del apoiou as mãos na parede, uma de cada lado dos ombros de Gavin, e sorriu, se inclinando para a frente.

– Oi.

– Oi – respondeu Gavin, sem pensar.

– Não consigo parar de pensar em ontem à noite.

Gavin engoliu em seco.

– O q-que aconteceu ontem à noite?

Del deu uma piscadela.

– Quer ajuda para lembrar?

Nossa. Gavin estava colado à parede.

– Olha, acho que é minha obrigação avisar que eu talvez esteja meio excitado.

– Você deve estar mesmo desesperado – comentou Del, ainda incorporando o personagem. Ele arqueou a sobrancelha, olhando para a boca de Gavin. – Eu nem estou me esforçando muito.

Mack pigarreou.

– Lamento interromper o momento, mas temos uma crise aqui... – Ele segurava um suéter cinza. – Isto é a única coisa decente que o Capitão Otário tem naquele armário ridículo.

Gavin empurrou os braços de Del para longe.

O amigo se afastou um pouco.

– Não se esqueça de olhar bem nos olhos dela. Contato visual é essencial.

– E não se esqueça das piscadelas – completou Mack, jogando o suéter na cama. – As mulheres adoram essas coisas.

Del acrescentou um último conselho:

– E olhe bastante para os lábios dela. O objetivo é que ela pense que você está imaginando aqueles lábios por todo o seu corpo.

Aquela parte, pelo menos, não exigiria trabalho. Gavin passava a maior parte do tempo imaginando os lábios de Thea por todo o seu corpo.

Mas, calma... Gavin olhou de um para o outro.

– Só isso? Basta dizer que gostei do vestido e agir como se quisesse que ela me chupasse? Esse é o plano?

– Por enquanto.

Gavin se sentou na cama.

– Isso não vai dar certo.

– Seria mais fácil se você contasse o que aconteceu de verdade.

– Sem chance.

– Tudo bem – retrucou Del, com outro suspiro. – Então pelo menos conte *alguma coisa*. Qualquer coisa. Conte alguma coisa que ela disse no sábado, algo que possa nos ajudar a bolar um plano para hoje à noite.

Gavin se deitou e olhou para o teto. Todas as palavras de Thea, no sábado, tinham assumido residência permanente em seu cérebro, mas a maioria revelaria demais, se contasse para os amigos.

– Ela quer ficar com a casa.

Del se animou.

– Ela disse isso?

Gavin assentiu.

– Disse que seria mais fácil para as meninas se um de nós ficasse com a única casa que elas conheciam e perguntou se eu continuaria com os pagamentos.

Del e Mack se entreolharam.

– Isso pode dar certo... – começou Mack.

– É arriscado – observou Del. – E não estamos mais na época da Regência. Por lei, Thea é dona de metade da propriedade.

– Mas o simbolismo pode ter um efeito intenso – retrucou Mack.

– Ei – interveio Gavin, se sentando e sacudindo os braços para eles. – Que tal me deixar por dentro do assunto?

– Você vai subir a aposta.

– Era para eu ter entendido?

Del e Mack se entreolharam, parecendo cientes de que Gavin não ia gostar da resposta.

E estavam certos.

Del inspirou fundo e soltou o ar depressa, antes de falar:

– Você vai aceitar o divórcio.

Como assim?

– É – concordou Mack. – Mas, primeiro, vamos às compras.

SEIS

– Mamãe, está machucando.

Thea olhou para o giz de pintura facial que pressionava contra o rosto de Ava. Tinha se oferecido para ajudar com os adereços de palco e a pintura facial do musical, e, embora a tarefa oferecesse uma distração mais do que necessária, sua mente não parava de divagar enquanto o relógio ia se aproximando do momento em que Gavin chegaria.

Desejou, pela centésima vez, que Liv pudesse estar ali para dar apoio moral, mas a irmã ia trabalhar até tarde.

– Desculpe, querida – disse Thea, afastando o giz do rosto de Ava.

– Mamãe, está tão bonito! – elogiou Amelia, ao lado da irmã. – Você desenha tão bom!

– Tão *bem* – corrigiu Thea, mais que depressa. – E obrigada. Você é um amor.

Thea terminou as últimas flores no rosto de Ava, pintado de corça – as duas fariam papel de filhotes de corças– e guardou as tintas. Faltavam dez minutos para começar. A professora bateu palmas e ergueu a voz acima do falatório animado, pedindo que as crianças começassem a fazer fila. Era a deixa para Thea voltar para a plateia. Queria ter mentido para Gavin, dito que precisava ficar nos bastidores durante a peça, porque perdera toda a energia para as conversas triviais e os sorrisos falsos, pré-requisito para aparecer em qualquer lugar remotamente público com ele. Só restava pedir a Deus serenidade, para não dar na cara do primeiro que babasse o ovo dele pela jogada da vitória.

Sentiu o estômago se contrair quando desceu a escada ao lado do palco, examinando os grupos de famílias procurando lugares. Dez mulheres pareciam ter a mesma expressão irritada que só podia indicar que os maridos estavam atrasados, e elas não haviam conseguido mais de dois assentos de veludo vermelho juntos para a família. Só não viu Gavin, graças a Deus. Talvez, se ele demorasse muito, os dois também não conseguiriam se sentar juntos.

Mas o alívio durou pouco.

– Oi.

Deu um pulo de susto quando ouviu a voz dele e se virou de repente. Gavin estava no pé da escada, sorrindo, usando um suéter de gola V que Thea nunca tinha visto. A roupa envolvia os músculos com firmeza, como se nem mesmo o algodão conseguisse resistir a ele. Que bom que *ela* conseguia. Tomara uma vacina chamada *coração partido*, estava imune aos bíceps delineados, aos antebraços musculosos e ao vale provocante no peitoral largo...

Argh. Desceu a escada.

– Encontrou lugares?

– Na décima fila. Deixei meu casaco reservando as cadeiras.

Gavin esperou que Thea fosse na frente, então apoiou a mão em sua lombar, como se os dois estivessem juntos. Só mais um casal de pais felizes. Ela se afastou discretamente assim que ouviu uma voz se elevar acima da cacofonia:

– Ei, você é Gavin Scott, não é?

Claro. Thea se virou, sua mente inventando diversos palavrões incompreensíveis. Um pai de jeans e corte de cabelo militar estendeu a mão para Gavin, que parou educadamente – como sempre fazia com os fãs.

Thea abriu um sorriso falso e também estendeu a mão.

– Thea Scott.

O sujeito correspondeu ao cumprimento com a mão frouxa. Como ainda podia haver homens no mundo que não conseguiam apertar a mão de uma mulher? Sem nem olhá-la direito, ele voltou a atenção para Gavin.

– Que horror o último jogo, hein? – comentou o sujeito. – Nem acredito no que o juiz fez no último lance. Só podia estar cego.

Uma veia começou a latejar no maxilar de Gavin. Ele odiava quando as pessoas culpavam a arbitragem pelas derrotas.

– Foi culpa nossa, deixamos que uma decisão ruim nos levasse à derrota. Eu não joguei tão bem quanto deveria.

– Que nada, foi culpa do Del Hicks. Ele errou aquela bola alta. Mas o contrato dele não está acabando? Quem sabe a gente não se livra do cara este ano. Sabe como é, precisamos descartar o peso morto.

– Del Hicks é m-m-m…

Thea nem precisava ouvir: pela cara do sujeito, dava para saber que Gavin tinha começado a gaguejar. O cretino olhava para todos os lados, menos para Gavin. Como se gaguejar fosse alguma vergonha. Thea desprezava aquele tipo de gente. Pessoas que alegavam ser superfãs, mas que, assim que Gavin começava a gaguejar, agiam como se ele tivesse contraído uma doença contagiosa.

Instintivamente, segurou a mão de Gavin e deu uma apertadinha. Ele fechou a mão na dela e expirou. Então, recomeçou:

– Del Hicks é meu melhor amigo, sabe – retrucou, com frieza.

– Ah. Bom, eu vou… Hã, vou deixar vocês irem para seus lugares – disse o homem, o rosto vermelho. – Foi um prazer.

Thea se virou, tentando soltar a mão de Gavin, mas ele não quis deixar. O ex a puxou mais para perto e levou o rosto ao seu ouvido, o que trouxe o cheiro de sabonete e o calor provocante do hálito de Tic Tac em sua pele.

– Obrigado – disse ele, baixinho.

– Aquele cara era um idiota.

– Thea…

O tom solene a fez olhar diretamente para ele. Mas Thea afastou o rosto depressa, porque viu que os olhos carregavam a mesma solenidade da voz, e era simplesmente demais para ela aguentar naquele momento.

– Você pode não fazer isso?

– Isso o quê?

– O que quer que você fosse fazer. Não consigo lidar com você agora.

– Mas eu só falei seu nome.

– Foi *como* você falou.

– Como eu falei?

– Como se significasse alguma coisa – retrucou ela, baixinho.

Gavin se inclinou mais para perto bem devagar, determinado, com um chocante brilho malicioso nos olhos. Ela *não* sentiu o coração disparar, e sua pele *não* ficou arrepiada com a carícia sedutora daquela voz.

– E o que significaria se eu contasse que acordei chamando seu nome hoje de manhã? – murmurou ele.

Mas o que...?

Gavin deu uma piscadela, então soltou sua mão e foi até o lugar que tinham reservado.

Thea ficou ali no corredor, parada, resmungando um protesto atrasado. Mas os pés logo voltaram à vida.

– O que foi aquilo? – sussurrou, ao se sentar.

Gavin apoiou o tornozelo no joelho, em uma pose casual.

– Aquilo o quê?

– Você sabe exatamente o quê! Você piscou para mim?

– Acho que pisquei.

– Você nunca pisca desse jeito.

– Isso não é verdade.

– É verdade, sim. As mulheres se lembram de todas as vezes que um homem piscou para ela, porque nós amamos essas piscadelas. É como erva para gatos. Basta piscar que rolamos no chão ronronando. Você não pisca assim para mim há muito tempo.

– Então eu sou um idiota. – Gavin baixou o olhar para os lábios dela. – Eu acharia ótimo ouvir você ronronar.

Thea deu um gritinho.

– Oi!?

– Aliás, você está linda – completou Gavin, com um tom meio indiferente, voltando a olhar para o palco. – Deveria a-a-avisar antes de a-aparecer com um vestido desses.

As luzes se apagaram, e uma escuridão abençoada escondeu suas bochechas, que *definitivamente* não estavam vermelhas e quentes.

Gavin olhou de relance para Thea, no teatro escuro. Estava sentada bem ereta, rígida como uma vara, as pernas cruzadas e tensas. Se apertasse as mãos com mais força, acabaria quebrando um dedo.

Ia estripar Del e Mack se aquilo não desse certo. E não estava falando só do flerte. Não acreditava no que queriam que ele fizesse naquela noite. Não acreditava nem que concordara em tentar o plano deles.

A cortina se abriu no palco, e a gravação da orquestra começou a tocar nos alto-falantes. Uma fileira de crianças entrou dançando, um misto de rostos com desenhos de animais e passos desencontrados. Gavin deu risada quando reconheceu as filhas. Mesmo no palco, suas personalidades eram evidentes. Amelia era espevitada, vibrante, dançava no próprio ritmo. Já Ava era séria e estava determinada a acertar os passos. Thea, ao lado dele, conseguiu soltar as mãos e relaxara a coluna no encosto da cadeira. A raiva que sentia dele tinha sido – ao menos temporariamente – deixada de lado para apreciar as meninas.

Uma sensação de vertigem fez a visão de Gavin dançar enquanto olhava para ela; para o jeito como o rosto reagia a cada coisa fofa que Ava e Amelia faziam, para a curva suave do maxilar, a bochecha com a covinha que ficava mais funda quando ela ria, a cicatriz em forma de lua crescente abaixo da orelha esquerda.

Thea olhou para ele na escuridão, e a cautela em sua expressão deixou a pele de Gavin gelada.

O espetáculo durou uma hora. Assim que a cortina se fechou, Thea se virou para ele de novo.

– Pare com isso.

Gavin decidiu fingir que não tinha entendido, mas – *droga* – suas axilas estavam molhadas de suor.

– Parar o quê?

– Isso aí que você está fazendo – sussurrou Thea, espiando em volta para ver se alguém estava ouvindo. – Você ficou o tempo todo olhando para mim. E aquele comentário sobre ronronar... *O que* você pensa que está fazendo?

Gavin tentou o sorrisinho de Mack outra vez.

– Só estou paquerando minha esposa.

– Paquerando? – Thea botou a mão na testa dele. – Você está com febre?

Gavin pegou a mão dela, sentindo o coração disparar, virou-a e levou os lábios à palma.

– Na verdade – murmurou, no que esperava que fosse um tom sedutor –, estou, sim.

Thea puxou a mão de volta e se reclinou para trás, olhando como se chifres tivessem crescido na cabeça dele.

– Você sofreu um acidente de carro, não foi? Caiu da escada? Levou uma bolada na cabeça?

Gavin engoliu em seco.

– Hã?

– Você bateu a cabeça. É a única explicação. Você precisa ir ao médico.

– Que tal a gente brincar de médico? – retrucou ele, mas o choramingo inseguro destruiu qualquer tentativa de sedução confiante.

Thea entreabriu os lábios carnudos e brilhantes. Uma fração de segundo depois, ela os fechou, cerrou os dentes e se levantou, como um soldado que tinha acabado de receber a ordem de ficar em sentido. Como Gavin não fez o mesmo, a mulher olhou feio para os joelhos dele – como se aquele corpo de 1,90 metro na verdade fosse obra de alguma conspiração para impedi-la de fazer uma saída dramática.

Gavin se levantou, deixou que ela passasse e foi atrás, acompanhando a multidão que avançava lentamente para a saída. O lobby se encheu depressa com as famílias esperando os filhos. Gavin abriu caminho educadamente, mantendo-se o mais próximo possível de Thea. Ela andava com o corpo rígido, a cabeça baixa, apertando a bolsa junto de si como se transportasse códigos nucleares.

Alguns sorrisos genuínos se abriram para Gavin, que os retribuiu. Ao menos já tinha aprendido a evitar aquele outro tipo de sorriso, a expressão nervosa de um torcedor tomando coragem para pedir um autógrafo ou uma selfie. Os torcedores eram a força vital dos esportes profissionais, e Gavin desafiaria qualquer cidade dos Estados Unidos a encontrar uma torcida mais leal do que a de Nashville. Mas os atletas profissionais também eram humanos, e às vezes só queriam uma noite tranquila com a família para poder ver as apresentações dos filhos na escola.

Ou para convencer as esposas a não se divorciarem deles, pobres coitados.

Quando chegou perto de Thea, enfiou as mãos nos bolsos.

– Eu estava pensando que depois daqui a gente podia...

Não teve oportunidade de concluir a sugestão de que saíssem para jantar em família – ideia de Del –, porque uma mulher de terninho vermelho e salto alto chamou Thea e se aproximou com passos estalados, acenando alegremente.

– Sra. Martinez – cumprimentou Thea.

– Pode me chamar de Lydia. – A mulher sorriu. – Estou tão feliz por encontrar você.

Thea olhou para Gavin.

– Ah... É, Gavin, esta é a Sra. Martinez, diretora da escola. Lydia, este é Gavin, meu marido.

Meu marido. Aquelas duas palavras nunca pareceram tão artificiais e, ao mesmo tempo, tão promissoras.

A mulher estendeu a mão para Gavin, que a apertou.

– É um prazer.

A diretora então se virou para Thea.

– Eu só queria dizer que vou terminar sua carta de recomendação até a semana que vem. Fica dentro do prazo?

Carta de recomendação? Thea olhou de relance para ele, parecendo meio nervosa, e se virou de volta para Lydia.

– Seria perfeito, Lydia. Obrigada.

A mulher gesticulou, indicando que não era nada.

– É o mínimo que posso fazer, depois de sua ajuda este ano e ano passado.

Lydia se afastou com um *até semana que vem* casual, já concentrada em outra coisa.

– Carta de recomendação para quê? – perguntou Gavin.

– Vanderbilt – respondeu Thea, com um sorriso forçado. – Vou voltar a estudar para tirar meu diploma.

– Q-quando você decidiu isso?

Uma tempestade irrompeu nos olhos dela.

– Eu sempre planejei voltar a estudar e me formar, Gavin.

– Thea, não estou dizendo que você não pode…

Ah, droga. Era a coisa errada a dizer. Muito errada. O pescoço dela pareceu se alongar, cada vez mais vermelho.

– Nossa, tenho que agradecer a Deus por isso. Claro que eu não teria como estudar sem a sua permissão.

Gavin passou a mão no cabelo.

– Olha, gata, não foi isso que eu quis dizer… Será que a gente pode baixar o tom aqui e…

– Você está mesmo dizendo para eu me acalmar? Olha, isso não costuma ter o efeito desejado…

Deus do céu, estava sendo destruído por uma bola de fogo. Dava até para sentir as chamas lambendo a pele. Um zumbido baixo indicava que estava a um comentário idiota de explodir e morrer.

– Mamãe, você viu a gente?

– Graças a Deus… – sussurrou Gavin, quando Amelia e Ava chegaram correndo.

O rosto de Thea se transformou. Ela abriu os braços, esperando que as filhas se jogassem num abraço.

– Vocês foram incríveis! – exclamou, se inclinando para beijar cada uma. – As melhores corças dançarinas do mundo!

– Viu a gente, papai? – perguntou Amelia, indo abraçar as pernas de Gavin.

– Vi sim, querida. Vocês foram incríveis!

– Estou com fome – declarou Ava, e Gavin quis girá-la no ar, agradecido pela deixa.

– Vou fazer macarrão com queijo quando chegarmos em casa – anunciou Thea.

O zumbido de alerta ficou mais alto, mas ele decidiu arriscar.

– Quer saber? Também estou com fome. Por que não vamos ao Stella's?

Era o restaurante favorito da família. Costumavam levar as meninas a essa lanchonete desde que as duas tinham começado a usar o cadeirão.

– Oba, mamãe! Podemos ir ao Stella's? – pediu Amelia.

Gavin prendeu o ar enquanto encarava o olhar duro de Thea. Engoliu em seco.

– Assim você pode me contar mais sobre Vanderbilt – sugeriu.

Thea o encarou de um jeito que mais pareceu um chute nas bolas, mas abriu um sorriso feliz pelas meninas.

– Ótima ideia. Por que não leva as meninas, e eu encontro vocês lá?

– Eu quero ir com a mamãe! – declarou Ava, segurando a mão dela.

Gavin se encolheu quando as palavras atingiram o alvo, mas conseguiu sorrir.

– Amelia pode ir comigo e Ava com você.

Tinham deixado os carros em lados opostos do estacionamento, então se separaram na calçada. Amelia segurava a mão dele com força e começou a balançar o braço para a frente e para trás.

– A Ava agora *xempre* dorme com a mamãe – comentou, pulando do meio-fio.

Gavin sentiu o coração dar um salto ao ouvir outra vez o problema na fala da filha. Thea dissera várias vezes que não era motivo para preocupação, mas ele ainda assim se preocupava. Ser gago não era vergonha nenhuma, claro, mas ele tinha levado muito tempo para ficar em paz com seu problema. Aguentara muita provocação na infância e adolescência, não conseguia evitar se preocupar com a ideia de que as filhas talvez passassem pela mesma coisa.

– Sempre, é? – retrucou, finalmente reparando no que Amelia contara.

– Ela acorda e vai para a cama da mamãe, mas eu não vou. Eu durmo na minha cama a noite toda. Ava diz que eu *xou* um bebê porque não gosto de trovão, mas ela que é o bebê, porque tem medo do escuro.

Gavin parou junto a uma fileira de carros estacionados e se agachou para ficar da altura da filha.

– Não é legal chamar sua irmã de bebê, querida. É normal ter medo. – As palavras de sabedoria paterna saíram sem dificuldade, mas o cérebro estava distraído. Desde quando Ava tinha medo do escuro? – Até os adultos têm medo. E não é por isso que viramos bebês, não é mesmo?

Amelia balançou a cabeça. Gavin sorriu e se levantou. Os dois voltaram a andar, mas só tinham dado alguns passos quando Amelia perguntou:

– Do que você tem medo, papai?

De perder sua mãe, pensou, com um nó na garganta. Parecia que as filhas estavam determinadas a destruir seu emocional. Engoliu o caroço que sentia na garganta.

– Tenho medo de palhaços – respondeu, exagerando um tremor. – Com sapatos vermelhos enormes e narizes que fazem barulho quando a gente aperta.

Gavin pegou a filha pelos braços e a colocou nos ombros, apreciando o gritinho de alegria que ela deu.

SETE

– Chegaram.

Thea apontou para o carro de Gavin, que entrava no estacionamento do Stella's. Ela e Ava estavam esperando em um banco do lado de fora do restaurante havia cerca de cinco minutos. Gavin devia ter ficado preso no engarrafamento para sair do estacionamento. Isso foi ótimo, porque Thea precisava de um minuto (ou cinco) para se acalmar. E claro que *não era* porque Gavin dissera para ela se acalmar, embora fosse justamente por isso. Que mulher conseguia ficar calma depois que um homem mandava ela se acalmar?

A única coisa que a acalmaria seria o fim daquela noite. Quis matá-lo quando ele sugeriu o Stella's na frente das meninas. Gavin sabia que elas adorariam a ideia e implorariam para ir.

Thea se levantou enquanto Gavin e Amelia atravessavam o estacionamento. Deu as costas para o sorriso dele, mas a mão de Gavin deu um jeito de voltar àquele ponto em sua lombar. Thea se enrijeceu, e ele afastou a mão.

– Ah, olha quem está aqui! – cumprimentou Ashley, uma garçonete que trabalhava no Stella's desde que tinham começado a frequentar o lugar. – Não vejo vocês desde o verão! – Quando viu a pintura no rosto das meninas, ela acrescentou, com uma surpresa exagerada: – Nossa, acho que não servimos cervos aqui!

– Corças – corrigiu Amelia, animada. – Tivemos um musical na escola!

– Musical na escola? Vocês não têm idade para isso! Eu me recuso a acreditar. – Ashley deu uma piscadela para Thea e fez sinal para que a acompanhassem. – Sua mesa favorita está disponível.

Era o que Thea mais amava em morar em uma cidade pequena. Eram clientes regulares e tinham a própria mesa. Havia algo mais reconfortante do que um lugar onde todos sabiam seu nome e o cardápio não mudava nunca? Era o tipo de tradição simples que Thea e Liv nunca tinham vivido, quando crianças. Seria menos especial para as meninas quando parassem de ir os quatro e passassem a ir em trio?

As gêmeas seguiram Ashley pelo labirinto de mesas decoradas com tolhas quadriculadas de vermelho e branco e vasos de flores frescas, trocadas todas as manhãs. As janelas lembravam as de uma casa de fazenda, com batente branco e uma tira de barbante onde os clientes penduravam fotos com as famílias. Inclusive a deles. O que seria constrangedor, dali a alguns meses.

As meninas entraram em lados opostos da mesa, e Thea soltou o ar, tranquilizada. Não queria se sentar ao lado do Gavin – admitia que era uma infantilidade, mas mesmo assim preferia evitar.

– Vão beber o de sempre? – perguntou Ashley, quando todos estavam acomodados. – Duas águas e dois leites com chocolate?

– Está ótimo – respondeu Gavin. – Obrigado.

– Eu quero queijo-quente! – anunciou Amelia, se ajoelhando no assento e apoiando os cotovelos na mesa. – E purê de maçã.

– E o que você quer, querida? – perguntou Thea a Ava. – Também quer queijo-quente?

A menina deu de ombros. Thea segurou um suspiro. Não podia deixar que a birra se prolongasse, Ava já estava chegando ao nível do desrespeito, mas ia ficar quieta por enquanto. A noite já estava tensa o suficiente. Além do mais, não ia punir a filha pelo crime de ser criança e expressar a confusão que sentia da única forma que uma criança sabia fazer. Os adultos às vezes esperam demais dos pequenos.

Algumas semanas depois que o pai tinha pedido o divórcio, a mãe de Thea passou dias trancada no quarto. Quando a menina bateu à porta, para reclamar que estava com fome, a mãe gritou que era para ela crescer e parar de ser egoísta.

Thea tinha só 10 anos. Depois disso, ela e Liv aprenderam a cozinhar sozinhas.

Depois do divórcio, planejava arranjar uma terapeuta para as meninas, algo adequado para crianças – outra coisa que teria feito bem a ela e à irmã. Com sorte, ajudaria Ava a se ajustar à nova realidade.

A garçonete chegou com as bebidas e anotou os pedidos antes de se afastar, em um silêncio tenso.

– Margaridas – comentou Gavin, de repente, examinando o vaso no centro da mesa. Ele sorriu para Amelia. – Sabia que a mamãe estava com uma margarida no cabelo, na primeira vez que a vi?

Amelia riu.

– É mesmo?

– É mesmo? – ecoou Thea.

Gavin a encarou.

– Estava presa na sua trança.

– Mamãe, por que tinha uma margarida? – perguntou Amelia.

– Não sei. Não me lembro.

– Que pena – murmurou Gavin. – Eu nunca esqueci.

– A mamãe gosta de dente-de-leão – resmungou Ava.

Thea piscou várias vezes e desviou os olhos de Gavin, que a observava de novo, como fizera no teatro. Como fizera no sábado. Como se a visse pela primeira vez. E talvez a estivesse mesmo vendo pela primeira vez. Já fazia anos que sentia que ele não a enxergava.

Thea ajeitou o cabelo de Ava.

– Qualquer dente-de-leão que eu ganhar de você sempre vai ser minha flor favorita.

O momento de constrangimento se estendeu, pairando no ar como uma densa camada de umidade. Thea pegou os gizes de cera e os livros de colorir que sempre carregava para manter as meninas ocupadas. Mas, daquela vez, os usou para se ocupar. Passou vários minutos ajudando Ava a colorir um desenho, até que Gavin pigarreou.

– E então – começou, brincando com o copo d'água. – Q-quando você volta a estudar?

Thea manteve o olhar fixo no livro de colorir.

– Se eu for aceita, começo as aulas em janeiro.

– Então é só por um semestre?

Thea resmungou.

– Quem dera. Talvez, se eu estudasse em tempo integral… mas não tem como, com as meninas. Acho que acabo em dezoito meses.

– Dezoito meses. Isso, hã… parece que dá para fazer.

– Fico feliz de você aprovar.

– E depois? O que vai fazer quando tiver o diploma?

– Vou investir na minha carreira artística. Como sempre planejei.

Gavin hesitou por um bom tempo antes de responder:

– Isso é ótimo. Fico feliz de ver você voltar para a arte.

– Eu também.

A comida chegou e, por sorte, a tarefa de fazer as meninas comerem enquanto também tentavam se alimentar acabou com qualquer possibilidade de conversa. Na metade da sobremesa, o brownie na frigideira que sempre dividiam, a própria Stella saiu da cozinha e foi até a mesa deles puxar conversa.

– Nossa, tenho pensado em vocês – comentou. – Tem uma eternidade que os quatro não aparecem aqui.

– Andamos meio ocupados – explicou Thea, automaticamente, a mentira saindo com tanta naturalidade que ela mesma quase acreditou. – As meninas estão na pré-escola e fazendo aula de dança, aí fica difícil sair.

– Vocês têm planos para as festas de fim de ano?

– Nada concreto – respondeu Thea.

Amelia ergueu os olhos com bigode de chocolate.

– Nós vamos visitar a vovó e o vovô em Ohio no Dia de *Axão* de *Graxas*.

Ah, droga. Ainda não tinha contado para as meninas que o plano de visitar os pais de Gavin tinha sido cancelado. Esperava que tivessem esquecido, pois já fazia mais de dois meses que tinham tocado no assunto com as duas. Mas menininhas raramente esqueciam viagens para visitar os avós que as mimavam.

– Bom, esse era o plano, mas, hã… – Thea tentou pensar em alguma desculpa, só que não encontrou nenhuma. Estava perdendo a capacidade de inventar mentiras em cima da hora. – Mas vamos ficar aqui.

– Eu quero ir ver a vovó! – choramingou Amelia.

– Eu também – concordou Ava, a voz um pouco mais aguda do que a da irmã.

Thea botou a mão na perna de Ava.

– Querida, depois a gente conversa sobre isso.

– Mas por que a gente não pode ir? – perguntou Amelia.

– Amelia – chamou Gavin, com a voz baixa e firme. – A mamãe disse que a gente vai conversar sobre isso mais tarde, em casa.

– Mas você nunca mais vai para casa!

O silêncio tenso que se seguiu foi tão cômico, tão coisa de desenho animado, que Thea quase esperava ouvir o cricrilar de grilos.

– Bom… – começou Stella, as bochechas corando enquanto ela falhava em fingir que não fazia ideia de que Amelia acabara de anunciar para o restaurante inteiro que Thea e Gavin estavam separados. – Foi muito bom ver vocês. Espero que gostem da sobremesa.

A mulher se afastou, e foi aí que o caos começou.

– *Por favor*, a gente pode ir ver a vovó? – pediu Amelia.

– Não este ano, querida – respondeu Gavin.

– Mas por que não?

– Estou muito ocupado com as coisas do beisebol, meu amor.

Ava afundou no banco, fazendo beicinho.

– O papai pode ler para a gente hoje? – pediu Amelia.

Thea massageou as têmporas com as pontas dos dedos.

– Querida, o papai não vai poder fazer isso hoje, está bem?

– Por quê? – perguntou Amelia, os lábios começando a tremer.

– Ei – interveio Gavin, puxando a filha mais para perto. – Eu vou ler para vocês em breve, está bem?

– Mas eu quero hoje!

A barragem cedeu. Lágrimas escorreram pelo rosto de Amelia.

O que também fez Ava começar a chorar, porque gêmeos são assim.

E, quando Ava chorou, foi bem alto. De repente, ela gritou:

– Não quero mais que o papai jogue beisebol!

Depois de mais um pouco de silêncio atônito, Ava começou a chorar ainda mais alto. E Amelia gritou:

– Eu também não quero mais que o papai jogue beisebol!

O restaurante inteiro estava olhando. Gavin resmungou um *droga* e esfregou o rosto com as mãos.

Thea sentia o corpo todo tremer enquanto passava o braço pelos ombros de Ava.

– Querida, por que você não quer que o papai jogue beisebol?

A menininha esfregou o rosto, manchando os pontinhos brancos da maquiagem de corça, que viraram listras longas espalhadas pela bochecha.

– Porque é por isso que ele vai para longe e vocês ficam dizendo coisas feias um para o outro.

Thea ergueu os olhos, encontrando os de Gavin. Leu os próprios pensamentos naqueles olhos.

– Quando foi que dissemos palavras feias um para o outro? – perguntou Gavin.

– Quando o papai fez aquele *home run* grandão. – Ava soltou um soluço. – Vocês fizeram barulho de briga e disseram palavras feias.

Thea sentiu o calor subindo pelo pescoço e pelo rosto; o estômago se contraiu quando enfim compreendeu o que tinha acontecido. Ao que parecia, Ava acordara naquela noite fatídica e, além de ouvi-los transando, porque *barulho de briga* só podia querer dizer isso, ouviu a briga depois.

Thea balançou a cabeça, que parecia mergulhada em gelatina, se voltando outra vez para Gavin. Os dois se entreolharam; ele parecia triste, ela parecia perdida.

As meninas estavam chorando. Os outros clientes estavam olhando. Thea sentiu o corpo gelando. Sem conseguir se controlar, abriu a boca para dizer:

– Meninas, que tal se o papai for para casa ler para vocês? Vocês ficariam mais felizes?

Gavin pagou a conta enquanto Thea levava as meninas para o carro. Ele as seguiu até em casa no escuro, as mãos apertando o volante, o estômago embrulhado. Quanto tempo levaria para sua mente parar de repetir as palavras de Ava? *É por isso que ele vai para longe e vocês ficam dizendo coisas feias um para o outro.* O que tinha feito com as filhas? Com a família?

Estacionou na frente de casa, atrás de Thea, que se recusou a olhar quando ele ajudou a tirar as meninas das cadeirinhas no banco de trás. Manteiga os recebeu na porta.

– Primeiro um banho, depois o papai lê para vocês, está bem? – perguntou Thea pendurando os casacos das meninas.

Sua voz estava tensa, como se ela estivesse a uma resposta atravessada de desmoronar ou de voltar a tentar destruir a parede.

– Deixa que eu abro a porta para o Manteiga sair – ofereceu Gavin.

Thea agradeceu, ainda tensa, e ele se sentiu um visitante na própria casa. Enquanto a mulher subia com as filhas, levou Manteiga para a porta dos fundos. O cheiro de poeira e drywall contrastava com os aromas familiares da casa: o creme hidratante de Thea, as velas de alfazema que ela sempre acendia, o cheiro de cachorro e o sempre presente aroma das canetinhas e tintas dos desenhos e pinturas das meninas. Quando Manteiga acabou de rodar pelo gramado em busca do local perfeito para urinar, Gavin ouviu a torneira da banheira ser aberta no andar de cima. Subiu a escada e bateu na porta fechada do banheiro.

– Quer ajuda? – perguntou.

Não, foi a resposta.

A sensação de ser um estranho voltou enquanto esperava no corredor. Olhou para a direita, para o quarto principal. O quarto deles. Foi até lá e parou diante da porta aberta. Thea não tinha arrumado a cama naquela manhã, e a visão do lençol bagunçado foi como um soco de arrependimento no estômago. A última vez que dormiu naquela cama tinha sido na noite fatídica. Um dos momentos mais incríveis da sua vida, seguido quase imediatamente pelo pior.

– O que você está fazendo? – perguntou Thea, atrás dele.

Gavin se virou. Não tinha ouvido a porta do banheiro se abrir, mas as filhas estavam no corredor, com toalhas idênticas enroladas no corpo.

– Nada. Eu… vou ajudar as meninas a vestirem os pijamas.

O silêncio reinou enquanto ele e Thea trabalhavam juntos, enxugando as filhas e ajudando-as a enfiar os braços e pernas nos pijamas de unicórnio idênticos. Thea se levantou, recolheu as toalhas molhadas e mandou que as duas escolhessem um livro enquanto ela trocava de roupa.

As meninas escolheram uma história de um guaxinim que se perde a caminho da casa da avó, onde ia passar o Natal. Tinham acabado de se acomodar na cama de Amelia quando Thea voltou. Usava calça de moletom e o casaco de moletom velho do Huntsville Rockets, que era de Gavin, mas que ela tinha "roubado" logo depois que começaram a namorar. Na primeira vez que a vira usando aquele moletom, Gavin tinha perdido a capacidade de formar pensamentos coerentes. Uma possessividade tomou conta dele, como se, lá no passado, tivesse se apropriado de Thea. Oficialmente. Com aquele moletom.

Ainda hoje, algo na esposa baixinha usando aquelas roupas enormes, que sobravam, sempre o excitava. Thea devia ter escolhido o casaco porque era fácil, estava limpo e era familiar. Mas, para ele, tinha um significado maior, trazia uma lembrança. Ela estava usando aquele mesmo casaco de moletom quando lhe contou que estava grávida. Gavin passara três dias sem conseguir falar com ela. Thea tinha ignorado todas as ligações e mensagens de texto, e os colegas do café diziam que ela não estava indo ao trabalho, que estava doente. Quando Gavin finalmente foi até o apartamento dela e a convenceu de pelo menos abrir a porta, estava preparado para qualquer coisa. Ou era o que pensava.

– *O que você está fazendo aqui? – perguntou ela, envolvendo o próprio corpo num abraço, as mãos escondidas pelas mangas do moletom.*

Gavin apoiou as mãos na moldura da porta, o discurso ensaiado substituído por uma falação desesperada que começara no instante em que vira o rosto dela.

– *Só fale comigo, está bem? Seja o q-q-que for, me conta.*

Thea ficou um tempo com o olhar vazio, então se virou sem dizer nada. Gavin ficou olhando da porta, e ela entrou no banheiro. Momentos depois, voltou carregando um objeto branco e comprido.

Todos os nervos de Gavin explodiram, como se ele tivesse sido atingido por um raio.

– *O q-que é isso?*

Thea parou no meio da sala pequena. Gavin entrou, fechou a porta e foi até ela. A mulher lhe entregou o objeto. Ele baixou os olhos e viu um sinal de mais azul.

– *Você está grávida? – sussurrou, vendo pontos de luz dançando na frente dos olhos.*

Ela pegou o objeto de volta, cruzando novamente os braços.

– *Eu estou grávida – concordou, a voz firme, desafiadora, determinada. Mal tinha terminado de falar quando ele a beijou.*

– Pronto para a leitura? – perguntou Thea, interrompendo a lembrança.

– Abram espaço para a mamãe – mandou Gavin.

Amelia chegou mais para perto dele, e Thea se espremeu em um espacinho entre as meninas e a parede. Havia espaço mais do que suficiente junto dele, mas dizer isso não cairia bem.

Gavin começou a ler, e as meninas se aconchegaram nele. Volta e meia olhava para Thea, que se recusava a encará-lo, obstinada. Quando terminou a história, alguns minutos depois, ela se sentou tão depressa que a cama sacudiu. Thea pediu um beijo para as meninas, explicando que o papai as colocaria na cama.

Ava demorou a dormir. Ela só queria Thea, precisou de vários bichos de pelúcia para se acalmar. Amelia foi mais fácil. Quando Gavin a botou na cama e disse que tudo ficaria bem, ela acreditou. Encarou o pai com uma expressão confiante e esperançosa, fechou a mãozinha na dele e sussurrou "Eu te amo, papai" antes de cair no sono. Gavin quase não conseguiu sair do quarto.

Fechou a porta sem fazer barulho, inspirou fundo e desceu a escada. Encontrou Thea na cozinha, escrevendo alguma coisa no quadro branco enorme.

Ela ficou tensa quando Gavin se aproximou.

– As duas dormiram?

Gavin teve que pigarrear antes de falar.

– Dormiram. Estavam bem cansadas.

– Eu também estou.

Thea tampou a caneta e a guardou na gaveta. Gavin desviou o olhar para o quadro de cortiça, onde um convite com letras em alto-relevo estava preso com uma tachinha. Precisou piscar duas vezes para ter certeza de que tinha lido direito.

– Seu pai vai se casar de novo?

Thea se afastou dele e foi até a pia.

– Você está surpreso?

– O que aconteceu com aquela Christy?

– Crystal. Meu pai a traiu com o novo amor da vida dele.

Thea encheu um copo de água e tomou o remédio que sempre tomava quando sentia uma enxaqueca chegando.

– Quando foi isso?

Thea deu de ombros e se virou.

– Acho que no inverno. Não lembro.

– Por que você não me contou?

– Não sei. – Ela suspirou. – Não pareceu importante.

– Como está sua mãe?

Thea massageou as têmporas.

– Não quero falar sobre os meus pais agora.

– Desculpe. Tudo bem. Você… – Gavin gesticulou para a testa dela. – Você está bem?

– Estou. – Thea engoliu em seco e olhou para o chão. – Gavin, nós dois precisamos tomar algumas decisões.

As palavras foram outro golpe, lançando-o de volta no passado. Talvez ela não se lembrasse, mas tinha dito exatamente a mesma coisa quando contou que estava grávida.

Thea deixou que Gavin a beijasse, mas não por muito tempo. Então, espalmou as mãos no peito dele e o empurrou para trás.

– *O que você está fazendo?*

Gavin espalmou a mão na barriga da namorada, onde seu filho – o filho deles dois – crescia, logo abaixo dos seus dedos.

– Estou feliz, Thea.

– Que bom – retrucou a mulher, com mais acidez do que ele esperava. – Mas nós dois precisamos tomar algumas decisões, Gavin.

– O que há para decidir? – Ainda mantendo a mão direita na barriga dela, Gavin ergueu a mão esquerda para acariciar seu rosto. – Case comigo.

Uma ideia surgiu em sua mente. As palavras tinham funcionado naquela ocasião, e talvez funcionassem de novo. Pelo menos, parecia algo que o Lorde Sei Lá Quem diria.

Gavin diminuiu a distância entre os dois. Thea ergueu o olhar a tempo de vê-lo colocar a mão esquerda em sua bochecha.

– O que há para decidir? Case comigo.

Thea afastou a cabeça do toque dele, o cenho franzido, o rosto confuso.

– O quê?

O coração dele disparou, cheio de nervosismo.

– É... foi o que eu disse q-quando...

– Eu sei, Gavin. – Ela envolveu o próprio corpo em um abraço, em uma pose que era ao mesmo tempo forte e vulnerável. – Eu só queria que você não estragasse aquele momento falando isso agora.

Estragasse? Gavin sentiu o coração dar um salto.

– Não quero abrir mão de nós dois.

– Agora já é tarde demais.

– Não é tarde demais – retrucou ele, canalizando o Lorde Sempre Diz a Coisa Certa. – Nunca é tarde demais para o amor.

Thea riu, debochada.

– É sério isso?

Talvez fosse mesmo exagero. *Muito obrigado, hein, Lorde Cretino.* Mas era agora ou nunca.

E, se aquilo não desse certo, mataria Mack e Del e jogaria o livro do Lorde Conversa Mole na lareira.

– E se... e se nós pudéssemos recomeçar?

Thea levantou as mãos, como se quisesse bloquear as palavras dele.

– Gavin, pare.

– Me deixe voltar para casa...

– Não.

Thea saiu andando, desviando dele. Estava na metade da sala quando Gavin a alcançou com passos e palavras.

– Me deixe voltar para casa – repetiu. – E, se eu não conseguir rec-c--conquistar você, eu... eu deixo você em paz. E aceito o divórcio.

Thea o encarou, incrédula.

– Gavin, estamos no século XXI. Eu posso conseguir o divórcio com você concordando ou não.

Certo. Claro. Droga.

– Eu sei. O q-que estou dizendo é que vou concordar com o que você propuser. Pago a casa para você e para as meninas, pago o valor de pensão de que você precisar... Qualquer coisa. Não vamos nem precisar de advogados.

Thea arqueou a sobrancelha.

– Seu agente mata você se tivermos um divórcio sem advogados.

– Por quê? Você está planejando tirar tudo de mim?

A tentativa de fazer graça não foi muito apreciada, porque Thea comprimiu os lábios com força.

– Não. Mas e se você for vendido e precisar se mudar? Isso pode complicar a questão da guarda.

Guarda. A palavra dava vontade de vomitar.

– Por favor, Thea. Me dê uma chance.

– De fazer o quê? – Ela ergueu os braços, exasperada.

– De provar o quanto eu te amo.

Thea abriu os lábios de novo e o encarou por um momento que durou para sempre.

– Por favor, pare com isso – sussurrou ela, a voz sofrida.

– Parar com o quê? De dizer que eu te amo?

Ela assentiu, sem palavras, e a afirmação o acertou como uma bola errante. Gavin recuou um passo.

– *Por quê?*

– Eu não confio nessas palavras. Não mais.

Gavin tentou respirar. Já tinha sofrido algumas derrotas feias. Coisas que mudaram sua vida. Sofrera humilhações que doíam até o presente. Mas *aquilo*... aquilo foi o mais perto que chegou da destruição total. Se havia um momento para o lorde Benedict sugerir o que falar, era aquele. Mas a única voz que sua mente repetiu foi a de uma mulher.

Amor não basta.

Quando leu essas palavras de Irena, Gavin resmungou baixinho e quase fechou o livro. Que tipo de romance dizia que o amor não tinha importância? Os romances não serviam justamente para provar que o amor vence tudo? Teve a horrível sensação de que estava prestes a descobrir se isso era verdade. Só esperava que o tal Lorde Abandonado tivesse uma ideia de como provar que a esposa estava enganada melhor do que Gavin tinha para Thea.

– Está tarde – murmurou Thea, como se suavizar o tom pudesse suavizar o golpe. – Você devia ir para casa.

–- Eu estou em casa. Minha casa é onde você e as meninas estão.

Thea inspirou de leve. Foi quase imperceptível, mas o suficiente para demonstrar que as palavras dele, sua honestidade lamentável, tinham acertado o alvo. Era hora de partir para cima.

– Quer saber? Estou decepcionado com você. A antiga Thea teria ficado animada com uma proposta maluca dessas.

Gavin prendeu o ar enquanto a mulher o encarava. Thea ergueu a cabeça, franzindo o cenho. Não parecia estar com raiva. Não... Estava pensando. Deu para ver pelo brilho de desafio nos olhos dela.

Foi aquele brilho, mais do que qualquer outra coisa, que o fez arriscar tudo com as palavras seguintes:

– Vamos lá, Thea – desafiou. – O que você tem a perder?

A resposta dela foi dar as costas e sair andando, rígida, até as portas de vidro que levavam ao quintal. Ela olhou para a escuridão lá fora, quieta, outra vez envolvendo o próprio corpo em um abraço. Gavin daria qualquer coisa para ver o que se passava na cabeça dela, ouvir a discussão que Thea travava consigo mesma. O tique-taque do relógio de piso no corredor perto da escada marcava os segundos numa lentidão excruciante.

A curiosidade finalmente venceu.

– Thea...

Ela se virou, ainda rígida.

– Tenho algumas condições.

As palavras dela pairaram no ar por um momento longo e atordoado antes de penetrarem no cérebro de Gavin. Então queria dizer...? Ela estava aceitando...?

Ele respondeu, hesitante, com medo de que, se reagisse de forma muito efusiva, Thea acabaria dizendo *deixa para lá*.

– Q-que tipo de condições?

– Essa – ela sacudiu a mão, procurando a palavra certa – *proposta* não pode durar para sempre. Vamos precisar estabelecer um prazo.

– O treino de primavera – sugeriu ele.

Era perfeito. Se fracassasse, ao menos teria alguma coisa para se distrair depois de sair de casa. Mas não fracassaria. O treino de primavera era dali a cerca de três meses. Mais do que tempo suficiente.

Mas Thea tinha outra ideia. Ela balançou a cabeça.

– O Natal.

– Mas é só daqui a um mês!

– Vai ser ainda mais difícil para as meninas se arrastarmos o problema muito mais do que isso.

Gavin não tinha como discutir.

– Tudo bem.

– E você vai dormir no quarto de hóspedes.

Ora, aquilo sim foi um chute no saco.

– Como vamos resolver nossas questões se não estivermos nem no mesmo quarto?

– Isso não parecia um problema antes.

Não havia o que pudesse dizer que não soasse egoísta ou como se estivesse implorando por atenção.

– E o que mais?

– A Liv fica.

Ah, merda.

– Por quanto tempo?

– Pelo tempo que eu precisar.

Gavin assentiu, mesmo contrariado. Que escolha tinha?

– Tudo bem. Mais alguma coisa?

– Por enquanto é só.

– Por enquanto?

A aspereza nada intencional na sua voz fez com que Thea comprimisse bem os lábios.

– Essas são minhas condições, Gavin. É pegar ou largar.

Ele pegaria. Pegaria o que ela cedesse. Sentindo a boca cheia de areia, engoliu em seco e perguntou:

– Quando você me quer… Quer dizer, quando posso voltar para casa?

– Quarta à noite.

A noite anterior ao Dia de Ação de Graças. Dali a dois dias.

– Tudo bem.

– Você pode chegar quando eu voltar com as meninas da escola.

– Certo. Tudo bem. Vou fazer isso.

– Vamos pedir pizza para o jantar.

Pizza. Claro. Mas que coisa. Aquela devia ser a conversa mais ridiculamente inoportuna de sua vida, mas a normalidade bizarra exerceu um estranho efeito em seu estômago. Em algum lugar no meio de tanto caos e emoções, ainda teria que jantar.

– Então nos vemos na quarta – disse Thea, uma evidente dispensa.

Gavin observou o rosto dela, e um buraco se abriu em seu peito. A mulher estava ereta, mas parecia se encolher. Os ombros baixos pareciam derrotados. Não queria que fosse assim, não queria que ela encarasse aquilo como se tivesse perdido a briga mais importante da vida.

– Thea, é isso mesmo q-q-que você quer?

– Você quer voltar para casa ou não? – retrucou ela, ríspida, encarando um ponto acima do ombro dele.

– Quero. É que…

– É que o quê? Decide, Gavin.

Ele soltou um suspiro.

– Tudo bem. Estarei aqui na quarta.

Pensou em atravessar o aposento e tomá-la nos braços antes de ir, mais para se tranquilizar do que por qualquer outro motivo, mas tudo na linguagem corporal de Thea dizia SE ME TOCAR, VAI PERDER AS BOLAS. Ótimo. Um excelente começo.

Gavin se resignou a assentir em despedida e foi para o carro. Ligou o motor, mas ficou ali, estacionado, vendo as luzes serem apagadas dentro da casa. Tudo o que mais amava no mundo estava ali, naquela casa, e ir embora seria ainda mais difícil naquela noite do que em qualquer outra ocasião. Porque, quando voltasse, teria apenas um mês para conquistar seu direito de ficar. Embora as condições impostas tornassem a tarefa difícil, um rebatedor não escolhia os arremessos. Só podia estudar o campo e elaborar um plano de jogo.

Um mês.

Tinha sido tempo suficiente para se apaixonarem, da primeira vez.

Conseguiria de novo.

– Tudo bem, Lorde Nervosinho – disse Gavin, dando a ré e saindo para a rua. – Me diga o que fazer agora.

Cortejando a condessa

Benedict levou duas semanas, três dias e dezesseis horas para perceber a falha fatal em seu plano de recomeçar.

A esposa não era uma participante voluntária.

Ele não tinha como cortejar alguém que não queria ser cortejada.

Desde a noite de núpcias, Irena não lhe permitia mais do que poucos minutos a sós, embora fosse bastante inteligente para fazer parecer que não era intencional. Sempre que o conde tentava ficar com a esposa, ela arranjava um assunto urgente para discutir com a cozinheira ou uma tarefa que precisava terminar em outro lugar. Assim que ele acabava de resolver seus assuntos da propriedade, a condessa ficava absorta com os dela. E, apesar de a porta que separava os quartos ficar destrancada todas as noites, Benedict não podia simplesmente entrar nos aposentos dela para saciar a sede ardente de consumar o casamento. Não enquanto a esposa acreditasse que a presença dele em sua cama era apenas uma obrigação marital. Não enquanto a sede daquela mulher não fosse tão intensa quanto a dele.

Mas Benedict não desistiria. Ele sempre gostara de correr riscos, uma característica que compartilhava com Irena. Afinal, os dois tinham se conhecido assim. Quando o cavalo de um modesto barão vencera um de seus prestigiosos puro-sangue, o conde ficara chocado e intimidado ao descobrir que o animal tinha sido treinado pela própria filha do barão.

O que os tornava jogadores rebeldes, perfeitos um para o outro de uma forma que Benedict nunca imaginara possível.

E era a hora de aumentar a aposta.

Serviu dois dedos de conhaque em um copo e se posicionou ao lado da lareira do escritório para esperá-la. Quando a batida soou na pesada porta de madeira, tomou todo o líquido, querendo acalmar os nervos, e mandou que ela entrasse.

A condessa usava um vestido azul-claro e tinha uma expressão irritada. As mãos estavam apertadas à frente do corpo.

— Mandou me chamar, milorde?

Ele ignorou o tom de sarcasmo e indicou o sofá perto da janela.

— Sente-se, por favor.

Irena hesitou, provavelmente pega de surpresa pelo tom formal, mas obedeceu. Sentou-se rígida como uma dama; a coluna ereta, as mãos cruzadas sobre o colo, as pernas cruzadas nos tornozelos, inclinadas elegantemente para o lado.

— Tenho outro presente para você — anunciou.

O suspiro dela teria impulsionado um motor a vapor.

— Milorde...

— Benedict.

— ... isso tem que parar.

— Não gostou dos outros presentes?

Já lhe dera sete presentes. Brincos, colares e pulseiras de todos os tipos de pedra.

— São desnecessários.

— Você é a única mulher que conheço que julga brincos e anéis desnecessários.

– Então o senhor não deve conhecer muitas mulheres.

– Acertou.

Benedict se afastou da lareira e foi até a escrivaninha. Tirou uma caixa da gaveta. Em poucos passos estava junto ao sofá, mas pareceu uma distância maior, sob o peso do olhar dela e a ameaça de fracasso.

– Talvez este presente seja mais útil.

Ela aceitou a caixa e a abriu sem uma palavra. Então franziu o cenho, pegando o instrumento fino e prateado.

– O que é isso?

– É uma caneta-tinteiro – explicou Benedict, sentando-se ao lado dela.

– Entendi.

– É só molhar essa parte aqui no tinteiro – explicou, apontando para a ponta afiada –, e a caneta suga a tinta por um capilar, que armazena e deposita a tinta no papel quando você quiser escrever. Ela permite que você escreva por bem mais tempo, sem parar para pegar mais tinta.

O conde notou o conflito interior dela, presa entre a teimosia e a fascinação.

A teimosia venceu. Ela guardou a caneta na caixa.

– E que uso posso dar a uma frivolidade dessas?

– Você escreve para sua irmã mais nova todos os dias, Irena. Achei que isso tornaria o trabalho mais fácil.

A máscara de indiferença que encobria o rosto dela com uma neutralidade pétrea sumiu, revelando um toque de solidão que o deixou abalado.

– Lamento que sinta tanta falta dela – declarou o conde.

– Eu me preocupo com ela – corrigiu a condessa. – O escândalo do nosso casamento também a afetou. Meus pais se tornaram implacáveis na busca por um casamento respeitável para ela, antes que seja tarde demais. Não parecem se importar com o que ela quer. E não há nada que eu possa fazer para protegê-la agora.

A culpa ameaçou sufocá-lo, não só pelo que tinha feito, mas pelo que estava prestes a fazer. Benedict estendeu a mão, cobrindo a dela.

— Irena, eu tomei uma decisão.

Ela o encarou.

— Que decisão?

— Não teremos herdeiro.

O pânico surgiu nos olhos dela, dilatando as pupilas e escurecendo as íris esmeralda.

— *O quê?* — sussurrou a mulher, se balançando no sofá.

— Você se recusou a aceitar minhas tentativas de provar que a amo.

Ela se levantou, e a caneta caiu no chão.

— E é *assim* que o senhor quer provar seu amor? Me negando um filho?

— Não vou lhe negar. — Ele se levantou, segurando as mãos dela. — Se eu não for capaz de conquistar seu amor, lhe concederei um bebê da forma fria e desapaixonada que você deseja. Em seguida, comprarei uma propriedade com um estábulo grande, onde você e a criança possam morar com seus amados cavalos, e nunca mais a incomodarei. Mas só depois que tiver uma chance de lembrar a você o quanto mais pode haver entre nós.

Irena balançou a cabeça, frenética.

— Como o senhor pode pensar que eu aceitaria me envolver numa barganha tão cruel?

— Porque você tem tudo a ganhar se vencer. Eu, por outro lado, só tenho a perder.

Com o rosto se enchendo de repulsa, Irena puxou as mãos.

— Isso vindo de alguém que viu o mundo por muito tempo através das lentes embaçadas do olhar masculino. O que quer que aconteça entre nós, o senhor mantém seu status, seu título, seu dinheiro, sua propriedade e o respeito do mundo todo. Ainda será bem-vindo em todos os clubes e salões de baile.

Será a vítima de uma mulher cruel e maquiavélica, e eu serei sempre a Dalila que cortou seu cabelo. O senhor não corre o risco de perder *nada*.

Benedict a segurou pelos ombros exclamando:

— Eu corro o risco de perder você!

Um suspiro discreto escapou dos lábios dela.

O conde ergueu as mãos, aninhando o rosto dela.

— Se acha que ligo para qualquer uma dessas coisas, o dinheiro, o título, qualquer uma delas… está enganada. Nada disso importa se eu perder você.

Irena queria acreditar. Dava para ver nos olhos dela. Mas a mulher recuou, se afastando de seu toque, deu meia-volta e foi até a fileira de garrafas do bar, na parede oposta. Benedict ficou olhando, perplexo e talvez admirado, enquanto Irena se servia de uma dose de conhaque e tomava tudo com precisão experiente. Ah, sua amada, sempre cheia de surpresas.

— Não entendi o que o senhor quer que eu faça, milorde.

— Me deixe cortejá-la. Me deixe levá-la ao teatro, a bailes… Sente-se comigo à noite e converse comigo no jantar. Dance comigo. Cavalgue comigo no parque. Vamos fazer todas as coisas que fazíamos antes…

Ele parou de repente, mas Irena concluiu, mordaz:

— Antes de o senhor me acusar de traição e de se negar a ouvir meu lado da história.

— Exatamente — respondeu ele, calmo.

— E se eu me recusar a fazer o que o senhor quer?

Benedict respirou fundo e deu sua última cartada:

— A vida de sua irmã será arruinada.

Ela se aproximou dele de novo.

— O que isso tem a ver com a minha irmã?

— Você mesma disse que nosso escândalo ameaçou a reputação dela. Se pudermos convencer a alta sociedade de que nosso casamento era… ou melhor, é uma união amorosa, de que os boatos sobre você eram falsos, as perspectivas da sua irmã também vão melhorar. Mas, se não tivermos filhos, se os boatos persistirem por muito tempo, ela será obrigada a se casar com qualquer sujeito que seus pais escolherem. Você sabe que estou certo.

Longos momentos de silêncio se passaram, cada um mais doloroso que o anterior, até que a condessa finalmente se pronunciou:

— Benedict, tem uma coisa que ainda não entendi.

O uso de seu nome o fez se aproximar dela.

— O que é?

— Se o senhor vencer, o que vai ganhar com isso?

Benedict pegou a mão da esposa e a levou ao coração.

— O maior prêmio de todos. Eu ganho seu amor.

OITO

Thea acordou na manhã seguinte com frio na barriga e um pé na cara. Em algum momento da noite, Ava tinha acordado, ficado com medo do escuro e ido para a sua cama.

Dando um beijo leve no pezinho, saiu de baixo da filha. A lista mental de coisas maternais a fazer, que nunca acabava, começou a se formar em sua mente. Fazer compras. Lavar as toalhas. Jogar o resto das roupas do Gavin em cima da cama do quarto de hóspedes.

Mas, primeiro, teria que enfrentar Liv.

Thea foi ao banheiro, depois seguiu pelo corredor. A porta do quarto de hóspedes estava aberta, mas a irmã não estava lá. O que significava que, mais uma vez, pegara no sono no sofá, depois do trabalho. Quando trabalhava até tarde, Liv chegava com muita energia e não conseguia dormir, então assistia à televisão até apagar.

Thea desceu a escada. O sol nascente lançava um brilho laranja suave na fileira de fotos penduradas de forma meticulosa na parede da escada. Não deixara passar um só ano das fotos familiares, porque era isso que faziam as esposas perfeitas dos atletas. Será que a mulher sem cartão de Natal com foto da família perfeita podia ser considerada uma verdadeira esposa de jogador de beisebol?

Manteiga choramingou. Thea o deixou sair pela porta dos fundos e ouviu Liv bocejar e se espreguiçar no sofá. Olhou para trás.

– Que horas você chegou?

– Lá pelas três. – Liv esticou bem os braços e soltou um grunhido longo e cansado enquanto se sentava. – Ontem foi uma loucura. Recebemos um grupo chatíssimo que chegou tarde e pediu tudo do cardápio. – Ela se deitou de novo nas almofadas. – Odeio despedidas de solteiro.

Manteiga voltou correndo e seguiu Thea até a cozinha, onde esperou o café da manhã, balançando o rabo e pulando. Depois de botar uma porção de ração no pote, ela foi passar o café.

– Quer me obrigar a arrancar os detalhes ou vai me contar como foi ontem à noite? – perguntou Liv.

Thea encheu uma caneca de café, creme e açúcar e se sentou em um banco de frente para a irmã. Não havia jeito fácil de contar, era melhor falar de uma vez.

– Ele volta para casa amanhã.

Liv fez uma cara de boneca possuída e gritou:

– *O quê?!*

Thea levantou as mãos.

– É só por um mês.

– Como assim? Por quê?

– É complicado.

Liv pulou por cima do encosto do sofá com um vigor impressionante para alguém que estava morta para o mundo apenas três minutos antes.

– O que tem de complicado? Você tinha certeza! O que mudou?

– Ele fez uma proposta irrecusável. – *E acertou meu ponto fraco*, acrescentou, mentalmente.

Assim que Gavin a lembrou de como ela era – impetuosa, ousada, pronta para qualquer desafio – toda a lógica de Thea sumiu, e ela só percebeu quando já estava concordando.

Liv balançou a cabeça.

– O que Gavin poderia oferecer para lhe convencer a deixar que ele voltasse?

Thea resumiu a conversa da noite anterior.

– Se ele não conseguir me reconquistar até o Natal, não vai contestar nenhum aspecto do divórcio. Vai me dar o valor que eu pedir de pensão e pagar a casa.

Uma calma sinistra surgiu no rosto de Liv. Ela piscou algumas vezes, bem devagar, abrindo um pouco a boca.

Então se virou e foi bem devagar até a geladeira. Thea viu a irmã abrir a porta, pegar o suco de laranja, encher um copo e guardar a caixa, tudo em movimentos robóticos. Parecia calma, mas Thea conhecia a irmã. Liv era como uma tempestade de verão: uma calmaria pesada seguida de vento e chuva forte.

Thea olhou para o relógio no micro-ondas. A supertempestade Liv cairia em três, dois, um...

A irmã bateu com o copo na bancada.

– Que filho da mãe manipulador!

Thea olhou para a escada.

– Fala baixo!

– Ele sabe como é importante para você ter uma casa para a família, por causa da nossa infância. Ele esfregou o que mais importa na sua cara e sabia que você aceitaria.

Thea massageou a testa.

– Liv, me dá um pouco de crédito, está bem?

– Como posso, com você agindo como...

Thea bateu com a caneca na bancada, derramando café pela beirada, em um tsunami quente.

– Não diga isso. Não sou nem um pouco parecida com a nossa mãe, e minha situação é completamente diferente.

– É? Diferente como? – perguntou Liv, debochada.

– Porque, ao contrário da mamãe, estou fazendo isso pelas minhas filhas, não por mim.

Thea descreveu o que aconteceu no restaurante: como as garotas ficaram chateadas por não viajarem para a casa dos avós no Dia de Ação de Graças, por sentirem falta do Gavin, por odiarem beisebol... Tudo.

Bom, não *tudo*. Deixou de fora as coisas que Gavin disse que puseram seu coração em disparada. *Minha casa é onde você e as meninas estão.*

Liv não se comoveu.

– Você sabe que as meninas são pequenas demais para entender essas coisas.

– Elas têm idade para entender nossas tradições e para ficarem tristes quando elas mudam. Pelo menos agora os feriados de Ação de Graças e do Natal não serão horríveis.

– Vai deixar que sejam ruins no ano que vem?

– Com sorte, até o ano que vem elas estarão acostumadas à situação e não vão ficar mais tão incomodadas.

Liv começou a protestar, e Thea levantou a mão.

– Você não estava lá. Não ouviu as duas chorando nem viu a cara delas.

– Mas estou vendo a sua.

Thea ignorou a observação, principalmente porque não queria saber o que significava.

– Tomei uma decisão impulsiva. Achei que você gostasse desse meu lado.

– Claro, quando é para alguma coisa divertida. Mas isso é um desastre.

– Só se você se recusar a me apoiar.

Liv tomou outro gole de suco.

– O que ele planeja fazer para reconquistar você?

– Não faço ideia.

– Você não perguntou?

– Não importa.

– Como pode não importar?

– Porque eu aprendi a lição, Liv.

– Mas e se…

– Não sei! Está bem? Não sei! Tem mil vozes na minha cabeça me dizendo o que fazer. A sua. A dele. A da vovó. As das meninas. Não tenho ideia de qual é a minha voz. Só sei que, quando ele me desafiou a aceitar o acordo, alguma coisa aconteceu aqui dentro. Então, não me julgue.

– Não estou julgando – retrucou Liv, com um toque de arrependimento na voz. – Só estou preocupada.

Thea tentou ignorar a observação, mas acabou perguntando:

– Por quê?

– Você desapareceu, Thea. Parece que acabei de recuperar minha irmã. Não consigo suportar ver você se perder de novo.

Thea puxou Liv para um abraço apertado, prometendo:

– Não vou me perder de novo. É só por um mês.

– Foi o suficiente para ele atrair você da última vez.

– Da última vez, eu era uma participante voluntária.

– E agora não é?

– Eu concordei em deixar que ele voltasse para casa – disse Thea, se afastando. – Não concordei em passar tempo com ele.

– Algo me diz que isso vai ser mais difícil de evitar do que você pensa.

– Não com ele dormindo no quarto de hóspedes.

Liv resmungou.

– E onde eu vou dormir?

– No porão.

– Que ótimo. Primeiro, ele rouba minha irmã. Agora, vai roubar minha cama?

Thea foi determinada até o quadro branco e estudou o calendário. Faltavam só cinco semanas para o Natal.

Cinco semanas curtinhas.

Ela aguentaria.

Só precisava fingir.

Os caras – Del, Mack, Yan e Malcolm – já estavam comendo quando Gavin chegou à lanchonete do centro de Nashville, de cara feia e barba por fazer. *Não é um bom dia para pedir um autógrafo* era a mensagem que passava com a linguagem corporal, ignorando os sorrisos grandes demais das pessoas que o reconheciam. O local não ficava num ponto muito turístico, mas era bem movimentado e country a ponto de ser irritante.

Ele afundou em uma cadeira. Del examinou sua aparência desgrenhada e soltou um suspiro.

– Ih, droga... Ela disse não?

– Pior. Ela disse sim.

– Como isso pode ser pior?

– Ela tem *condições*.

Mack comeu um pedaço de clara de ovo e retrucou, de boca cheia.

– Condições de se sustentar sozinha?

Gavin mostrou o dedo do meio e começou a relatar a conversa da noite anterior. Enquanto ele falava, Del assentiu para a garçonete, supostamente para avisar que a quinta pessoa finalmente chegara. Gavin pediu um Café da Manhã dos Campeões, que parecia bem calórico, mas não ligou: estavam no intervalo da temporada, e a esposa não acreditava que ele a amava.

Mack fez careta quando a garçonete se afastou.

– Cara, essa porcaria vai entupir suas veias de gordura.

Gavin levantou a camiseta e analisou o abdome. Estava tudo firme e rígido, como os treinadores e técnicos exigiam.

– Vou correr o risco.

Mack levantou a própria camiseta e mostrou um tanquinho que fazia o de Gavin parecer uma piada.

– Levo uma vida limpa. – Mack abriu um sorriso superior e voltou à omelete de claras. – Você devia tentar.

– Vá se danar, seu bombado. Você comeu uma pizza inteira sozinho sábado à noite.

Malcolm olhou para Del.

– Eles são sempre assim?

Del suspirou.

– Sempre.

Yan olhou para Gavin.

– Quais são as condições dela?

Gavin soltou um suspiro e começou a enumerá-las. Quando terminou, até Mack pareceu ter pena.

– Caramba, cara. Ela não deixa mesmo você dizer *eu te amo*? Puxado.

– Como vou reconquistar essa mulher dormindo em outro quarto e sem poder dizer o que sinto?

– É, e sem… – Mack fez o sinal universal de sexo, fazendo um círculo com uma das mãos e enfiando e tirando o dedo indicador de dentro com a outra.

– Você está encarando isso do jeito errado – interveio Malcolm. – É uma oportunidade.

– Como?

– A mulher praticamente desafiou você a compreendê-la, a aprender de verdade a língua dela. Se Thea não quer que você diga as palavras *eu te amo*, você vai ter que aprender outra forma de expressar seu sentimento, uma que ela aceite.

– Não sei nem por onde começar.

– Mas nós sabemos – disse Del.

Todos falaram ao mesmo tempo:

– Pense na história dela.

– Que história?

– Toda a história, cara – disse Mack. – A vida dela, tudo.

– Tudo que aconteceu com a sua esposa antes de ela conhecer você influencia quem ela é hoje – explicou Malcolm. – Nós somos a soma das nossas experiências, que também definem nossas reações. Assim como nos romances. Tudo pelo que um personagem passou antes do início do livro vai determinar como ele reage às coisas que acontecem durante o livro.

– Mas estamos falando da vida real, a minha vida. Não de um livro.

– Os princípios são os mesmos – retrucou Malcolm. – Por isso que a ficção afeta tanto as pessoas. Porque fala verdades universais.

A comida de Gavin chegou. Ele devorou uma fatia de bacon em duas mordidas. Do outro lado da mesa, Mack estufou as bochechas e passou a mão na barriga enquanto Gavin comia o segundo pedaço, fazendo cara feia.

– Conte mais sobre a infância de Thea – pediu Malcolm.

O bacon virou pedra no estômago de Gavin.

– Ela não gosta de falar disso. Sempre mudava de assunto quando eu tentava perguntar.

– Então foi uma infância ruim? – questionou Yan.

– O pai dela é um cretino, e a mãe, uma clássica narcisista. Os dois se divorciaram quando Thea tinha 10 anos. Ela e a irmã tiveram que viver com a avó, porque nem o pai nem a mãe as queriam.

– Não as queriam? Como assim? – perguntou Del.

– O pai dela se casou de novo logo depois do divórcio, e a esposa nova não queria as garotas morando na casa. A mãe era egoísta demais para assumir a responsabilidade. – Gavin comeu depressa. – Ontem à noite, descobri que o pai dela vai se casar de novo daqui a duas semanas, acho que vai ser a quarta vez.

Todos se entreolharam, surpresos. Mas foi Del quem perguntou:

– Você não sabia?

– Não.

– Quando Thea descobriu?

– Não sei. Ela soube que o pai estava se divorciando da terceira esposa na primavera, mas o convite de casamento deve ter chegado nas últimas duas semanas, quando eu estava fora.

Del se inclinou para a frente.

– Como Thea se sente a respeito?

– Ela não vai ao casamento, se é isso que você quer saber.

– Ela disse por quê?

Gavin tentou lembrar aquela parte da conversa.

– Ela disse que não tem por quê, já que o pai também vai trair e abandonar essa nova esposa.

Todos o encararam.

Ele piscou.

– O que foi?

Mack soltou uma risada debochada.

– Você é meio burro mesmo, né?

– Acha que o casamento do pai tem alguma coisa a ver com Thea me deixar voltar para casa?

Del bateu na nuca dele.

– Não, idiota. Tem a ver com ela ter *expulsado* você de casa.

Gavin abriu a boca para protestar, mas então voltou a fechá-la. Não podia discutir sem revelar a constrangedora verdade que acabou fazendo com que ele fosse embora.

– E sobre não querer que você diga *eu te amo*… – começou Yan. – Claro que ela não confia nessas palavras, Gavin. Quando foi que mostraram para ela que o amor é confiável, que pode durar, que é para valer?

– Palavras não importam, Gavin – explicou Mack, estranhamente sóbrio. – São as ações que contam. E, se ela aprendeu a desconfiar do amor na infância, não importa quantas vezes você se declare. Você a fez duvidar do amor quando foi embora.

– Assim como o pai dela – observou Del.

– Ela que me expulsou – resmungou Gavin.

– Talvez fosse um teste – declarou Yan.

Gavin se virou para encarar o colega de time.

– Um teste – repetiu.

– Talvez Thea quisesse ver o que você ia fazer se fosse mandado embora. Se lutaria por ela, ou se simplesmente iria. E você foi, então…

A comida começou a pesar no estômago.

Mack deu uma risadinha.

– Pronto. Olha aí a lâmpada se acendendo.

Estava enjoado demais para morder a isca. *Amor não basta.* Será que Irena estava certa?

– Olha só – começou Malcolm, calmo –, nós nunca dissemos que seria fácil. Na verdade, você tem que estar preparado porque Thea pode tornar isso o mais difícil possível. Ela vai resistir a cada passo seu, pelo menos no começo.

– Já está resistindo.

– E é por isso que você devia ter lido mais – declarou Del.

Ele suspirou.

– Eu li um pouco ontem à noite.

– E? Alguma coisa chamou sua atenção?

Gavin olhou em volta. Então deu de ombros.

– Não sei. Talvez.

– Leia para nós.

– *Aqui?*

– Se quiser, podemos esperar a Páscoa para salvar seu casamento – retrucou Yan.

Gavin examinou o entorno mais uma vez. Algumas pessoas ainda estavam olhando para ele, mas a maioria dos clientes estava concentrada nas próprias refeições e conversas. Gavin enfiou a mão no bolso do casaco e pegou o livro. Abriu bem a mão sobre a capa, para ninguém ver o que era.

Foi até a página em que tinha parado e leu o parágrafo que sublinhara na noite anterior.

– "Mais que tudo, Irena temia que fosse acordar, certa manhã, e perceber que a vida toda tinha passado. Que, em algum momento, tinha se tornado menos. Menos do q-q-que imaginava. Menos do q-q-que esperava. Nada mais do que um acessório silencioso de algum homem. Nada mais do que a própria mãe, um rosto passivo sentado a uma mesa reluzente."

Gavin botou o livro na mesa e esperou algum deboche de Mack, mas só houve silêncio. Erguendo o rosto, viu que todos o encaravam.

– O quê?

– Você que tem que dizer, cara – retrucou Del. – Por que isso chamou sua atenção?

Gavin sentiu o rosto esquentar. Não devia ter lido em voz alta. Devia ter escolhido um parágrafo idiota e sem sentido só para satisfazê-los. Sabia exatamente *por que* aquilo chamara sua atenção. Porque, em algum momento dos três anos de casamento, Thea mudara para sua própria versão de *menos*. A mulher relaxada e impulsiva por quem ele se apaixonara tinha sumido… A mulher que acordava a qualquer hora da noite para pintar, a mulher que o beijara tão apaixonadamente no carro que acabaram no banco de trás em uma estrada escura, a mulher que uma vez se algemara a uma escavadeira para impedir a remoção de uma árvore centenária, a mulher que inventava brigas só para fazer as pazes com sexo.

E a pior parte era que ele estava tão preocupado com a própria carreira que só reparou nas mudanças quando já era tarde demais. Só na noite em que *aquilo* aconteceu, quando já fazia tanto tempo que não tinham uma briga sem sentido que a briga verdadeira foi grande demais para se salvarem.

– Desejam algo mais?

A garçonete surgiu do nada. Gavin deu um pulo na cadeira. O livro caiu das mãos, pousando em cima dos ovos com a capa para cima.

– Ah, eu adoro essa autora! – comentou a mulher, animada.

Gavin pegou o livro, limpou as páginas com o guardanapo e começou a gaguejar.

– Presente para a m-m-minha esposa.

A garçonete ergueu a sobrancelha e botou a conta na mesa.

– Se te faz feliz... Pode deixar que eu guardo segredo.

Ela saiu, e Gavin apoiou os cotovelos na mesa. Passou os dedos pelo cabelo e olhou para a capa do livro. O Lorde Arrogância estava ocupado demais olhando o decote de Irena para dar algum conselho.

Mas talvez já tivesse dado.

– E se eu me recusar a fazer o que o senhor quer?

Benedict respirou fundo e deu sua última cartada.

Gavin se levantou. Lorde Gorducho não era o único que tinha outra cartada. Deixou 30 dólares na mesa e botou o casaco.

– Cara, aonde você vai? – perguntou Mack.

– Aumentar a aposta.

– Como é? – perguntou Del.

– Eu também tenho condições.

– Ei! – gritou Mack, quando ele saiu andando. – Posso comer o resto do seu bacon?

NOVE

A rua em frente à escola das meninas estava totalmente parada por causa do engarrafamento pré-feriado. Mesmo saindo vinte minutos adiantada justamente por isso, Thea já estava quase atrasada quando finalmente encontrou uma vaga e correu para buscá-las. Os alunos da educação infantil tinham que ser buscados dentro da escola, não no ponto de embarque e desembarque, como os mais velhos. Em dias como aquele, parecia que quase todas as crianças da escola estavam sendo buscadas de carro, em vez de irem de ônibus.

O coração de Thea se alegrou como sempre ao ver as meninas sentadas lado a lado no banco perto da diretoria. As boquinhas se moviam em um ritmo rápido, falando alguma coisa que Thea não conseguia ouvir em meio aos gritos das outras crianças, das conversas dos pais e do caos generalizado de fim de aulas que enchia os corredores. A ligação das duas era muito forte, já eram melhores amigas. As irmãs sempre teriam uma à outra, mesmo que o resto do mundo as decepcionasse.

Depois de esperar que a secretária abrisse a porta interna, Thea entrou, acenando em agradecimento para o pessoal da secretaria. As meninas pularam quando a viram, as duas mostrando seus trabalhos com papel colorido.

– Nós desenhamos perus! – contou Amelia.

– Que lindos! – Thea ajeitou a mochila de Ava, que tinha escorregado até os cotovelos. – Prontas para irem para casa?

As duas saíram correndo sem responder. Thea avisou que não era para correr, mas não podia culpá-las pela empolgação. As crianças sempre ficavam agitadas na véspera de um longo feriado. A emoção e a expectativa do dia sem aulas e de uma tradição familiar divertida as impediam de sossegar.

Thea e Liv logo perceberam que as comemorações que tinham eram bem diferentes dos feriados das outras crianças. As duas passavam o Dia de Ação de Graças comendo comida congelada, porque a mãe incorporara a tática passiva-agressiva de se recusar a preparar refeições comemorativas para punir o pai delas por alguma coisa. Os pais nunca chegavam a brigar; preferiam a prisão tensa do silêncio.

Thea alcançou as meninas na calçada e deu as mãos para as duas. Estavam com os dedinhos frios, e ela se arrependeu por ter esquecido de mandar as luvas na mochila. Estava frio demais para aquela parte do Tennessee.

– Adivinhem – disse, destrancando o Subaru no estacionamento.

– O quê? – perguntou Ava, esperando para subir na cadeira do carro.

Thea se inclinou pela porta para ajudá-la com o cinto e foi para o outro lado repetir o processo com Amelia. Ela abriu o maior sorriso que conseguiu.

– Tem uma surpresa esperando vocês em casa.

– O que é? – perguntou Amelia, sem fôlego.

– É um gatinho? – perguntou Ava.

– Não, não é um gatinho.

Thea fechou a porta de Amelia e foi até a porta do motorista. Assim que entrou, as meninas voltaram a tentar adivinhar.

– É um porco-espinho? – perguntou Amelia.

– Não.

Thea ligou o carro e saiu da vaga, pegando o trânsito lento.

– É uma girafa? – perguntou Ava.

Amelia deu uma risadinha.

– Não, não é uma girafa.

– Um leão?

– Não. – Thea virou à esquerda na placa de pare. – Não é nenhum bicho.

Na verdade, era uma coisa potencialmente mais perigosa. A tensão era sua companheira constante desde a noite de segunda e, agora que finalmente tinha chegado o dia do grande retorno de Gavin, estava ainda maior. Não tinha ideia do que esperar quando chegasse em casa com as meninas. Nem sabia o que *diria*. Só sabia o que precisava fazer.

Ficar o mais longe possível dele.

As meninas retomaram a conversa anterior no banco de trás enquanto Thea dirigia. Folhas secas caíram das árvores e dançaram no ar quando Thea entrou na rua onde moravam. Mesmo a distância, seus olhos encontraram o carro escuro na porta de casa.

Sentiu que os pulmões foram comprimidos pelo nervosismo quando parou o carro. Tinha acabado de desligar o motor quando a porta se abriu. Gavin saiu para a varanda, acenando, como se nunca tivesse ido embora.

Amelia o viu primeiro pela janela e gritou:

– Papai!

– É. O papai está em casa – disse Thea, engolindo em seco.

– É isso a surpresa? – perguntou Ava, e, pelo tom, Thea não conseguiu identificar se ela estava decepcionada ou animada.

– Essa é a surpresa! – Thea forçou uma alegria na própria voz. – Papai voltou bem a tempo do Dia de Ação de Graças.

Amelia deu um gritinho, sufocando qualquer resposta que Ava pudesse dar. As duas foram eclipsadas pelo rugido em seus ouvidos quando Gavin desceu a escada da varanda e foi na direção delas.

Duas coisas chamaram sua atenção ao mesmo tempo. Primeira: parecia que ele não se barbeava desde segunda-feira. Segunda: ela gostou disso. E Gavin devia saber, porque Thea sempre dizia que ele ficava sexy quando não se barbeava.

Ele também estava usando o tipo de roupa que sabia que ela gostava: calça jeans frouxa e com cós bem baixo e camisa de flanela aberta por cima de uma camiseta justa. Gavin viria para cima com artilharia pesada. Que bom que o coração de Thea era feito do mesmo material que os coletes à prova de balas.

– Oi, papai! – gritou Amelia.

O sorriso de Gavin cresceu quando ele acenou para as meninas no banco de trás. O nervosismo virou determinação. As meninas estavam felizes. Era isso que importava. Pelo bem delas, Thea enfrentaria um dia de cada vez.

Seguiu Gavin com os olhos quando ele contornou a frente do carro e parou ao lado da porta dela, os olhos cheios de dúvida.

Ah. Certo. Ela estava parada dentro do carro.

Tirou a chave da ignição e pegou a bolsa no banco do passageiro. Gavin deu um passo para trás quando ela abriu a porta, então engoliu em seco e enfiou as mãos nos bolsos de trás.

– Oi – cumprimentou, a voz grave e sexy.

– Você está deixando a barba crescer? – perguntou Thea, de repente.

Ele sorriu e passou a mão no queixo.

– Depende.

– De quê?

– Se você gosta.

Ela deu de ombros e se virou para abrir a porta de Ava.

– A cara é sua – resmungou.

– Verdade, mas eu com certeza teria uma opinião se você decidisse deixar sua barba crescer.

As meninas riram. Thea se inclinou e soltou o cinto de Ava. Gavin foi até o lado de Amelia e fez o mesmo. Thea evitou o olhar dele quando tirou Ava do carro e a botou no chão.

– Vai lá com o papai – disse.

Gavin pegou Amelia no colo e ficou esperando Ava contornar a parte de trás do carro.

– Ei, pirralha – chamou, se agachando para esticar o outro braço para ela.

Thea prendeu o ar quando Ava hesitou, mas soltou tudo quando a menina foi por vontade própria até Gavin. Ele ergueu as duas meninas nos braços sem dificuldade e encarou Thea por cima do capô.

– Tem alguma coisa para levar para dentro de casa? – perguntou.

– O peru.

Ele franziu o cenho outra vez, com aquela mesma expressão de incerteza.

– Você vai levar um peru para a casa do Del?

– Do Del? Como assim?

– Como cancelamos a visita aos meus pais, achei que... – Ele deu de ombros.

– Achou que faria planos sem falar comigo? – perguntou ela.

– Foi o que fizemos ano passado, então, sim, achei que íamos de novo este ano.

– É, mamãe, a gente quer ir para a casa do Del! – comentou Amelia.

– Eu quero ir para a casa do Del brincar com a Jo-Jo! – declarou Ava.

O ressentimento desceu pela espinha de Thea.

– Tudo bem? – perguntou Gavin.

– Não, não está tudo bem. Comprei um peru para comermos em casa.

– Você deveria ter me perguntado primeiro, não é? – observou Gavin.

– Perguntado primeiro? – A voz dela saiu em um gritinho incrédulo enquanto Gavin a deixava parada na porta de casa e carregava as meninas para dentro.

Thea se virou e foi até a mala do carro. Ele achava mesmo que era uma boa ideia passar o Dia de Ação de Graças com outras pessoas? E não só quaisquer pessoas, mas outros jogadores do Legends e suas esposas? Claro... Era exatamente disso que ela precisava.

Thea pegou duas sacolas de compras e as levou para dentro. Botou as sacolas pesadas no balcão da cozinha, fazendo careta ao ouvir os potes de vidro lá dentro baterem na bancada de granito. Notou um buquê de margaridas frescas que não estava lá quando saíra de casa, mais cedo, e teve que segurar um rosnado.

Começou a tirar as coisas das sacolas; mais ingredientes de jantar de Ação de Graças que não seriam usados no dia seguinte. Ouviu a porta se abrir. Gavin voltou logo depois e botou as duas outras sacolas no balcão.

– Ei – disse ele.

Thea sentiu as mãos paralisarem dentro da sacola, os dedos segurando um saco de cranberries frescas.

– Ei – retrucou, voltando a tirar as compras da sacola, tentando manter a postura indiferente enquanto chegava para o lado para se afastar do calor dele.

– Botei uma lona ali.

Thea o encarou, sem entender. Ele apontou para a parede esburacada, agora coberta por um plástico azul.

– Ah.

– Uma hora teremos que conversar sobre o que fazer.

– *Eu* vou terminar de derrubar a parede.

Gavin pigarreou.

– Estou falando de amanhã.

– O que tem?

– Fiquei confuso. Você mesma disse que queria que as meninas tivessem um dia legal. Elas gostam de ir à casa do Del, e foi isso que fizemos no ano passado, então não achei que fosse tão horrível assim.

– Mas é.

– Por quê?

– Com tudo que está acontecendo, acha mesmo que quero passar o dia com pessoas que vão estar de olho em tudo que a gente fizer?

– Eles são nossos amigos, Thea.

– Eles são *seus* amigos, Gavin.

– Como assim?

– Tirando a Nessa, eu não suporto quase nenhuma daquelas mulheres. Ou, para ser mais precisa, elas não me suportam.

Gavin balançou a cabeça, como se aquelas palavras não fizessem sentido.

– Do que você está falando, Thea? Desde quando?

– Desde sempre.

Thea encheu os braços de enlatados e foi até a despensa.

– Tem algo mais por trás dessa resposta? – perguntou Gavin, atrás dela.

Ele estava parado à porta, os braços apoiados no batente, bloqueando a passagem.

– Não importa – respondeu ela, ríspida. – Vamos para a casa do Del amanhã, depois eu nunca mais vou precisar aturar aquelas mulheres.

Thea passou por ele e foi procurar as meninas na sala. As duas estavam sentadas no chão, vendo desenho na TV. Thea se agachou e beijou as filhas. Estava fazendo aquilo por elas. Precisava manter isso em mente.

E conseguiu, pelo menos por boa parte da noite: durante a pizza, durante o banho e na hora de botar as meninas na cama. Depois de colocar as duas para dormir, foi para o próprio quarto sem falar com Gavin e fechou a porta. Se pudesse fazer daquilo sua rotina noturna, talvez sobrevivesse.

Tinha acabado de ficar só de sutiã e calcinha quando a porta se abriu.

Thea se virou quando Gavin entrou.

– O que você está fazendo?

Gavin fechou a porta e se encostou no batente, engolindo em seco ao vê-la tão exposta.

– Você estabeleceu suas condições, Thea. Agora é a minha vez.

A mulher fez cara de *você só pode estar brincando*, mas balançou a cabeça e expirou, irritada.

– Não. Você não pode impor condições.

– Primeiro – disse ele, se afastando da porta –, nós vamos à festa de Natal do time.

Todos os anos, o Legends oferecia uma festa black-tie pós-temporada para os jogadores, as famílias e outras pessoas da equipe.

– Não. – Thea balançou a cabeça. – De jeito nenhum.

Ele chegou mais perto.

– Segundo, teremos um encontro por semana. Só nós dois.

Thea deu uma gargalhada.

– Não.

Gavin deu outro passo à frente.

– E um encontro de verdade. Nada de ir ao supermercado ou qualquer outra tarefa mundana em que você possa pensar para evitar ficar sozinha comigo.

– Sinto muito. Próxima?

Ele cruzou o que restava de distância entre os dois.

– Daremos um beijo de boa-noite. Todas as noites. Começando hoje.

– Você não pode estar falando sério! – retrucou Thea, cerrando os dentes. – Não. De jeito nenhum.

Gavin deu um passo para trás. Era hora de dar a sua cartada.

– Tudo bem, então – disse, levantando as mãos e dando de ombros. – Então vamos cancelar tudo isso. Chamamos as meninas, contamos que vamos nos divorciar, e os advogados que decidam quem fica com elas no Natal e qual de nós fica com a casa.

A primeira falha na armadura de Thea foi denunciada pelo rápido piscar de olhos. Ela não faria isso com as meninas, e Gavin sabia. Ainda assim, não foi agradável ver os olhos dela se encherem de uma dor que comprovava que os caras estavam certos, na manhã anterior. Precisava descobrir algumas coisas sobre a esposa.

Thea contraiu o maxilar.

– Não acredito que você seria capaz de usar as meninas contra mim assim – declarou ela, furiosa e tremendo.

Ele fez uma careta em pensamento, mas seguiu em frente.

– Você não me deixou muitas opções, Thea. Suas condições tornaram minha vitória impossível.

– *Vitória?* Isso é um jogo para você?

Gavin baixou os olhos para os lábios dela.

– Um jogo? Não. Mas é uma competição.

Thea apoiou as mãos na cômoda atrás de si quando Gavin chegou mais perto; os olhos se desviaram para os lábios dele e se fixaram lá. O sangue corria depressa, zumbindo nos ouvidos dele, e a lógica e a razão sumiram. Porque, em vez de recuar como deveria, Gavin se inclinou mais para perto. Virou a cabeça. Encostou o nariz na ponta do nariz dela.

– O que você está fazendo? – sussurrou Thea.

Ela talvez quisesse demonstrar raiva, mas a voz sem fôlego e cheia de expectativa a entregou: estava tão excitada quanto ele.

– Selando o acordo – respondeu Gavin, rouco.

E, segurando-a pela nuca, ele a beijou. Foi um beijo como na semana anterior, com os lábios abertos, exploradores. E, como no fim de semana anterior, Thea recebeu a paixão dele com uma fração de segundo de resistência antes de derreter com outro daqueles suspiros que enviavam uma onda de luxúria na direção de sua virilha. Gavin mudou o ângulo da boca e aprofundou o beijo, transmitindo tudo que não podia dizer e que ela não queria ouvir no movimento dos lábios.

Thea agarrou a frente da camisa dele. E, quando ela recuou para inspirar, trêmula, Gavin aproveitou o momento e levou os lábios à pele quente e sensível do pescoço dela.

– Vou consertar tudo – sussurrou ele, quente, fervendo. – Juro por Deus, vou fazer você voltar a confiar em mim, Thea. Vou deixar tudo perfeito de novo.

Nesse momento, ela ficou rígida em seus braços. Então o empurrou para longe e virou o rosto.

– Qual é o problema? – perguntou Gavin, ofegante, segurando-a pelos quadris para que não se afastasse.

– Não existe perfeição – retrucou Thea, com secura.

Gavin implorou pela orientação do Lorde Sedução, mas não encontrou nada. A demora deu a ela tempo para segurar seus pulsos e afastar as mãos do seu corpo.

– Preciso que você saia.

– Thea...

– Vai, Gavin.

Ele deu um passo para trás e desejou estar usando uma camisa mais comprida, que escondesse o volume duro na frente do jeans. Thea deslizou para a direita e se virou, as mãos pressionando o tampo da cômoda, como se precisasse de ajuda para ficar de pé. Ele provavelmente pagaria mais tarde, mas não conseguiu evitar e chegou mais perto de novo. Levou a boca ao ouvido dela. Thea contraiu os ombros.

– Eu sei o que você está fazendo – sussurrou. – E sei por quê. Mas não vou deixar você me afastar de novo. Não sem lutar.

– Por que você está fazendo isso? – perguntou, a voz rouca. – O que você vai ganhar com isso?

Gavin abriu um sorriso largo. *Obrigado, lorde Benedict.*

– Eu ganho o melhor prêmio de todos – murmurou, passando o dedo pela nuca da mulher. – Eu ganho você.

Um som estranho despertou Thea na manhã seguinte.

Parecia chuva, mas o céu através da janela estava lilás e límpido.

Só quando sentiu na pele o toque quente de umidade foi que compreendeu o que estava acontecendo. Thea se levantou e se soltou do lençol. A porta do banheiro estava entreaberta, deixando sair uma suave cortina de vapor.

Não. Ah, que inferno! Gavin estava usando seu chuveiro? Já era bem ruim que ele tivesse vindo com aquela chantagem para beijá-la todas as noites. Mas o chuveiro? *Isso* ela não iria aceitar.

A água parou de correr de repente, e Thea pulou da cama. Tropeçou, as pernas ainda acordando, e saiu pelo quarto como um potro recém-nascido aprendendo a ficar de pé. Usou a mesa de cabeceira como apoio. Não queria estar lá quando Gavin saísse do banho, não daria essa satisfação a ele. Ouviu a porta de vidro do boxe se abrir. Hora de correr. Mas, assim que deu um passo para fugir, bateu o dedinho na mesma mesinha que a salvara, momentos antes.

– Filho da…

Ela engoliu o palavrão e saiu pulando em um pé só. O problema era que ainda estava no modo potro recém-nascido, então caiu para a frente na cama. Droga! Tinha que sair antes de…

A porta do banheiro se abriu de vez. De lá saiu seu marido, só com uma toalha frouxa na cintura e outra, pendurada no pescoço.

Jesus amado. O tórax dele reluzia com gotas de água que não tinham secado com uma passagem rápida da toalha. Gavin nunca se secava direito depois do banho e, naquele momento, ela o odiou por isso. Um filete de água escorreu pelo peitoral musculoso antes de se perder nos pelos escuros do abdome duro como pedra.

O cabelo dele estava molhado. O peitoral estava molhado. E Thea ficou molhada.

Droga! Por que, Deus, POR QUE precisava ser casada com um homem cujo emprego dependia de estar em excelente forma?

– Oi. – Gavin sorriu, os dentes brancos e lindos cintilando. Bem, talvez não estivessem *cintilando*, mas foi a impressão que deu, porque ele parecia saído de um comercial de TV. – Feliz Dia de Ação de Graças.

Thea se levantou, o dedinho ainda latejando. Mas gostou da dor. A dor alimentava sua fúria.

– Você está trapaceando!

– Hã? O quê?

– Você está usando o meu chuveiro. É trapaça.

– Do que você está falando? – Ele riu.

Por que ele ria de tudo?

– Você usar meu chuveiro *não* era parte do acordo.

– Nós não especificamos que chuveiro eu usaria, Thea. Mas posso usar o das meninas, se for mais uma das suas condições.

– Ah, para de bancar o inocente. Você fez de propósito.

– Sim, eu tomei banho de propósito. Não costumo fazer isso sem querer.

– Você sabe o que eu quero dizer! Você está fazendo *isso* – ela gesticulou para o peitoral e o abdome dele... Nossa, a toalha estava começando a afrouxar... – de propósito.

Gavin ergueu a sobrancelha e olhou para baixo.

– Não sei do que você está falando.

– Você está andando por aí seminu só para me provocar!

– Juro que não foi minha intenção, mas, se é o resultado, eu aceito.

Ele ergueu e abaixou as sobrancelhas e deu as costas para ela. Usou o braço forte para limpar um círculo no espelho embaçado. Thea o viu pegar o barbeador elétrico e começar a aparar as beiradas da barba. Ele inclinou a cabeça para o lado e cortou os pelos macios embaixo do queixo.

Ah, aquilo era... era *jogo sujo*. Ele não estava nem tentando ser justo.

Gavin tinha chamado aquilo de competição...

Não. Não era competição.

Era guerra.

E ela também podia jogar sujo. Sem pensar direito, porque a impulsividade parecia ser sua pior inimiga, Thea agarrou a barra da camiseta que usava e a tirou, puxando por cima da cabeça.

Gavin parou. O barbeador ficou parado no ar, perto da pele do pescoço. Seu olhar se desviou da própria imagem no reflexo para a dela. O pomo de adão subiu e desceu enquanto ele analisava sua seminudez. Encarando-o no espelho, Thea sorriu e tirou o short e a calcinha.

Os olhos de Gavin pareceram escurecer, e ele fez aquela coisa de engolir em seco de novo. Seu olhar percorreu lentamente o corpo nu dela e seguiu por um caminho diferente na subida, parando em partes que reagiram ao escrutínio com rapidez quente e pesada.

Thea firmou as mãos nos quadris.

– Pronto. Que tal?

– Espera, refresque a minha memória – começou ele, o olhar parado nos seios dela. – Que parte de ver você nua deveria ser uma punição?

Então Gavin deu uma piscadela. E, *bum*, os mamilos dela se enrijeceram. *Mas que mer...?* Thea olhou para as aréolas redondas e rosadas, agora duras e ásperas. Meu Deus. Seus peitos pareciam os cachorros de Pavlov perto dele.

E Gavin sabia. Um sorrisinho curvava os lábios dele.

– Se acha que me incomodo com esse jogo, está enganada. Acabei de vencer essa rodada.

Thea ligou o chuveiro, e deu um gritinho quando a água escaldante bateu na pele, dando um passo para trás.

– Por que você toma banho tão quente? – resmungou, virando a torneira na outra direção.

Gavin voltou a aparar a barba.

– Eu não tinha ideia de que meus hábitos de banho seriam o motivo da nossa primeira discussão.

Thea pegou o frasco de sabonete líquido. Faria com que ele pagasse por isso. Passaria sabonete no corpo dos pés à cabeça e faria com que ele assistisse.

– Essa não é nossa primeira discussão – disse, casualmente, colocando uma generosa quantidade de sabonete líquido aromatizado na mão. – Nós discutimos ontem à noite.

– Aquilo não foi uma discussão.

– Não? Foi o quê, então?

– Uma negociação.

– E o que é isso?

Thea passou sabonete líquido na barriga, movendo a mão em um círculo lento. Foi recompensada com um grunhido do outro lado da porta do boxe.

Ela o encarou pelo espelho de novo. Inclinou a cabeça, inocente, enquanto subia as mãos para ensaboar os seios.

– Você estava dizendo…

O olhar de Gavin não estava mais no dela. Estava grudado nas mãos que enchiam os mamilos de espuma.

– Não entendi essa última coisa que você disse – observou Thea, beliscando os mamilos.

Gavin estava de queixo caído e teve que fechar a boca de repente, engolindo em seco. Ele botou o barbeador na bancada e se virou. Pelo vapor no vidro, Thea só foi capaz de perceber o olhar percorrer novamente seu corpo. As mãos dela se moveram junto, deslizando pelo volume dos seios até a depressão do umbigo e mais para baixo.

A porta se abriu de repente, e Gavin entrou no chuveiro, com toalha e tudo. Ele a empurrou contra a parede, apoiando as mãos de cada lado dela. Seu peitoral subia e descia sem parar, como se ele tivesse acabado uma série de flexões.

– Até onde você vai levar isso, Thea? – perguntou, a voz rouca.

– Levar o quê? Não sei do que você está falando.

Gavin cerrou os dentes.

– Basta dizer uma p-p-palavra, e serão minhas mãos no lugar das suas.

Thea não escondeu a arrogância quando empurrou os braços dele para o lado e entrou na água para tirar a espuma.

– Desculpe, isso não está nas regras. – Ela o encarou por cima do ombro. Um músculo saltava no maxilar cerrado, o que provocou um sorrisinho debochado nela. – Mas não se preocupe. Sou bem grandinha. Sei me cuidar sozinha.

A sobrancelha erguida de Gavin tremelicou, e o desejo nos olhos dele virou outra coisa. Algo que parecia a mágoa que ela tinha visto na noite em que admitiu que fingia na cama.

Ele se virou e saiu, sem nem se dar ao trabalho de fechar a porta do boxe.

Thea se encostou na parede molhada e escorregadia. A sensação não era de vitória.

Ficou embaixo da água até a pele esfriar. Em seguida, se vestiu depressa e abriu a porta do quarto para ouvir as meninas. As risadinhas delas junto da voz de Liv foram a garantia de que pelo menos uma tradição de Ação de Graças não seria destruída naquele dia. Liv servia as duas com um pedaço adiantado de torta de abóbora. Não ouviu nada que indicasse que Gavin tinha descido para se juntar a elas, e a porta do quarto de hóspedes estava fechada.

Voltou para o quarto e entrou no closet para olhar suas roupas. No ano anterior, quando foram à casa de Del, Thea tinha se arrumado, porque era o que as esposas dos jogadores faziam: colocavam suas melhores roupas e se exibiam umas para as outras. Mas não estava com energia para isso neste ano.

Escolheu uma legging e um suéter comprido. O cabelo ficaria preso em um coque frouxo, e não passaria mais de dois minutos fazendo a maquiagem. Pela primeira vez em muito tempo, não se importava com o que pensariam dela. Só lhe restava algumas poucas semanas como esposa de atleta, afinal.

Quando saiu do closet, encontrou Gavin sentado na cama, com os braços apoiados nos joelhos. Ele usava jeans e uma camiseta preta que se esticava demais por cima dos bíceps firmes.

– O que você está fazendo aqui?

Gavin a encarou.

– O que você quis dizer mais cedo? Aquilo que você disse no chuveiro.

Thea foi até à cômoda, os pés descalços sem fazer barulho no tapete felpudo.

– Nada. Eu só estava tentando escapulir.

– Tudo bem, mas, como estou a fim de me torturar... e pode acreditar que essa pergunta me tortura todas as noites desde aquele dia... Você sabe mesmo?

Thea não conseguiu acompanhar o raciocínio.

– Sei o quê?

– Sabe cuidar de si mesma q-quando a gente termina? Você vai para o banheiro e termina o serviço quando eu saio de cima de você?

– Você está mesmo me perguntando se eu me masturbo?

– Não. Estou perguntando se você se masturba depois de transar comigo.

Thea abriu uma gaveta e pensou de novo em mentir. Mas não conseguiu. Mentir. Enganar. Fingir que tudo era perfeito. Nada disso tinha sido bom para eles. Pegou um par de meias e se virou.

– Sim, às vezes eu me masturbo.

Gavin fechou a cara, o rosto vermelho.

– Se não queria a resposta, por que perguntou?

– Eu queria saber, mas ainda assim machuca.

– Por que deveria machucar? Todo mundo se masturba. Vai me dizer que nunca se masturbou?

Gavin se levantou e foi na direção dela.

– Ah, sim, eu me masturbo. Sempre que estou viajando, fico deitado na cama do hotel pensando em você, fantasiando em voltar para casa e fazer de verdade... – O rosto dele se contorceu em uma expressão de dor e desprezo. – Só que não era de verdade, né, Thea?

Ela se empertigou, mesmo com a dor do baque das palavras dele.

– E mesmo assim você está doido para voltar para um tempo em que as coisas eram *tão perfeitas...*

A expressão dura se suavizou com um pedido de desculpas que ela não queria ouvir.

– Thea...

– Sai do meu quarto, Gavin.

DEZ

Thea nem ergueu os olhos quando Gavin entrou na cozinha, alguns minutos depois. Não podia culpá-la. Quase se estrangulara depois do que dissera. Mas estava humilhado, e a humilhação era sua criptonita. Sempre fora. Coisas horrendas saíam da sua boca quando o orgulho estava em jogo. E, droga, saber que a esposa tinha que resolver as coisas com as próprias mãos porque ele a deixava insatisfeita na cama era quase insuportável para seu ego frágil. Assim, sua reação ameaçara destruir o pouco progresso da noite anterior.

Thea parou diante do balcão e cobriu as tortas que levariam para a casa de Del com papel-alumínio. As palavras horríveis dele pairaram no ar entre os dois.

Gavin escolheu um assunto seguro para quebrar o silêncio tenso.

– Onde estão Ava e Amelia?

– Fazendo ioga no porão com a Liv.

O cheiro de café o levou até a bancada junto ao fogão. Gavin encheu uma caneca, misturou com algumas coisas (nunca entenderia quem tomava café puro) e se virou. Minutos se passaram em silêncio. Gavin finalmente botou a caneca na bancada.

– Me desculpe.

Thea nem olhou para ele.

– Por quê?

Gavin atravessou a cozinha e parou ao lado de Thea, que olhava para baixo, com o cabelo caído na bochecha. Gavin empurrou a mecha rebelde para trás do ombro dela.

– Eu f-f-fui um idiota. Me desculpe.

– Não se deve pedir desculpas por falar a verdade – respondeu Thea, com o estranho sotaque sulista que usava sempre que citava a avó.

Desde que Gavin a conhecera, ela sempre usava alguma sabedoria da avó.

Thea se afastou e apontou para as seis tortas.

– Essas tortas precisam ser levadas para o carro.

Gavin tentou segurar a mão dela.

A esposa a afastou.

– Não adianta, Gavin. Isso vai acabar no Natal de qualquer jeito.

E saiu andando antes que ele pudesse responder. Gavin ouviu seus passos subindo a escada e apoiou os cotovelos na bancada, segurou a cabeça entre as mãos.

– Noite difícil no quarto de hóspedes?

Gavin deu um pulo e olhou para a frente. Liv tinha se materializado do nada. A cunhada trabalhara até tão tarde na noite anterior que aquele era o primeiro encontro dos dois desde que ele voltara para casa.

– O que as meninas estão fazendo?

– Correndo com tesouras na mão.

A expressão dele devia ter sido horrível porque Liv logo se corrigiu.

– Nossa, calma! Elas estão vendo TV com o cachorro. Subi correndo só para pegar suco de laranja para elas.

Liv encheu dois copos de plástico e o encarou de um jeito estranho, então guardou o suco na geladeira. Começou a se afastar, mas Gavin a deteve.

– Liv.

Ela se virou.

– Obrigado por estar aqui para a Thea e as meninas. Sei que você tem ajudado muito.

A cunhada deu uma risadinha debochada.

– Não fiz por você, seu cretino.

– Eu sei. Mas, mesmo assim...

Ela revirou os olhos e foi na direção do porão, mas parou logo antes de descer as escadas.

– Ei, Gavin.

Ele a encarou. Liv abriu um sorriso ameaçador.

– Se fizer qualquer coisa que magoe minha irmã de novo, vou envenenar seu shake de proteína. Feliz Dia de Ação de Graças!

E desceu para o porão.

Gavin passou os minutos seguintes carregando as seis tortas para o carro e foi até a sala telefonar para os pais, só para já resolver logo aquilo. Eles ainda tinham linha fixa, e uma voz inesperada atendeu o telefone.

– Você está em dívida comigo por isso – sussurrou seu irmão mais novo, Sebastian, em vez de dizer oi.

– O que você está fazendo aí?

– Segurando as pontas para você. Mamãe estava toda chorosa porque não teria ninguém da família em casa no Dia de Ação de Graças, e tive que fazer as malas e vir. Estou acordado desde as cinco porque a mamãe tem que botar o peru no forno bem cedo, para comermos às duas.

Gavin massageou o ponto entre os olhos.

– Você vai sobreviver. Me deixa falar com o papai.

– Ele está tomando banho. Fala com a mamãe.

Gavin tentou protestar, devia haver alguma lei sobre o intervalo necessário entre uma conversa sobre masturbação e uma ligação para a mãe. Mas Sebastian já afastara o telefone do ouvido.

Um momento depois, a mãe estava na linha.

– Oi, querido! Feliz Dia de Ação de Graças!

– Oi, mãe. Qual é o tamanho do peru deste ano?

A antiga piada de família era que a mãe sempre comprava um peru três vezes maior do que o realmente necessário. Ela vivia com medo de as pessoas passarem fome na casa dela.

– Quase 8 quilos. É bem grandão.

Gavin visualizou na mesma hora. A mãe devia estar usando o avental com babados, o exclusivo para feriados. E devia estar com o cabelo preso no alto da cabeça, para não atrapalhar na hora de cozinhar. Em pouco tempo, ela se serviria de uma caneca de sidra quente com especiarias feita na panela elétrica e colocaria músicas de Natal, porque, na casa dos Scott, o Dia de Ação de Graças era oficialmente o começo da temporada de Natal.

– Como eu queria que vocês estivessem aqui… Sinto muitas saudades de você e das meninas. E da Thea. Nossa, tentei ligar várias vezes essas duas semanas, mas caía na caixa postal. Ah… Ela recebeu meu e-mail?

– Não faço ideia.

– Ah, bom, ela não deve ter comentado. Eu perguntei o que as meninas queriam de Natal este ano.

– Você pode perguntar para mim.

A mãe soltou um muxoxo desdenhoso.

– Acha que não sei o que as minhas filhas querem de Natal? Nossa, mãe, valeu.

– Acho que Thea deve ter uma planilha organizada por cores com links de onde comprar tudo e o que já está em liquidação.

Apesar do mau humor, Gavin sorriu. Sim, isso era a cara da Thea.

– Ei, quem sabe vocês vêm para cá no Natal? – sugeriu a mãe. – Vocês podiam passar a véspera aqui, e as meninas abririam as meias… Ah, Gavin, seria tão legal…

Ele sentiu um aperto no peito ao pensar na imagem que a mãe invocara. Seria legal, mas claro que Thea, que acabara de aparecer no pé da escada, não concordaria.

– Ei, a Thea está bem aqui. Quer falar com ela e saber se ela recebeu o e-mail? – Gavin estendeu o telefone para ela. – É a minha mãe.

Thea o encarou com um olhar que poderia apagar um incêndio, mas inspirou fundo e conjurou sua voz mais simpática.

– Oi, Susan! Feliz Dia de Ação de Graças.

Gavin ouviu o lado de Thea da conversa, e a dor só aumentou. Seus pais a adoravam. Diziam que ela era a filha que sempre quiseram ter e brincavam que Sebastian teria que trabalhar duro para encontrar uma esposa que chegasse perto da perfeição dela.

Era o principal motivo de ainda não ter contado que ele e Thea estavam com problemas. Os pais ficariam arrasados. Mas não era a única razão. Seus pais tinham o casamento perfeito, ficariam decepcionados de saber que Gavin não conseguira seguir o exemplo.

Thea se despediu, encerrou a ligação e devolveu o celular para Gavin.

– Você precisa contar a eles, Gavin.

– Contar o quê? – retrucou ele, amargo com o lembrete constante de que, para ela, aquilo era apenas temporário. – Você me deu até o Natal para tentar te reconquistar. Até lá, não há o que contar.

Del e Nessa moravam fora de Nashville, em um bairro cheio de mansões de vários ricos e famosos da Cidade da Música. O trajeto de 30 quilômetros levou só meia hora, no pouco trânsito do feriado. Não fossem as meninas no banco de trás, teria sido um trajeto silencioso.

– Mamãe, a gente pode nadar? – perguntou Ava, de repente.

Del tinha uma piscina coberta e já era parte da tradição que os homens levassem as crianças para nadar depois que todos já tivessem digerido um pouco o jantar. Thea se virou para olhar para trás.

– Eu trouxe os maiôs.

As meninas deram gritinhos de comemoração. Pelo menos as duas se divertiriam.

Gavin parou na longa entrada da casa de Del. A tensão comprimia o peito de Thea. Esse em geral era o momento em que adotaria seu sorriso perfeito de esposa de atleta e fingiria amar cada minuto do dia.

Que se danasse aquilo tudo. Ela e Gavin tiraram as meninas do carro e as deixaram correr pela calçada. Quando chegaram à varanda de entrada, a porta se abriu. A esposa de Del, Nessa, saiu de casa, deslumbrante como sempre. Estava usando pantalonas pretas e uma camisa justa de gola alta. O tipo de combinação elegante e simples com o qual só gente como ela e Liv conseguia ficar bem. Nessa abraçou as meninas junto às pernas e olhou para a frente, sorrindo e acenando.

Thea acenou e se inclinou para dentro do carro, para pegar uma das tortas. Gavin fez o mesmo e a seguiu pela calçada. Nessa mandou as meninas entrarem e pegou a torta da mão de Gavin.

– Eu ajudo a Thea a pegar as coisas. Vá para os fundos e impeça Del de se matar.

– O que ele está fazendo? – perguntou Gavin.

– Aquele idiota comprou uma fritadeira de peru.

– Ah, droga.

Gavin saiu correndo.

Nessa se virou para Thea.

– Estou tão feliz que vocês vieram – disse, fazendo sinal para Thea entrar. – Del disse que vocês talvez fossem visitar os pais do Gavin. Não seria a mesma coisa sem vocês!

Thea não soube o que responder, então ficou quieta e seguiu Nessa até a cozinha enorme, branca e impecável. O aroma paradisíaco de peru no forno se misturava com o de sidra com especiarias na panela elétrica. A sálvia e o alho do recheio fizeram sua boca aguar. O cheiro era o mesmo que sentia na casa da avó. Os três Dias de Ação de Graças de quando ela e Liv moravam lá tinham sido os melhores da sua vida.

As meninas passaram correndo na direção da escada, atrás de Jo-Jo, a filha de Del e Nessa.

– Ela está subindo pelas paredes de tanta ansiedade para ver vocês. – Nessa riu e ergueu a torta, para que ninguém esbarrasse. Em seguida, colocou-a na bancada com um suspiro dramático. – Juro que essa menina me acordou de madrugada perguntando se vocês já tinham chegado.

Thea riu.

– As meninas também estavam empolgadas.

E, sinceramente, se fossem só as duas famílias, o dia não seria tão ruim. Nessa era genuína, gentil e engraçada, a única das outras esposas e namoradas que Thea poderia pensar em chamar de amiga. Ainda mais porque Del e Gavin eram muito amigos. E as gêmeas adoravam brincar com Jo-Jo. O dia poderia ser bom, mas não seria. Porque, em pouco tempo, estaria nadando com tubarões.

Nessa pegou a outra torta da mão de Thea e a colocou na bancada. Pela forma como ela estreitou os olhos, Thea soube o que viria em seguida.

– Então... – começou Nessa, chegando mais perto. – Espero que você não se importe, mas Del me contou que Gavin voltou para casa. As coisas estão bem?

– Ótimas – respondeu Thea, automaticamente. Espere. Não. Não faria mais isso. Ela se empertigou. – Na verdade, não estão ótimas. Ele voltou ontem e ainda não paramos de brigar.

– Del encontrou com Gavin semana passada. Disse que nunca o viu tão mal.

Thea se irritou. *Gavin* estava mal?

– Também não foi nenhuma maravilha para mim, sabe?

– Claro que não – respondeu Nessa, mais que depressa. – Eu só... Eu entendo um pouco pelo que você está passando. Esses nossos homens não são muito bons em se expressar. Dê um tempo a ele.

Thea queria pressioná-la. Como Nessa podia entender qualquer coisa de problemas conjugais? Ela e Del tinham o casamento perfeito. Mas foi interrompida por uma batida na porta, seguida imediatamente pela campainha impaciente. Nessa soltou um palavrão e revirou os olhos de novo.

– Que Deus me dê forças. Não sei por que Del convidou esse cara.

– Convidou quem?

– Ora, ora, então você deve ser a Sra. Thea Scott.

Thea se virou, ficando de cara com um peitoral impressionante por baixo de uma camiseta branca justa. Quando ergueu os olhos, ficou quase cega com um sorriso cintilante que podia ou não ter arrancado um choramingo de sua boca. Registrou o cabelo escuro glorioso, os olhos castanhos maliciosos e um maxilar capaz de cortar vidro. Ele deu uma piscadela, e os anjos começaram a cantar.

– Braden Mack – disse ele, levando a mão de Thea até os lábios. – É um prazer finalmente conhecer você.

Seus lábios roçaram nos dedos dela, e Thea ficou com a boca seca.

– Eu... Como você sabe quem eu sou?

– Eu conheço seu marido. Obviamente não tão bem assim, porque ele se esqueceu de mencionar como você é linda.

Thea tentou responder, mas só conseguiu grunhir.

Nessa pigarreou.

– Mack, está muito cedo para suas cantadas. Por que não vai lá para trás ajudar o pessoal?

Braden acariciou o pulso de Thea com o polegar.

– Eles precisam de conselhos sobre mulheres?

– Não, estão tentando fritar um peru.

Ele parou com a pose e soltou a mão de Thea.

– Ah, droga.

E saiu correndo pela porta dos fundos.

Thea engoliu em seco e estremeceu.

– Opa. Tenho a sensação de que acabei de conhecer o deus da sedução.

– Ah, meu Deus, não diga isso a ele. O ego de Braden não precisa de ajuda.

As duas foram até as portas de vidro para vê-lo andar. Thea umedeceu os lábios e ergueu o rosto. Seus olhos encontraram o olhar inconfundivelmente ciumento de Gavin.

– Ah, droga.

– Vou matar esse cara.

Assim que Gavin olhou pela porta de vidro e viu Mack beijar a mão de Thea, uma coisa quente e vermelha tomou seus sentidos, que já estavam confusos depois das últimas 24 horas. E o imbecil estava indo na direção deles, acenando e rebolando como se nada tivesse acontecido.

– Braden só está fazendo isso para irritar você – disse Del. – Ele dá em cima de todas as esposas.

– E vocês deixam?

– A gente sabe que ele não vai fazer nada.

Gavin cerrou os punhos, sentindo o ciúme aumentar. Era infantilidade e imaturidade, era um sentimento completamente irracional, mas o idiota do Braden Mack era exatamente o tipo de interferência de que ele e Thea não precisavam no momento. Gavin passara a vida toda competindo com sedutores de fala mansa e postura arrogante como Mack. Não aceitaria competir com ele pela própria esposa.

E já se sentia um otário só de pensar naquilo. Não estavam mais no ensino médio; Thea era sua esposa, não a garota que queria levar ao baile. Ainda assim, a lógica e a razão não andavam muito presentes em sua vida. Um belo exemplo disso fora a discussão sobre masturbação, naquela manhã.

– Vocês vão botar fogo na casa – brincou Mack quando se aproximou, e apontou diretamente para Gavin. – Ei, Scott. Por que não me contou que sua esposa era tão gata? É por isso que você está tenso.

Gavin não conseguiu se segurar, o soco simplesmente saiu, sem ele nem perceber que tinha decidido agir. Seu punho acertou logo abaixo do olho de Mack, pegando o cara tão de surpresa que ele cambaleou para trás, a mão na bochecha, encarando-o com um olhar chateado.

– Ei, qual é? – Mack afastou a mão, examinando os dedos, aparentemente em busca de sinais de sangue. – Para que isso?

– Não sei. Acho que minha masculinidade tóxica não curtiu ver você dando em cima da minha esposa.

– É sério isso? – retrucou Mack. – Eu dou em cima de todas as esposas! É minha especialidade. Não precisa me socar por causa disso.

Gavin avançou mais um passo. Del passou o braço ao redor dele, segurando-o.

– Calma aí, Rocky.

A porta de vidro se abriu. Nessa e Thea saíram de casa com expressões similares de choque. Mas a de Thea parecia bem mais sinistra, e Gavin soube que fizera besteira. De novo.

– O que está havendo? – perguntou ela.

– Nada – resmungou Gavin, balançando a mão.

Droga, como doía. Contrariando os estereótipos, atletas profissionais não saíam por aí socando os outros. Em toda a sua carreira, Gavin tinha se envolvido em apenas uma briga de times e tudo o que conseguira fora arrancar o boné de um cara antes de os árbitros acabarem com a confusão.

Thea olhou para Mack.

– Você está bem?

– Você está preocupada com *ele*?

– Foi ele quem levou um soco!

Mack abriu um sorrisinho e aproveitou a situação ao máximo.

– Não se preocupe, querida. Eu aguento isso de muitos maridos.

Gavin grunhiu, irritado.

Thea olhou para ele de cara feia.

– Para dentro. Agora.

Ele a seguiu, rígido. Thea foi até a casa, passou pela cozinha e foi para o escritório de Del. Uma vez lá dentro, ela fechou a porta e se virou.

Ah, estava tão encrencado...

– Gata...

– Eu juro por Deus que se você vier com *gata* para cima de mim agora, nosso acordo está cancelado.

Gavin calou a boca. A palavra *acordo* deixou um gosto amargo. Seu casamento tinha sido reduzido àquilo.

– Qual é o seu problema, Gavin? Você está agindo feito um doido! É assim que planeja me reconquistar?

– Me desculpe...

– E se as meninas tivessem visto você bater nele? Sabe o quanto ficariam assustadas?

Não. Gavin não tinha pensado nisso. Thea estava certa. Ele estava agindo feito um doido. *Um patife ignóbil*, sussurrou uma vozinha em sua mente. Que ótimo, agora o Lorde Piadista estava passando de dicas úteis a insultos shakespearianos.

– Que direito você tem de voltar para a minha vida, depois de um mês sem falar comigo, e decidir dar uma de homem das cavernas com um cara que só beijou minha mão? – Thea estava furiosa. – Você confia tão pouco em mim?

– Eu confio em você, Thea. É nele que eu não confio.

– Ah, e você acha que isso não é um insulto? – Thea botou a mão na testa, num gesto dramático, e adotou um leve sotaque sulista, a voz meio forçada: – Sou só uma frágil donzela em perigo que não consegue se cuidar no meio de homens tão fortes e violentos. Salve minha virtude, prezado marido. – Ela o encarou. – Esse seu ato de ciúme poderia ter me impressionado um pouco mais se você não tivesse me largado, sabe.

– Você me expulsou de casa, Thea. – Por que todo mundo esquecia essa parte?

Talvez porque você a tenha largado bem antes disso, seu saco de tripas.

Thea balançou a cabeça e foi até a porta.

– Thea, espere – pediu Gavin, estendendo a mão. – Me desculpe. Você está certa. Estou sendo um babaca.

Ela respirou fundo, tentando se acalmar, e saiu, deixando-o sozinho com a voz do Lorde Inconveniente. Patife ignóbil? Sério? De onde isso tinha saído?

Quando saiu do escritório, Gavin foi recebido por expressões severas e braços cruzados no final do corredor. Ao que parecia, várias outras pessoas tinham chegado enquanto ele estava lá. E, ao que parecia, ninguém estava feliz em vê-lo.

Del, Yan e Malcolm olharam de cara feia, como se o tivessem flagrado assistindo a futebol. Del indicou a escada do porão com a cabeça, parecendo bem irritado.

– Lá embaixo. Agora.

– Preciso encontrar a Thea.

– Ela está com as meninas. Agora vai.

Com um suspiro resignado, Gavin seguiu os amigos para o andar de baixo, onde ficava o porão de Del. Dobrou a esquina e parou. Mack estava sentado no sofá, com uma bolsa de gelo na bochecha.

Gavin se virou.

– Não. De jeito nenhum. Não vou falar com ele.

Del segurou seu braço.

– Mack quer falar com você.

– Sua esposa é uma gostosa.

Gavin rosnou. Del deu um tapa na cabeça de Mack.

– Estou brincando! – defendeu-se o homem ferido. – Quer dizer, não sobre ela. Sua esposa é mesmo gostosa.

– Eu vou matar você.

Mack se levantou.

– Desculpe se causei um problema entre você e a Thea, algo que não precisava acontecer. Não consigo controlar esse meu carisma natural.

– Pelo amor de Deus, Mack! – reclamou Del.

Mack olhou para o chão.

– Desculpe.

– Pronto – disse Del, olhando de um para o outro. – Melhor agora? Todos voltaram a ser amigos?

– Nós nunca fomos amigos – declarou Gavin.

– Calma, cara. Não vou mais pegar sua maçã.

– Senta aí, Gavin – mandou Malcolm, apontando para o sofá.

Gavin obedeceu, se preparando para o massacre que sabia que merecia.

– O que aconteceu lá em cima?

– Bom, Del, você deve saber que eu e minha esposa estamos tentando resolver uns problemas…

– A julgar pela cara dela quando saiu do escritório, você está se saindo muito mal – comentou Yan.

Gavin afundou nas almofadas e olhou para o teto, aborrecido e obstinado.

– Só passou um dia! – gritou Del. – Como você pôde estragar tudo?

Mack riu.

– Parece que você não o conhece…

– Queremos uma atualização – anunciou Malcolm, mantendo a calma.

– Acho que estou ficando doido. Não paro de ouvir uma voz com sotaque britânico na cabeça me dizendo para falar e fazer coisas.

– Acontece com todos nós, uma hora ou outra – retrucou Mack.

Gavin ergueu os olhos, querendo ver se ele estava brincando. A expressão em seu rosto sugeria que não.

– Você também ouve a voz?

– É seu inconsciente – explicou Malcolm. – Em algum momento desse processo, todos nós precisamos lutar contra um aristocrata britânico no nosso cérebro que identifica as coisas que preferíamos ignorar.

Talvez porque você a tenha largado bem antes disso, seu saco de tripas.

– Então eu deveria dar ouvidos a essa voz?

– A não ser que ela comece a mandar você matar pessoas, sim – retrucou Del.

Gavin pensou em culpar o Lorde Nervosinho pelo soco na cara de Mack, mas a culpa naquele caso era só dele. Assim como a canalhice daquela manhã, quando perguntou se Thea se masturbava.

Gavin se inclinou para a frente, apoiou os cotovelos nos joelhos e segurou a cabeça entre as mãos.

– Ela não para de repetir que isso é só até o Natal. Acho que não vai me dar uma chance de verdade.

– Olha, cara... – Del se sentou na frente dele, na mesma pose da noite em que o encontraram bêbado e desesperado no quarto de hotel. – A gente poderia ajudar bem mais se você contasse o que aconteceu para vocês se separarem.

Gavin se levantou.

– Sem chance.

– Tudo bem – interveio Malcolm. – Mas lembre-se de que o objetivo disso tudo é cortejar sua esposa, Gavin. Você não está fazendo isso para seduzir ninguém.

– Qual é a diferença?

Mack deu outra risadinha.

– Foi mesmo um milagre você ter conseguido se casar.

Gavin mostrou o dedo do meio.

– A diferença – explicou Malcolm – é que o objetivo é fazer com que *ela queira você*, não provar o quanto *você a quer*.

ONZE

Inferno. Era a única palavra que poderia definir as duas horas seguintes para Thea. Um inferno total. Depois de sair do escritório, ajudou a anfitriã a terminar de cozinhar e fingiu que não conseguia ouvir as outras esposas e namoradas cochichando por trás das taças de vinho.

Fiquei sabendo que eles se separaram.

Ele deu um soco na cara de Braden Mack!

Ele saiu mesmo de casa?

Quando Thea achava que não podia piorar, uma voz feminina aguda se elevou acima das outras.

– Olá! Cadê todo mundo?

Thea fez o sinal da cruz e uma oração silenciosa. *Deus, me dê serenidade para não encher a cara dela de porrada.*

– Estamos na cozinha – respondeu Nessa.

Rachel Tamborn, ex-modelo, esposa profissional de atleta e arqui-inimiga de todos os que não se adequavam às normas e padrões, entrou na cozinha com o estalo de saltos altíssimos e uma nuvem de perfume caro que deixava um aroma irritantemente agradável em seu rastro. O cabelo brilhava. A maquiagem era perfeita. O vestido nude e ajustado ao corpo chegava a ofender, de tão bem que caía nela. O marido, Jake Tamborn, colega de time de Gavin, veio logo atrás.

Rachel cumprimentou Nessa com dois beijos, sem deixar os rostos se tocarem, um em cada bochecha.

– Muito obrigada por nos receber – agradeceu. – Eu não estava com paciência para nossas famílias e dei folga para a cozinheira. O pobre do Jake ia passar fome, se não fossem vocês.

– Claro – respondeu Nessa, tranquila. – Quanto mais, melhor.

Rachel recuou e olhou para a cozinha como se nunca tivesse entrado em uma. Só então reparou em Thea. Ela arregalou os olhos, abrindo os lábios brilhosos. Thea quase esperava que presas aparecessem, mas tudo indicava que a mulher de repente lembrou que não podia deixar que os outros vissem sua transformação.

Ela abriu bem os braços.

– Ah, minha nossa! Oi, Thea!

E foi até onde Thea estava, abraçando-a com a precisão de uma jiboia.

– Estou tããão feliz de você estar aqui! Senti sua falta!

– Você sentiu a minha falta? – indagou Thea.

– Bem, é que você não foi ao último jogo...

Ah, então ela já estava disparando flechas.

– ... e não foi ao nosso último almoço...

– Eu não fui convidada...

– Então achei que você também não estaria aqui.

Uau. Uma frase tão carregada de duplo sentido que Thea não se segurou. Sua versão impulsiva assumiu o controle.

– E por que eu não estaria aqui hoje?

O sorriso de Rachel ficou ainda mais açucarado.

– Ah, você sabe...

Thea retrucou, firme:

– Não, não sei.

E a encarou, erguendo a sobrancelha, desafiando-a a concluir o pensamento.

Rachel finalmente uniu as mãos na frente do corpo.

– Você e Gavin voltaram?

Ah, pronto. Lá estava. O que Thea esperava ouvir.

– Isso não é da sua conta, Rachel – disse, baixinho.

A mulher arregalou os olhos só o suficiente para deixar evidente que estava chocada de alguém ousar desafiá-la. Jake pigarreou e falou.

– É bom ver você, Thea – disse, dando um abraço frouxo nela, o típico abraço de quando a pessoa está com pena. – Você está linda, como sempre.

Rachel cerrou a mandíbula com tanta força que quase quebrou um dente.

– Você está mesmo sempre linda – concordou, os olhos percorrendo lentamente a roupa de Thea. – Mas esse visual é novo, né? Acho que o conforto realmente às vezes supera o estilo…

– Sem dúvida. Assim como a classe supera a beleza.

Jake fez careta.

– Cadê o Gavin e o Del?

Thea apontou a porta para o quintal.

– Lá atrás, fritando um peru.

– Isso não é nada bom! – gritou e saiu.

Rachel juntou as mãos diante do corpo e abriu um sorriso. Thea quase soltou uma gargalhada, porque sabia que o sorriso era propositadamente falso. Do tipo que você quer que a pessoa saiba que é falso, e não porque quer que a pessoa se sinta melhor, muito pelo contrário, quer que ela se sinta *pior*. Rachel estava fingindo fingir.

E sempre foi assim. Sempre. Por baixo da fachada simpática havia uma competitividade feminina horrível, que se revelou logo no primeiro encontro com as outras esposas e namoradas. Tinha perguntado a um grupo das EEN o que elas faziam da vida, e foi como se alguém tivesse arranhado um disco com uma agulha.

– *Isto* – dissera Rachel.

Como se explicasse tudo.

E, depois de um tempo, explicou.

Para muitas das esposas e namoradas, ser esposa de um jogador de beisebol *era* uma profissão. Para algumas, era só porque lidar com as demandas da carreira do marido e as demandas de criar os filhos era mais do que um emprego em tempo integral.

Mas, para outras, era uma identidade. Parecia que tinham sido preparadas para aquilo, como as debutantes de antigamente. Elas ostentavam o relacionamento com homens ricos e bonitos como se fosse a ordem natural das coisas e que todas as pessoas bonitas estavam predestinadas a ficarem umas com as outras.

E havia Thea. A forasteira que não entendia direito as regras do jogo, que se casara com um jogador de beisebol porque engravidara, que entrara para o clube sem se esforçar como as outras. Thea não precisara segurar as pontas durante anos, quando Gavin tinha só a perspectiva de uma carreira, nem estivera ao lado dele durante os longos e pobres anos das ligas menores.

E Rachel a odiava por isso.

Thea fingia que não ligava, mas, na verdade, ligava sim. Ser forasteira era solitário.

Mas em pouco tempo estaria livre daquela animosidade, e foi esse pensamento que a permitiu continuar concentrada em ajudar Nessa sem ficar tentando ouvir o que as mulheres diziam por suas costas.

Finalmente, a comida ficou pronta. Nessa gritou para os rapazes trazerem o peru frito, e Thea ofereceu ajuda para ajeitar tudo.

Depois que Thea e Gavin fizeram os pratos das meninas e as sentaram à mesa das crianças, os dois se juntaram ao resto dos adultos na sala de jantar. Thea se sentou junto de Nessa; precisava desesperadamente de uma aliada. Infelizmente, ficou bem de frente para Rachel.

Depois de vinte minutos de jantar, Del se levantou de seu lugar, na cabeceira da mesa comprida.

– Cala a boca, todo mundo.

As conversas morreram, e todos olharam para Del, com uma cerveja em uma das mãos e os dedos da esposa na outra.

– Nessa e eu queremos agradecer a todos por estarem aqui hoje para comemorar o Dia de Ação de Graças com a gente. Alguns de vocês a gente ama receber. Outros, a gente só tolera.

Todos riram, mas Thea desconfiava que havia muita verdade nas palavras dele. Sorriu para Rachel, que abriu um sorriso em resposta. Thea poderia jurar que viu escorrer sangue de um dos cantos da boca da mulher.

– Eu poderia ficar aqui de pé fazendo um longo discurso sobre tudo pelo que estou grato e tal, mas não estou a fim – continuou Del. – Porque Nessa e eu temos uma coisa para anunciar. Uma coisa que estamos guardando em segredo já faz uns meses.

Nessa deu um pulo, abrindo bem os braços.

– Estou grávida!

Depois de uma pausa feliz e atônita, a mesa irrompeu em um caos de aplausos e parabéns e todas as outras coisas que se costuma dizer depois do anúncio de uma gravidez. Gavin se levantou e foi apertar a mão de Del.

– Isso é incrível, Del! Parabéns.

Alguns minutos depois, Nessa se sentou, e Thea a puxou para um abraço.

– Estou muito feliz por vocês.

A amiga deu uma risada fraca.

– Eu estava doida para contar, mas já sofremos dois abortos espontâneos, então queríamos ter certeza.

Thea apertou a mão de Nessa.

– Sinto muito. Eu não sabia.

– Eu também não queria chatear você, não sabia o que estava acontecendo com Gavin… Não pareceu legal jogar uma boa notícia na sua cara, com vocês tendo problemas.

Por algum motivo, aquilo foi pior. Saber que alguém escondera boas notícias por medo de Thea não saber lidar… E foi pior ainda quando ergueu o rosto e percebeu que Rachel ouvira cada palavra.

E ela se pronunciou na mesma hora:

– Thea, e você e Gavin? Teremos uma boa notícia em breve, agora que os dois voltaram?

– Só se a boa notícia for sobre eu terminar a faculdade e tirar meu diploma. – Ela sorriu.

– Ah, você não terminou a faculdade?

– Ainda não.

– E por quê?

Jake passou o braço pelo encosto da cadeira de Rachel, os dedos pareceram apertar o ombro dela com certa força.

– Bom, Rachel, como tenho certeza de que você sabe, tive que parar a faculdade porque engravidei.

– Ah, é mesmo. Eu acho que já sabia. Vocês não estavam namorando fazia muito tempo, né? E o Gavin não foi chamado para a primeira divisão logo depois disso? Nossa, que sorte a sua.

Thea sentiu a pressão da mão de Gavin em seu joelho, por baixo da mesa.

– Nossa, obrigada por esse relato preciso do nosso relacionamento, Rachel. Já pode ser contratada para escrever nossa página na Wikipédia.

Gavin afundou os dedos no joelho dela, e Rachel abriu a boca de novo.

– E onde foi mesmo que você fez faculdade, Rachel? – arrematou Thea.

A tensão se espalhou pela sala, como se metade da mesa estivesse acompanhando cada palavra enquanto a outra metade comia como se aquela fosse a última refeição.

– Comecei a estudar direito na Ole Miss.

– E não completou o curso?

Rachel abriu um sorriso brilhante para o marido.

– Não. Abri mão pela carreira de Jake, e foi uma alegria em nossas vidas.

Jake fingiu estar fascinado pela comida no prato.

– Mas você ainda deve querer ser advogada, não? – insistiu Thea, seu lado impulsivo controlando sua voz como se ela fosse uma marionete.

Gavin apertou mais seu joelho. Thea a empurrou para longe.

Rachel empertigou o corpo lindo antes de responder.

– Não quero, não. Todas nós fizemos sacrifícios para apoiar nossos maridos. A maioria não se importa.

Thea ficou com tanta raiva que não conseguia nem enxergar direito. Rachel não tinha ideia do quanto ela sacrificara pela carreira de Gavin. E estava prestes a explicar isso direitinho quando Soledad Feliciano, esposa de Yan, acabou com a tensão.

– Ah, Thea – começou, com aquele tom nervoso que se usa para tranquilizar um cão raivoso –, já que você tem formação em artes, talvez possa nos ajudar com ideias de design para o novo logo do jogo de softball beneficente.

O jogo de softball era outra tradição do clube EEN. Todo verão, al-

140

gumas das esposas e namoradas dos jogadores do Legends jogo contra as esposas e namoradas do time de hóquei de Nashville para arrecadar fundos para a compra de materiais escolares de crianças carentes.

– Eu não sabia que teríamos um novo logo – comentou Thea.

– Decidimos na última reunião. – Rachel sorriu.

A reunião para a qual Thea não tinha sido convidada.

– Eu adoraria ajudar, *desde que* a gente também se livre do nome EEN.

Rachel cuspiu o vinho de volta na taça. Alguém deixou o garfo cair no prato, e outra pessoa à mesa soltou um palavrão.

– E por que faríamos isso? – perguntou Rachel, limpando uma gota de vinho do decote.

– Não é possível que ninguém se incomode – disse Thea. – Esposas e namoradas? É tão limitante! E se uma mulher chegar à primeira divisão? Como vão chamar o namorado dela?

– Como duvido muito que haja jogadoras com talento para isso, acho que não precisamos nos preocupar – retrucou Rachel.

– Tudo bem, mas e os jogadores gays? Limitar a *esposas* e *namoradas* é completamente heteronormativo. Não seria melhor uma coisa mais inclusiva?

– O que você sugere? – perguntou Rachel.

– Que tal cônjuges e parceiros?

Rachel hesitou um pouco, então disse:

– Isso nos tornaria as CEPs.

– Isso mesmo. – Thea se levantou e pegou o prato. – Vou dar uma olhada nas crianças. Precisam de alguma coisa?

Thea saiu da sala de jantar silenciosa e dobrou a esquina. Não demorou para Gavin aparecer.

– O que foi aquilo? – perguntou.

Thea botou o prato na bancada.

– Aquilo foi o tipo de absurdo que tenho que aguentar de Rachel e suas amigas o tempo todo, desde que nos casamos. Só decidi enfrentar a fera, para variar.

– Ela *sempre* trata você assim?

Thea soltou uma risada debochada.

– Ah, sim. Desde o primeiro dia.

Ele estreitou os olhos.

– Por que você não me contou?

– Por que você não percebeu?

Gavin balançou a cabeça, abrindo a boca para dizer alguma coisa, mas achou melhor não. Ele engoliu em seco.

– Não se preocupe – completou Thea, com rispidez. – Esse problema não vai durar mais muito tempo.

Ela deu meia-volta e o deixou lá, parado. E passou o resto do dia com as crianças, evitando todas as tentativas dele de ter um momento a sós.

Ava começou a reclamar de dor de barriga por volta das seis da tarde, e Gavin foi se despedir de todos. Nessa separou um pouco de comida para eles em recipientes de plástico e os acompanhou até o carro enquanto Gavin preparava as meninas para a partida.

– Vai ficar tudo bem – comentou Nessa, baixinho, guardando os recipientes no porta-malas.

Thea suspirou.

– Obrigada, mas acho que Rachel nunca vai gostar de mim.

– Estou falando sobre você e o Gavin.

Thea ergueu o rosto.

– Dê uma chance para as coisas melhorarem, Thea.

A porta da frente se abriu, e Gavin saiu carregando Ava. Amelia ia saltitando na frente. Nessa apertou o braço de Thea e completou, a voz ainda mais baixa:

– Pode me ligar sempre que precisar.

Thea fechou o porta-malas enquanto Nessa ia até a entrada da casa. Ela deu um beijo nas meninas e um abraço em Gavin, então Thea abriu a porta do lado de Ava e a pegou do colo de Gavin, sem encará-lo.

– Eu coloco a Amelia – anunciou ele.

A volta para casa foi tão silenciosa quanto a ida. Gavin segurava o volante com força, e Thea olhava pela janela, vendo outras famílias em outros carros. Famílias sorrindo, gargalhando... Será que aqueles maridos e esposas começaram o feriado brigando por causa de masturbação? A ideia gerou dentro dela uma gargalhada histérica e absurda, mas o impulso chegou à boca como um suspiro frustrado. Sentiu, mais do que viu, Gavin virar a cabeça para ela, mas manteve o olhar fixo na paisagem. O céu cinzento e sem vida combinava com seu humor.

Quando chegaram em casa, Thea praticamente correu para fora do carro. Soltou Ava da cadeirinha e foi com ela até a varanda, onde teve dificuldade de enfiar a chave na fechadura. Manteiga os recebeu no saguão com latidos animados.

– Mamãe, não estou muito bem – choramingou Ava.

– Eu sei, querida. Vamos tirar esse seu casaco…

Antes que pudesse terminar de falar, o chão foi coberto de vômito. Ava começou a chorar. Manteiga veio farejar a bagunça.

– Manteiga, não!

Thea segurou a coleira do cachorro enquanto Ava vomitava mais. Outro jorro de tudo o que a menina comera foi para o chão. Por trás da porta, Gavin murmurou um palavrão, e Amelia gritou:

– Que nojo!

Gavin entrou correndo e segurou a coleira de Manteiga.

– Eu limpo isso – disse Thea. – Pode levar a Ava lá para cima e dar um banho nela?

– Não! – gritou Ava. – Quero a mamãe.

– Eu limpo – interveio Gavin. – Amelia, querida, fique um pouquinho afastada…

Tarde demais. Ava se virou e vomitou na irmã. Amelia gritou. Gavin dessa vez soltou o palavrão mais alto. Manteiga latiu como se tivesse chegado ao paraíso e tentou lamber Amelia.

– Manteiga! Pare! Meninas, venham, vamos subir – mandou Thea. – Ava, tente se segurar até chegar ao banheiro.

Thea seguiu as duas meninas chorando até o andar de cima, onde se ajoelhou junto das filhas e pediu para que levantassem os braços, para tirar suas blusas. Teria sorte se conseguisse salvar alguma peça de roupa. Mandou que as meninas terminassem de tirar a roupa enquanto enchia a banheira. Lá embaixo, Gavin gritou alguma grosseria para Manteiga antes de, pelo som, botar o cachorro para fora.

– Mamãe, não estou me *xentindo* bem… – Amelia soltou um soluço, o rosto pálido.

Ah, não! Thea segurou a menina pelos ombros e a guiou até a privada… mas foi uma fração de segundo tarde demais. Agora, havia dois pisos para limpar.

– Está tudo bem, querida – disse, fazendo carinho nas costas da filha.

Ela se virou para Ava, que já estava nua, tremendo de frio. Equilibrada em um pé só, Thea se inclinou para verificar a temperatura da água.

– Pode entrar no banho, Ava.

Ela se virou para Amelia, empurrando-a delicadamente para a lateral da privada, avisando à menina que se inclinasse para mirar, caso tivesse que vomitar mais. E teve. Amelia tremeu e choramingou, tão infeliz que dava pena. Thea ajeitou o cabelo da filha.

– Está tudo bem, querida. Já vai passar.

Conseguiu botar Amelia na banheira alguns minutos depois. Gavin apareceu na porta enquanto ela passava xampu no cabelo de Ava. Ele olhou para o chão, fez careta e usou uma perna para bloquear a entrada de Manteiga.

– Amelia também está passando mal – avisou Thea. – Pode pegar toalhas limpas no armário?

– Qual armário?

O ressentimento fez latejar as têmporas de Thea.

– O mesmo armário de sempre – retrucou, com a voz tensa, jogando água na cabeça de Ava.

– E qual é? – insistiu Gavin, ríspido.

– Sério? Há quanto tempo a gente mora aqui?

– Não passo muito tempo pensando nas toalhas, Thea.

Jura?

– No armário de roupas de cama e de banho que fica no corredor.

Gavin sumiu, voltando logo depois com uma toalha de mão.

– Só consegui encontrar isto.

O latejar virou uma britadeira.

– Ontem mesmo botei uma pilha de toalhas limpas lá.

– Bom, mas eu não encontrei. O que quer que eu faça?

– Tem toalhas limpas na cesta, lá no meu quarto.

Uma veia saltou no pescoço de Gavin.

– *Seu* quarto?

Thea se levantou.

– Esquece. Eu pego.

Foi até o armário do corredor, pegou a pilha de toalhas que ele só podia ter ignorado de propósito, de tão evidente que estava, e voltou para o banheiro.

– Onde estava isso?

– No armário. – Thea deixou as toalhas no chão e terminou de enxaguar o cabelo de Ava. – Pronto, querida, vai com o papai.

– Eu quero a mamãe – choramingou Ava.

– Vai ter que aceitar ficar comigo, pirralha.

Gavin tirou a menina da água. Quando ele se ajoelhou para enxugar a menina, seu corpo roçou no de Thea, que chegou mais para o lado. Gavin fechou a cara, irritado.

– Vou botar o pijama na Ava – anunciou ele, antes de se levantar com a menina nos braços, deitada no ombro, e sair do banheiro.

Thea terminou de lavar o cabelo de Amelia e examinou a filha, que ainda estava meio pálida.

– Está melhor, querida?

Amelia assentiu e bocejou. Ao que parecia, as duas iriam cedo para a cama.

– Venha, querida.

Thea tirou Amelia da banheira e a enxugou, então carregou-a para o quarto. Gavin estava sentado no chão, ajudando Ava a vestir uma blusa. Ele ergueu os olhos.

Thea desviou o rosto.

Gavin sentiu o ardor da frustração subir pelo pescoço, com aquele tratamento indiferente de Thea. Ele ajudou Ava com a calça do pijama.

– Vamos para a cama.

– Eu quero a mamãe.

Uau. Será que um dia o comentário iria parar de incomodar? Desejou que alguém tivesse contado antes que filhos poderiam deixá-lo arrasado de formas nunca imaginadas. Gavin se levantou e pegou Ava.

– A mamãe está vestindo a Amelia.

Ele olhou para trás. Thea tinha colocado Amelia na cama enquanto a ajudava a vestir uma camisola. A menina abraçou a mãe, escondendo o rostinho no pescoço de Thea, que acariciou a nuca da filha e murmurou palavras de conforto. Gavin não conseguia ouvir, mas sentiu a voz dela, cheia de amor e carinho. Estava oficialmente com ciúme da própria filha.

Ava bocejou, então Gavin botou a menina na cama e levantou as cobertas, para ela entrar embaixo. Thea decidira pular a caminha infantil, colocando as filhas direto em colchões de solteiro. Eram pequenos demais para o corpo grande de Gavin, mas ele deu um jeito. Deitou-se ao lado de Ava e afastou o cabelo do rosto dela.

– Está se sentindo melhor? – sussurrou.

A menina assentiu e bocejou de novo.

– Minha barriga não está mais doendo.

– Que bom. Você deve ter comido demais na casa do tio Del.

– Eu comi três fatias de torta.

Caramba.

– Como você conseguiu pegar três fatias?

– O Mack disse que a gente podia comer o quanto quisesse.

Ia matar aquele maldito.

– Nesses casos, você precisa primeiro perguntar à mamãe ou ao papai, querida. Você sabe.

– Mas a mamãe ia dizer não.

Gavin riu.

– Provavelmente. Mas é porque ela sabe que você vai passar mal se comer demais.

As pálpebras de Ava ficaram pesadas, e ela puxou o bicho de pelúcia favorito para perto do rosto. O pato já tinha sido de um amarelo bem intenso, mas desbotara para um tom sem graça, depois de ser exposto a uma dose excessiva de amor. Gavin passou a mão pelas costinhas da filha, sentindo o calor da pele dela pela blusa do pijama.

– Papai – sussurrou a menina, abrindo os olhos.

Ah, merda. Por favor, não vai vomitar na minha cara.

– O que foi, querida?

– Preciso do beijo de boa-noite antes de dormir. – Ela ergueu a cabeça do travesseiro e fez biquinho.

Uma coisa quente e arrasadora se espalhou pelo peito de Gavin. Ele deu um beijinho na filha, então se deitou de lado junto dela e aninhou-a no braço. Ava caiu no sono em segundos. Gavin ficou com o rosto colado no cabelo molhado da menininha, inspirando o perfume único dela. Sempre ouvira as pessoas dizerem que fariam qualquer coisa pelos filhos, que andariam até os confins da Terra para protegê-los, que buscariam o que fosse preciso para deixá-los felizes. Mas é um sentimento que não dá para entender direito até sentir. Ele se perguntou se os próprios pais também sentiam aquilo, se eram completamente dominados pelo amor por ele e o irmão. Talvez seu pai tenha tentado dizer isso quando viu Gavin olhando as filhas nos bercinhos da UTI neonatal, um dia depois que as meninas nasceram. O pai deu um tapa em suas costas e disse: "Ah, filho... Você não tem ideia do que vem por aí."

Gavin dera risada, mas o pai estava certo, realmente não tinha ideia do quanto sua vida mudaria por causa das duas. Não imaginava como elas expandiriam seu coração dentro do peito, às vezes a ponto de doer. Não imaginava que o medo de algo acontecer com elas o deixaria mudo, sem ação. Não imaginava que amá-las o faria amar ainda mais a esposa – coisa que ele já não achava possível.

E quase jogara tudo aquilo fora. Ainda corria o risco de jogar tudo fora. Se o pai pudesse ver como ele estava se comportando, balançaria a cabeça, decepcionado.

Atrás dele, a voz baixa de Thea rompeu o silêncio, mandando Amelia fechar os olhos e ter bons sonhos. Uma emoção densa apertou a garganta de Gavin. Alguns minutos depois, a cama da outra filha estalou quando Thea se levantou, sua silhueta pequena lançando uma sombra sobre a cama de Ava. Gavin se virou para olhar a esposa, que, obstinada, se recusou a olhar para ele quando se inclinou para conferir como Ava estava.

– Ela dormiu bem rápido – sussurrou Gavin.

Thea encostou a mão na testa da filha, depois fez o mesmo com as bochechas.

– Nenhuma das duas está com febre.

Já fazia muito tempo que Gavin parara de perguntar como Thea sabia. Já sabia de cor o que Thea responderia, citando a avó: *a mão da mãe é o melhor termômetro*. E sempre foi verdade. Thea devia conhecer as temperaturas normais das meninas melhor do que a do próprio corpo.

Ela se endireitou, soltando um suspiro cansado.

– Vou tomar um banho.

Gavin virou na cama, tomando o cuidado de não acordar a filha enquanto se soltava do bracinho dela.

– Vou limpar o banheiro.

Thea fez careta.

– Eu tinha esquecido. Pode deixar que eu limpo, você limpou o outro.

– Pode deixar, querida. Vá tomar seu banho.

Ela piscou e enrijeceu ao ouvir o *querida*.

– Eu já disse que vou limpar – insistiu, teimosa, se recusando a aceitar a ajuda.

– Meu Deus, Thea. Não posso nem oferecer ajuda sem que isso vire motivo de briga?

Ava se remexeu com o barulho. Thea olhou para ele de cara feia.

– Tudo bem, então. Pode limpar o banheiro.

E saiu do quarto batendo os pés. Gavin conteve a vontade de xingar. Quando terminou de limpar o banheiro, o chuveiro já tinha sido desligado, mas precisava dar um tempo antes de tentar falar com ela de novo. Foi até o quarto de hóspedes botar as roupas de corrida. A única coisa que aliviaria a tensão nos músculos seriam os pés batendo no asfalto e o suor escorrendo pelo corpo.

Gavin levou o lixo para baixo e o jogou na cesta da garagem. Manteiga foi atrás, tristonho, e se deitou no chão da cozinha.

– Ela também botou você para fora do quarto, foi?

Gavin se agachou e coçou as orelhas de Manteiga, que balançou o rabo e suspirou. É. Estavam os dois quietinhos, acuados com o latido feroz da alfa da casa.

Gavin assobiou para que Manteiga o seguisse até a porta. Quando o viu pegando a guia, o cachorro começou a latir e a saltitar. Gavin botou um gorro de lã, pegou um par de luvas e saiu. Pensou em voltar para avisar à Thea aonde ia, mas estava com raiva o bastante para saber que os dois precisavam de um pouco de espaço.

Lá fora, o ar frio atingiu seus pulmões como um golpe e o obrigou a respirar fundo pela primeira vez em horas. Gavin seguiu a rota normal, odiando a vida nos primeiros dez minutos, um sentimento comum quando corria. Não era por ser atleta profissional que gostava de correr. O exercício era um mal necessário. Seu corpo finalmente se adaptou à punição e entrou no ritmo, a tensão nos ombros se dissipando a cada passo. Manteiga o acompanhou, balançando o rabo, a língua pendurada, aparentemente perdoando-o por ter sido botado para fora, mais cedo. Pelo menos alguém naquela casa o perdoava.

Gavin correu 3 quilômetros até chegar a um parque. Diminuiu o ritmo para uma caminhada e parou no campo de beisebol mais próximo do estacionamento. Um alambrado o cercava, com as áreas para os times ladeando a base principal. As luzes estavam apagadas, mas os postes do estacionamento iluminavam o espaço de terra batida e o montículo gasto e erodido do arremessador. Gavin se sentou na arquibancada fria, que, quando chegasse o verão, ficaria lotada de pais e avós pensando que os filhos eram os mais lindos e talentosos do jogo.

Gavin passara quase toda a juventude em campos como aquele. Fora em espaços como aquele que as pessoas começaram a notar sua presença e a falar dele por outro motivo além da gagueira. Onde treinadores começaram a se reunir, perguntando "É ele?". Onde acabaram aparecendo olheiros, com moletons de faculdades, querendo se apresentar a seus pais, em busca de provas de que o menino do subúrbio de Ohio era tão bom quanto diziam.

A chance era de uma em um milhão. Era o que sempre diziam. Gavin tinha uma possibilidade mínima de um dia chegar à primeira divisão. Mas, uma vez que o sonho estava plantado em sua cabeça, ele não quis outra coisa. Nada o impediria. Gavin se esforçaria mais do que todos, porque lá, naqueles campos sujos, ele era mais do que o garoto que não conseguia ler em voz alta na sala de aula. Mais do que o garoto nervoso demais para conversar com as meninas.

Manteiga se deitou no chão a seus pés, ofegante. Gavin sentiu o celular vibrar no bolso. Viu uma mensagem de Thea.

Você saiu?

Droga. Deveria ter avisado. Digitou uma resposta rápida. *Saí para correr.*

Alguns segundos se passaram até aparecerem três pontinhos, indicando que ela estava escrevendo uma resposta. *Não tranque a porta quando voltar. Liv vai chegar tarde, e Manteiga vai latir se ela precisar usar a chave. Vou dormir.*

A mensagem fria e silenciosa ficou clara: nem pense em beijo de boa--noite.

Gavin estava fazendo tudo errado.

Antes que pudesse mudar de ideia, abriu a lista de ligações recentes e procurou o número dos pais. O pai atendeu no terceiro toque, a voz pesada de sono.

– Oi, coroa – provocou Gavin. – Dormindo para digerir o peru?

– Eu só estava cochilando – explicou o pai. – Estou esperando sua mãe chegar.

– Aonde ela foi?

– Seu irmão a convenceu a ir ao cinema.

– Ah. – Gavin mordeu o lábio.

– Tudo bem?

– Tudo.

– Tem certeza?

Gavin pigarreou. O pai soube na hora que havia alguma coisa errada.

– Meu Deus, Gav. O que foi?

– Tem... Hã, tem uma coisa que não contei para você e a mamãe.

– Ah, droga. É com as meninas? Elas estão bem?

– As meninas estão ótimas. É que...

– As coisas estão bem com a Thea?

Droga. Ele inspirou fundo e respondeu:

– Não.

Gavin ouviu o estalo da velha poltrona reclinável. Quase conseguia ver o pai se levantando.

– Conte o que está acontecendo, filho.

Gavin soltou o ar, trêmulo, e contou o básico, que estavam com problemas, que haviam brigado, ele tinha saído de casa por umas semanas, mas já estava de volta, só que as coisas ainda não estavam bem. Deixou de fora a parte mais humilhante, claro.

O pai soltou o ar, num suspiro pesado.

– Por que não me contou antes?

– Não sei. Acho que não queria que vocês se preocupassem. Você e a mamãe nunca passaram por nada assim, então...

O pai soltou uma gargalhada que o pegou de surpresa.

– É isso que você acha?

– Bem, é.

– Uau. Nós escondemos melhor do que pensávamos.

Gavin endireitou a postura.

– Do q-q-que você está falando?

– Filho, não dá para passar quase trinta anos casado com uma pessoa sem experimentar o inferno aqui e ali. Se perguntar para sua mãe, ela vai dizer que houve épocas em que só não me deixou porque não tinha condições financeiras de criar vocês dois sozinha. E eu sei disso porque ela falou na minha cara.

Gavin ouviu uma espécie de estalo, como o desmoronamento da ilusão de infância.

– Mas vocês nunca brigavam.

– Não na frente de vocês, mas brigávamos muito. Ainda brigamos.

– Sobre o quê? – Gavin sentia como se tivesse acabado de descobrir de novo que o Papai Noel não existia.

– Ora, sobre tudo que você possa imaginar. Sua mãe fica irritada porque vejo os pratos sujos e não os coloco na máquina. Eu fico irritado porque ela não anota os gastos do cartão de débito no livro de contas.

Gavin riu.

– Pai, ninguém mais usa livro de contas, hoje em dia.

– Ah, droga. Não me venha com essa você também.

Gavin encarou o campo à frente com o olhar vazio. Não sabia se estava arrasado ou aliviado de saber que os pais não eram perfeitos.

– Olha, pai, entendo o que você está dizendo, mas parece que você e a mamãe brigam por coisas bobas. Thea e eu temos problemas maiores.

– Acha mesmo que sua mãe ameaçaria me deixar por causa de uns pratos sujos? Nós também temos dificuldades com coisas importantes.

Gavin passou o tênis na terra.

– Filho, tem uma coisa que nunca contei, mas quero contar agora. Só precisa me deixar terminar antes de reagir, está bem?

Gavin ficou tenso.

– Está bem.

– Quando você nos contou sobre a Thea, dizendo que tinha conhecido uma mulher, ficamos muito felizes porque *você* estava feliz. Finalmente. Mas, dois meses depois, quando você contou que ela estava grávida e iam se casar... Bom, nós não ficamos muito felizes.

– O q-quê? Por quê?

– Eu falei para você me deixar terminar.

Gavin resmungou um pedido de desculpas.

– Era certo que você ia para a primeira divisão, Gav. Nós já sabíamos disso quando você estava se formando no ensino médio. Mas você também era... bem, meio inocente em relação às garotas, digamos assim.

Ah, que ótimo. Até os pais o achavam um otário.

– E nós tínhamos medo de que você se tornasse uma presa fácil, que alguma garota pudesse se aproveitar de você por causa do dinheiro que um dia ia ganhar.

A raiva veio rápido, deixando-o tenso.

– Thea não é assim.

– Eu sei, filho. E tivemos certeza disso assim que a conhecemos. E sabe por que essa certeza?

– Não, por quê?

– Porque ela não ignorava sua gagueira. Não fingia que não existia. Durante toda a sua vida, você achava que precisava encontrar uma mulher que o amasse *apesar* da gagueira, mas na verdade deveria estar

152

procurando uma mulher que o amasse *por causa* disso, porque é parte de quem você é. Thea é essa mulher.

Sim, era mesmo. E Gavin estava prestes a perdê-la.

O pai parou de falar de repente, Gavin ouviu o barulho da porta dos fundos da casa dos pais.

– Sua mãe chegou – anunciou o pai, baixinho.

Droga!

– Não conte a ela sobre a Thea.

– Não vou contar. – Então, mais alto, disse: – Ei, estou falando com o Gav.

O irmão gritou alguma coisa que parecia muito com um *diz que ele ainda vai me pagar,* mas poderia ser *manda ele tomar naquele lugar.* Qualquer uma das duas era possível.

O pai voltou à linha, mas esperou um tempo antes de falar, em voz baixa.

– Escuta, filho. Seja lá o que você fez de errado, precisa se esforçar como um doido para consertar as coisas, está me ouvindo?

– Estou tentando.

– Pois tente mais.

E o próprio pai bateu o telefone na cara dele. Estava oficialmente incapaz de rebater, não conseguia nem acertar nas conversas.

Com um assobio curto, chamou Manteiga para perto e foi correndo devagar pelo parque, de volta para casa. Estava tudo escuro e silencioso quando entrou pela porta da frente. Manteiga foi direto para o pote de água e conseguiu derrubar metade no chão. Depois de limpar a sujeira, Gavin subiu a escada. Precisava de um banho, mas acabou indo na direção da porta do quarto dela.

Do quarto *deles*.

Levantou a mão para bater, resistindo ao crescente ressentimento de precisar pedir para entrar no próprio quarto. Thea não respondeu imediatamente, e a espera de segundos foi suficiente para fazê-lo suar. Até que:

– Pode entrar.

A porta rangeu de leve. O abajur na mesa de cabeceira era a única fonte de luz, deixando tudo com um brilho amarelo suave. O quarto cheirava ao creme dela. Thea estava sentada na cama, encostada na cabeceira, com o notebook no colo. O cabelo estava enrolado em uma toalha, como ela sempre fazia depois do banho, e Thea usava uma das camisetas dele como camisola. Gavin sentiu o coração disparar. O que Thea diria se ele admitisse que sempre que buscava consolo com a própria mão, visualizava ela bem assim, quente e macia e despretensiosamente sexy?

Manteiga entrou no quarto e pulou na cama. O filho da mãe deu um sorrisinho debochado quando se deitou e apoiou a cabeça nas pernas de Thea.

– Cheguei – disse, parecendo um bobo, a boca seca de repente.

Ela o encarou por cima do notebook.

– Tudo bem.

– O que você está fazendo? – Ele apontou para o computador.

– Mandando um e-mail para a sua mãe sobre o que as meninas querem de Natal.

– Certo.

Depois de como a agarrara na noite anterior, era ridículo o quanto estava nervoso de perguntar se podia beijá-la. Mas era diferente. Não sabia bem por quê. Só era.

Thea finalmente soltou o ar e voltou a atenção para o computador. Que se danasse. Gavin se aproximou. O som de seus passos no tapete a fez erguer os olhos no que ele podia fingir que era expectativa, mas talvez fosse surpresa.

Esperou que Thea dissesse alguma coisa, fizesse alguma coisa. Esperou que ela tomasse a iniciativa, que erguesse o rosto ou estendesse o braço para ele. Implorou silenciosamente, encarando-a, com a respiração acelerada, querendo que ela desse o primeiro passo. Porque, apesar de ser uma de suas condições, o beijo tinha que ser escolha dela. Não a obrigaria a nada.

Thea inspirou fundo, e Gavin pôde jurar que o corpo dela se moveu de leve na direção do seu. A língua saiu por entre os lábios carnudos, lambeu o lábio inferior. O estômago dele reagiu, se contraindo.

– Boa noite – disse, rouco.

E, antes que pudesse se convencer a não agir, Gavin se inclinou e roçou os lábios de leve nos dela.

Pronto. Já podia ganhar uma medalha. Tinha beijado a esposa.

Thea o encarou, os olhos arregalados.

– Boa noite – murmurou.

– Quer que eu bote você para dormir, ou você também consegue fazer isso sozinha?

Thea estreitou os olhos por uma fração de segundos, mas logo percebeu que era uma tentativa de provocação. Ela revirou os olhos, mas os cantinhos dos lábios se curvaram. O que Gavin mais queria era beijá-la de novo e ver se conseguia arrancar outro gemido, como na noite anterior.

Mas ele que semeara a discórdia no relacionamento.

E, como dizia o ditado, ia colher o que plantara.

Foi para o quarto de hóspedes, abriu o livro e torceu para que o Lorde Sabe-Tudo tivesse alguma sabedoria que consertasse a confusão que ele criara.

DOZE

Era o fim da tempestade de vômito.

As meninas acordaram alertas, famintas e pedindo panquecas. Thea acordou tensa, com calor e com fome de outra coisa. Tivera sonhos bem vívidos.

Vestiu uma legging e desceu a escada atrás das filhas. A porta do quarto de Gavin estava fechada, então ou ele ainda estava dormindo, ou...

Ou já estava acordado, de banho tomado e fazendo café quando ela entrou na cozinha. *Nossa. Uau.*

– Papai! – Amelia correu até ele, passando os bracinhos em volta de suas pernas.

– Bom dia, pequena! – cumprimentou Gavin, apoiando a mão na cabeça da filha. – Estão melhores?

– Quero panqueca – respondeu Amelia.

– Com certeza podemos providenciar isso. – Ele olhou para Ava. – Quer panqueca, pirralha?

A menina assentiu e abraçou o patinho.

Gavin olhou para trás, encarando Thea. Ergueu o canto da boca em um meio sorriso, um pedido de desculpas emanando dos olhos, e perguntou:

– Bom dia. Café?

– Hum, claro.

Ela se sentou em um dos bancos. Um momento depois, Gavin botou uma caneca fumegante em sua frente, perguntando:

– Quer que eu faça as panquecas?

– Posso fazer.

Thea levou a caneca aos lábios. Gavin preparara o café perfeito para ela, com creme de baunilha e açúcar.

– Sei que pode – respondeu, a voz calma. – Mas estou perguntando se você gostaria de um dia de folga dessa obrigação, para variar.

Era uma proposta de trégua. Um pedido de paz em forma de panqueca. Continuar discutindo seria só por rancor, e, embora o rancor estivesse reinando dentro dela nos últimos dias, Thea cedeu.

– Tudo bem. Obrigada.

Gavin sorriu como se tivesse recebido permissão para voltar a dormir no quarto.

– Cadê a Liv? – perguntou Thea, levantando.

– No porão, acho. Não encontrei com ela.

Thea foi até a porta do porão, abriu-a e tentou ouvir, mas não havia barulho. Desceu a escada, dobrou a esquina e quase caiu na gargalhada. Liv estava prostrada na cama, ainda vestida, com o cabelo espalhado no travesseiro.

Começou a se afastar nas pontas dos pés.

– Estou acordada – murmurou Liv.

Thea se virou.

– Desculpe.

Liv gemeu e virou de costas.

– A noite foi ruim?

– Só as piores pessoas do mundo vão a restaurantes no Dia de Ação de Graças. Nunca mais quero fazer torta de abóbora na vida.

Thea se encostou na parede e tomou um gole de café.

– Que horas você chegou?

– Que horas são? – Liv bocejou.

– Oito.

– Então cheguei há quatro horas.

Thea quase engasgou.

– Você trabalhou até as quatro?

– Eu odeio a vida.

– Não odeia, não. Você odeia seu emprego.

– Eu trabalhei até às quatro da manhã no Dia de Ação de Graças. Meu emprego é minha vida.

Thea voltou para a cozinha e foi recebida por uma visão que a deixou sem ar. As meninas estavam empoleiradas nas banquetas, ajoelhadas para conseguirem alcançar as tigelas. Cada uma mexia um pote de massa com batedores de tamanho infantil, presentes de Liv. Gavin estava entre as duas, um braço em volta de cada uma, preparado caso alguém caísse ou derrubasse alguma coisa. Com murmúrios de encorajamento, ele esperou pacientemente enquanto as duas misturavam a massa grossa. De tempos em tempos, uma delas erguia os olhos, em busca de aprovação, e Gavin respondia com sorrisos gentis e beijos no topo da cabeça.

Sentiu o coração balançar. Mesmo quando os pais eram casados, o pai nunca fazia coisas assim com ela e Liv. Ele não passava tanto tempo viajando, como Gavin, mas era bem mais ausente da vida delas do que Gavin na vida de Ava e Amelia. Quando o pai foi embora de vez, Thea já não se importava mais.

Gavin ergueu os olhos e viu que ela o encarava. Thea tentou esconder a expressão, mas não foi rápida o suficiente. Gavin franziu o cenho, e ela forçou um sorriso e uma voz leve. Pelo bem das meninas, claro. Não dele.

– Está parecendo ótimo, hein, meninas.

Amelia se mexeu de leve na cadeira e ergueu o batedor.

– Acabei, papai.

A massa escorreu por suas mãozinhas, caindo na bancada. Gavin limpou tudo e perguntou se Ava também tinha terminado.

A menina balançou a cabeça. Só pararia quando a massa ficasse perfeita.

– Posso ajudar a Ava a terminar, se você quiser ir cozinhando, Gavin – ofereceu Thea.

Todos trabalharam juntos por um tempinho. Gavin fez panquecas enquanto Thea pegava xarope de bordo, chantilly e gotas de chocolate. Ela limpou a bancada e botou pratos na frente das cadeiras das meninas. Depois de preparar o café da manhã das duas, Gavin preparou um prato para Thea e outro para si. Os dois comeram de pé, em lados opostos da bancada, a postos para impedir caso uma das meninas tentasse botar calda no cabelo. Não conversaram enquanto comiam, só falaram com as meninas.

Gavin engoliu o último pedaço de panqueca e se encostou na bancada.

– Sabe, eu estava pensando...

Thea ergueu o rosto. Ele mordeu o lábio, como se tivesse medo de terminar o pensamento.

– Como as meninas estão se sentindo melhor, eu pensei em ir com as duas ao centro, agora à tarde, para fazermos algumas compras de Natal. Você pode ficar em casa, pegar suas tintas ou relaxar, quem sabe.

As duas se animaram ao ouvirem a palavra *Natal*. Ou talvez fosse *compras*. Duas palavras poderosas.

– O que você acha?

– Podemos ir, mamãe? – perguntou Amelia, sujando a bochecha de calda.

Thea não podia negar aquilo. Todo o seu plano de resistência envolvia ficar o máximo de tempo longe dele, e que forma melhor de fazer isso do que se Gavin saísse com as meninas? Mas as compras de Natal eram o tipo de coisa que costumavam fazer juntos. Era hipocrisia ficar magoada de não ser incluída nos planos, já que as coisas seriam daquele jeito dali em diante. Precisava se acostumar, assim como as meninas.

– Claro, ótima ideia. Vou trabalhar mais um pouco na parede enquanto vocês estiverem fora.

Thea se serviu de outra caneca de café e subiu as escadas para se trocar. Alguns minutos depois, Gavin entrou no quarto. Trazia o celular dela na mão.

– Dan acabou de tentar ligar.

O pai dela. Thea botou o celular na cômoda. Estava muito cedo para pensar nele.

Gavin ficou à porta.

– O q-que você acha que ele quer?

– Eu ainda não respondi se vou ao casamento.

– Você... você está bem com essa história de ele se casar? Você ficou chateada?

Thea franziu a testa. De onde estava vindo aquilo?

– Estou evitando pensar no assunto – admitiu.

– Quer que eu fale com ele?

– Falar o que com ele?

– Posso atender na próxima vez. Ou posso ligar e mandar seu pai ficar na dele. Quer que eu faça isso?

Thea sentiu o coração vibrar com uma emoção indecifrável. Tentou imaginar Gavin falando com seu pai para resolver qualquer coisa. Ele só encontrara com Dan uma única vez, alguns meses depois que as gêmeas nasceram, quando o sogro parou lá a caminho de algum evento do trabalho. E, até onde Thea sabia, Gavin só falara com seu pai ao telefone pouquíssimas vezes depois disso. Mas a ideia de não ter que falar, de não ter que ligar e avisar que não iria ao casamento, era tentadora no nível de calda de chocolate quente no sundae.

– Não, obrigada. Eu mesma falo com ele qualquer hora dessas.

Gavin assentiu.

– Se mudar de ideia, é só me avisar.

– Tudo bem – respondeu ela, hesitante. – Obrigada.

Depois que Gavin e as meninas saíram, Thea decidiu descontar as emoções conflitantes na parede. Os estrondos fizeram Liv subir do porão como um zumbi atrás de cérebro.

– Café – grunhiu.

Thea apontou para a garrafa térmica.

– Talvez precise esquentar.

– Cadê todo mundo?

– Gavin levou as meninas para fazer compras.

– Quanto tempo eles vão ficar fora?

– Não sei. Por quê?

– Porque nós duas devíamos fazer as unhas do pé, uma massagem ou alguma coisa assim – explicou Liv, segurando um bocejo.

– Acho que eu não...

Thea parou no meio da frase. Estava prestes a enunciar a longa lista de motivos pelos quais não podia. Precisava fazer compras, dobrar roupas limpas, planejar o cardápio da semana seguinte... Mas por que não podia fazer uma coisa relaxante por si mesma? Gavin estava com as meninas, e, mesmo que os três não fossem passar muito tempo fora, ele podia ficar o dia todo com as duas, em casa. E, como Liv estava de folga... Por que não?

Thea assentiu.

– Quer saber? Você está certa. Vamos aproveitar e comer sushi.

– Isso me lembra de quando fiquei vendo você se arrumar para o seu casamento.

Thea encarou a irmã pelo espelho do provador. Depois de muita insistência de Liv, ela finalmente concordara em fazer compras. Um shopping era o último lugar onde queria estar durante a Black Friday, mas Liv fizera questão de comentar que ela precisava trocar o armário de esposa de atleta.

– Eu me lembro de você tentando fechar o meu vestido – respondeu Thea, se virando para ver como o vestido preto ficava por trás.

– Coube.

– Por pouco.

– Você estava grávida de gêmeas.

– Minha bunda tinha CEP próprio.

– Você estava feliz.

– Estava?

Liv se endireitou e ergueu uma sobrancelha até a estratosfera.

– Não estava?

– Eu estava nervosa – esclareceu Thea. – Não sabia se *parecia* feliz.

Liv deu uma risadinha.

– Se saiu bem.

Thea não estava tentando disfarçar nada. Estava *mesmo* feliz no dia. Apavorada, mas feliz e esperançosa e cem por cento ignorante do que viria pela frente. Ah, se soubesse o que sabia agora...

161

– Bom, Gavin parecia feliz. Eu nunca teria imaginado que ele acabaria sendo só mais um cretino.

Thea tirou o vestido preto e vestiu as próprias roupas.

– Eu não quero que você o odeie, Liv.

– Eu não o odeio. Só estou decepcionada.

Thea encarou a irmã pelo espelho.

– Como assim?

– Eu torcia muito por vocês. Pareciam um casal perfeito, e me deram esperança de ainda haver homens decentes no mundo.

– Ele é um homem decente.

Liv pegou uma pilha de roupas e as empurrou para Thea.

– Por que você está defendendo o Gavin?

– Não estou. É que... – Thea ajeitou a pilha de roupas que decidira levar.

– É que o quê?

– É que acho meio ruim esperar que alguém seja perfeito.

Liv deu uma risadinha debochada.

– Nossa, hoje você está toda enigmática.

Thea não tinha a menor intenção de se explicar, mas não era fácil enrolar Liv. Quando a comida chegou, no restaurante japonês próximo dali, a irmã estava pronta para o ataque.

– E aí, o que rolou? – perguntou, mergulhando um roll de atum no shoyu.

– Como assim?

– Por que você de repente começou a pegar leve com ele?

– Não comecei. Só reparei que ele não é nenhum vilão maligno.

– Alguma coisa mudou. O que foi?

Ele se ofereceu para falar com o papai. E me beijou e me fez querer esquecer tudo de ruim. Ele fez panquecas com as meninas. Thea balançou a cabeça.

– Nada.

– Não me esconda nada, Thea. – Liv enroscou o dedo mindinho no dela. – Somos você e eu contra o mundo, lembra?

Ela inspirou fundo. Liv não deixaria aquilo passar.

– Bom, tem uma coisa que eu não contei.

– Eu sabia! O que ele fez?

Thea explicou as condições de Gavin, mas deixou de fora a parte do beijo. Era íntimo demais.

Liv cerrou os dentes com tanta força que quase os quebrou.

– E você diz que ele não é um vilão maligno! Isso é chantagem!

– Não importa. Não vou acabar cedendo só porque saí com ele.

Já estava escuro quando Thea e Liv voltaram, logo depois do jantar. Gavin e as meninas estavam na sala. Ele a recebeu com um sorriso que fez seu coração dar um pulo.

A risada debochada e atenta de Liv fez Thea assumir uma expressão neutra.

– Vocês se divertiram? – perguntou Gavin, esticando o braço no encosto do sofá.

– Sim – sussurrou, se inclinando para beijar as meninas.

– A gente ia assistir agora a *Um duende em Nova York* – comentou Gavin.

– Podemos assistir juntos? – perguntou Ava.

– Claro – respondeu Thea, olhando para a irmã. – Será que a Liv quer fazer pipoca doce?

– Claro – respondeu a irmã, com uma vozinha enjoada. – E podemos ver o filme juntinhos como uma grande família feliz!

Thea disfarçou um grunhido com um suspiro.

Quando o filme terminou, Gavin se ofereceu para botar as meninas na cama, para que Thea pudesse terminar o dia de descanso com um banho de espuma. Parecia maravilhoso demais para recusar, mas, quando saiu do banheiro 45 minutos depois, Thea percebeu que a sugestão não tinha sido completamente altruísta.

Gavin estava sentado na cama, encostado na cabeceira, as pernas cruzadas nos tornozelos. Tinha um presente junto ao quadril, embrulhado bem demais para ter sido obra dele. Os embrulhos de Gavin costumavam envolver um rolo inteiro de fita e um pedaço de papel cinco vezes maior do que o necessário.

– Está precisando de alguma coisa? – perguntou Thea, cruzando os braços por cima do roupão felpudo que cobria sua nudez.

Ah. Certo. O beijo de boa-noite. O coração deu um salto.

Gavin estendeu o presente.

– Comprei uma coisa para você. – Como Thea não se mexeu para pegar o pacote, Gavin se levantou e foi até ela. – É uma besteirinha, mas lembrei de você quando vi.

Relutante, Thea pegou o presente da mão dele e enfiou a unha embaixo de uma faixa de fita na parte de trás. O papel vermelho e dourado caiu inteiro no chão.

E seu estômago foi junto.

Era um livro.

Mas não qualquer livro. Era o livro *deles*. O que estava lendo no dia em que Gavin finalmente a abordou no café, depois de semanas de sorrisos tímidos. *O q-q-que você está lendo?*, perguntara.

E foi aquele livro que ele se ofereceu para ler em voz alta, quando Thea ficou com o que achou que fosse infecção intestinal, depois de três meses de relacionamento.

– Onde você conseguiu isso? – perguntou Thea, a única coisa que conseguiu pensar.

Nem era difícil encontrar um exemplar de um livro de Faulkner.

– Na livraria do centro. – Ele pigarreou. – Pensei que a gente p-p--podia ler de novo, porque não terminamos…

E realmente não tinham terminado. Porque a infecção na verdade era um enjoo matinal, e o livro acabou esquecido. Thea nem sabia o que acontecera com o antigo exemplar. Devia estar enfiado em alguma caixa no sótão, junto com os outros livros da faculdade, também esquecidos.

A euforia do dia começou a se dissipar como neblina.

– Olha, Gavin, eu sei o que você está fazendo, e… aprecio o gesto. Mas…

– Ontem foi horrível – interveio ele, interrompendo-a. – Eu sei. – Ele hesitou antes de completar: – Q-q-quero tentar de novo. Podemos fingir que as últimas 24 horas não aconteceram?

– Fingir que está tudo bem não resolve nada, Gavin – respondeu Thea, na defensiva.

Soou um tanto agressiva, mas era o que sentia. Por que esconder?

– Eu só q-quero ler junto, como a gente fazia.

– E depois? Depois que você ler, o que acontece?

– Damos um beijo de boa-noite, e eu vou para o meu quarto. Amanhã à noite, fazemos isso de novo, e na outra noite, também.

Thea se sentou na cama. Gavin talvez tenha confundido o gesto como sinal de concordância, porque se aproximou.

– Estou tentando resolver as coisas entre nós, Thea. Você não pode dar uma forcinha?

Como ela ficou em silêncio, Gavin chegou para o lado e se sentou na cama. Encostou-se na mesma pose de quando ela saiu do banheiro, só que agora com o livro aberto, então ergueu o rosto, arqueando a sobrancelha, desafiando-a a se juntar a ele.

Thea revirou os olhos.

– Tudo bem. Vamos ler.

Ela foi até o outro lado da cama e se sentou ao lado dele, segurando o roupão para que ficasse fechado. Ajeitou o travesseiro atrás da cabeça e se recostou. A cabeça bateu na cabeceira. Ela ajeitou tudo de novo.

Ele deu uma risadinha baixa que fez a cama vibrar.

– Confortável?

– Estou bem.

O sorriso de Gavin chegava a fazer barulho.

– Só para ter certeza.

Thea soltou outro suspiro irritado.

– Você vai continuar de onde paramos?

Gavin ficou pensativo por um tempo.

– Hummm... Acho que a gente deve recomeçar.

TREZE

Gavin recomeçou tudo mentindo para a esposa em plena segunda-feira, logo de manhã cedo.

– Tenho treino – avisou, servindo cereal nas tigelas das meninas, que estavam meio sonolentas, usando camisetas vermelhas iguais, sentadas nas banquetas da bancada. – Chego por volta de meio-dia.

– Tudo bem – respondeu Thea, passando o leite a ele por cima da cabeça das meninas.

Seus dedos se tocaram, e ela não se retraiu, o que foi um progresso. Uma trégua agradável se estabelecera desde a noite de sexta. Todas as noites, Gavin lia para ela, depois dava um beijinho casto e ia dormir. Thea ainda não estava muito calorosa, mas deixara que ele passasse o braço sobre seus ombros no sofá durante um filme com as meninas na noite anterior. Era como lidar com um animal arisco.

– Eu gosto de muito leite, papai – avisou Amelia.

– Eu sei, amor.

Ele encheu a tigela dela até a borda e botou só metade disso na de Ava, mesmo suspeitando que a menina só pedia menos leite para ser diferente da irmã.

– Você pode escrever tudo no quadro branco, para eu saber seu horário? – pediu Thea, botando o leite na geladeira. Olhou para as meninas, ainda despertando, bocejando e olhando para o nada. – Comam. Ou vamos nos atrasar. – E olhou para ele. – Tenho que passar na escola para pegar minha carta de recomendação, depois vou me encontrar com o orientador.

– Eu sei. Vi no quadro branco.

Manteiga latiu para a tigela vazia e a empurrou com a pata. O resultado foi água derramada no chão. Thea deu um pulinho por cima da poça, pegou um punhado de toalhas de papel e as largou sobre a sujeira. Isso tudo enquanto respondia a uma pergunta de Amelia sobre onde estava sua faixa de cabelo rosa.

– Está na gaveta do seu banheiro, querida. Quer usar hoje?

Amelia assentiu, o leite escorrendo pela lateral da boca. Thea saltou até a bancada com outra toalha de papel e limpou a sujeira.

– Bom, tenho que me arrumar para não nos atrasarmos.

Thea saiu da cozinha, e Gavin podia jurar que sentiu uma brisa quando ela passou. As manhãs dela eram uma coreografia bem ensaiada. Ele alimentou o cachorro e retirou as toalhas de papel molhadas.

Gavin abriu o aplicativo de calendário, tirou a tampa da caneta com os dentes e começou a anotar os vários treinos e outros compromissos, como reuniões e eventos do fim de dezembro. Quando terminou, viu que a noite de terça estava livre, e que também era a noite de folga de Liv. Ele e Thea não tinham marcado o primeiro encontro, mas não perderia essa oportunidade. Pegou uma caneta de outra cor e escreveu NOITE DO ENCONTRO.

Ouviu os pés dela na escada e guardou a caneta depressa, como se tivesse sido flagrado fazendo algo ilegal. Thea voltou para a cozinha de saia, cardigã e botas altas marrons que ele nunca tinha visto. Deviam ter sido compradas na sexta. Ela estava com a faixa de cabelo rosa da Amelia na mão.

– Escrevi umas coisas no quadro – avisou Gavin.

– Obrigada.

Thea olhou depressa, então parou para olhar de novo quando viu o que Gavin escrevera na noite seguinte.

167

– Tem algum problema? – perguntou ele, sentindo como se a tivesse convidado para sair pela primeira vez de novo.

Ela evitou seu olhar.

– Vou ter que ver se Liv pode cuidar das meninas.

– A gente chama uma babá, se ela não puder.

Thea assentiu, distraída, o que ao menos não foi um *não*.

– Aqui está sua faixa de cabelo, querida. Já comeram? – perguntou às meninas. As duas assentiram. Thea pegou as tigelas, levou até a pia e passou uma água. Continuou falando enquanto botava a louça na máquina. – Você pode comprar gás para a grelha? Já acabou, e eu estava pensando em fazer bife no jantar.

– Claro. Precisa de mais alguma coisa da rua?

– Acho que não, mas mando mensagem se me lembrar de mais alguma coisa – retrucou ela, então suspirou e se virou para as meninas. – Vamos vestir os casacos.

Gavin ajudou as duas a descerem da cadeira, então trabalhou ao lado de Thea para enfiar os bracinhos nas mangas e colocar as mochilas nas costas das meninas. Manteiga, sentindo que era hora da saída, se deitou no chão da cozinha com um toque de drama canino.

– Manteiga está triste – comentou Thea. – Vão lá dar um beijo nele, meninas.

As duas foram até o cachorro, se abaixaram e o encheram de beijinhos, prometendo voltar logo.

– Agora vão beijar o papai – mandou Thea.

– Nossa, eu fico depois do cachorro?

– Você dá menos pena que o cachorro.

– Nossa, hein? Pelo menos estou na vantagem.

Thea riu baixinho. Só de ouvir aquilo, Gavin ficou com vontade de erguer o punho, celebrando.

Gavin pegou as meninas, beijou-as nas bochechas e as levou até o carro. Depois de ajudar a colocá-las nas cadeirinhas, foi até o lado do motorista. Thea desviou o olhar para a direita enquanto jogava a bolsa no banco do passageiro.

– Estaremos em casa depois da escola – disse ela.

Gavin apoiou o braço acima da porta. Esse era um limite que ainda não tinham cruzado: o beijo de despedida.

– Então... – começou ele.

– Nos vemos mais tarde?

Gavin assentiu e olhou para os lábios dela. Thea segurou o ar, encarando os lábios dele.

– Tchau – murmurou Gavin, se aproximando.

Thea se virou e entrou no carro.

Meia hora depois, Gavin entrou na lanchonete, mais uma vez o último a chegar. Os rapazes tinham conseguido pegar uma mesa no canto, bem longe dos olhos xeretas dos turistas. Mesmo assim, Gavin puxou o boné por cima da testa.

Del empurrou uma caneca de café na direção dele.

– Queremos atualizações.

– Marcamos um encontro amanhã.

– Só os dois?

– É.

– Onde vai ser? – perguntou Malcolm.

– Não vou contar.

– Por quê?

– Porque eu sei como ele é – apontou para Mack –, e vai aparecer para me espionar.

– Eu posso ir disfarçado. Você nem vai me notar.

A garçonete voltou com o café e anotou os pedidos. Gavin pediu mais uma vez o Café da Manhã dos Campeões e apontou para Mack.

– Não toque no meu bacon.

– Até onde eu sei, ninguém anda tocando no seu bacon.

A garçonete segurou a risada.

– Tudo bem, vamos nos concentrar – interveio Del. – Aonde você vai com a Thea?

– Na Art Supplies Plus.

Mack engasgou com o café.

– O quê?

– É aquele armazém enorme de artes e artesanato perto do centro.

– Eu sei o que é. Você não pode levar sua esposa lá para um encontro! Gavin soltou uma risada cheia de deboche.

– Você não conhece minha esposa. É tipo uma loja de brinquedos para ela. A gaveta de canetas lá de casa é arrumada por cor, e ela tem uma cesta inteira de washi tape.

– Washi tape?

– É uma fita adesiva bonitinha de decoração. Sei lá, ela adora essas porcarias.

Del assentiu.

– Nessa tem duas gavetas cheias disso. Às vezes, ela fica olhando para as fitas com um sorriso estranho no rosto.

Mack pegou o celular e começou a digitar.

– O que você está fazendo? – perguntou Gavin.

– Pesquisando washi tape.

– Por quê?

– Porque obviamente preciso saber sobre esses troços para a futura Sra. Mack.

– Isso é bom – interveio Malcolm. – Gostei. Mostra que você apoia a decisão de voltar a estudar e que entende algumas das paixões dela.

– E depois? – perguntou Del.

– Eu estava pensando em jantar.

– Onde? – questionou Yan.

– Não sei.

– Ah – comentou Mack, distraído. – Essa coisa é um verdadeiro fenômeno. – Ele virou a tela do celular. – Tem painéis inteiros do Pinterest dedicados só à washi tape.

– Que tipo de painéis? – perguntou Del.

– Do Pinterest.

– O que é Pinterest? – perguntou Gavin.

– Nossa, eu me sinto cercado de velhos. – Mack suspirou. Ele se apoiou na mesa e virou a tela do celular. – Os romances podem ser bons manuais, mas é no Pinterest que elas colocam as fotos.

– É um site? – Del pegou o celular. – Como escreve?

– Você vai ter que criar uma conta. Mas olha só a minha. – Mack entregou o celular a Del.

– Podemos voltar a falar do meu encontro? – pediu Gavin.

Foi ignorado.

– Para que mais se usa? – perguntou Del, navegando pela tela com o polegar.

– Tiro todas as melhores ideias de roupas daí. – Mack apontou para Gavin. – Você devia tentar.

– Vai à merda.

Mack digitou algumas coisas.

– Deve ter fotos de todos nós aqui.

– Por quê?

– Porque somos famosos e bonitos. – Ele olhou para Gavin. – Bom, alguns de nós.

Del grunhiu.

– Meu Deus, eu estou nesse site todo. Como eu não sabia disso?

– Metade dessas fotos deve ter sido postada pela equipe de redes sociais do seu time, cara. Relaxa.

– Espera, tem uma mulher aqui com um painel inteiro de fotos minhas. Mack olhou a tela.

– É. Ah, olha. Ela diz que é superfã.

– Ela é uma stalker, isso sim! E se minha esposa vir isso?

– Talvez seja sua esposa. – Mack pegou o telefone de volta. – Vamos procurar o Gavin.

– Não.

Mack digitou de novo e apertou o botão de busca.

– Caramba, Gav.

Ele virou a tela, relevando uma colagem de imagens suas, algumas sem camisa e suado, durante vários exercícios no treino de primavera do ano anterior.

– Alguém ama você – comentou Mack.

– Se não for minha esposa, não ligo.

– Ah, que fofo! – retrucou Mack – Ih, olha só, ficou todo vermelho!

– Vocês estão mesmo se procurando no Pinterest? – perguntou a garçonete, que chegou com a bandeja de pedidos, pegando a todos de surpresa.

– Estávamos procurando ideias de roupas para o nosso amigo aqui. Ele não é muito bom no quesito moda.

A mulher sorriu para Gavin. Um sorriso *daqueles*.

– Ele me parece ótimo – respondeu, botando o prato na frente dele.

Gavin coçou a barba para exibir a aliança.

Mack deu uma risadinha, comentando:

– Muito sutil.

– Tudo bem, voltando ao encontro do Gavin – interveio Del. – Estávamos pensando em onde ele pode levar a esposa para jantar.

– Vamos fazer umas pesquisas – sugeriu Mack, digitando e falando ao mesmo tempo. – Melhores… restaurantes… de Nashville… para quem quer… acabar na cama.

– Cara, vai se foder.

Mack soltou uma gargalhada.

– Nossa, cara, pior que tem mesmo uma lista.

Gavin pegou o celular.

– Sério?

– Parece que as coisas estão melhorando, Gav. Talvez seja o fim desse seu período de descabelar o palhaço.

Gavin empurrou o celular de volta para Mack. Não importava. O objetivo do encontro não era sexo. Ficaria feliz se a fizesse rir de novo, quem sabe até ganhasse um beijo mais longo de boa-noite.

– Gavin, escuta – começou Del. – No fim das contas, o que vai acontecer amanhã à noite depende de como você lidar com as coisas, então não gaste muito tempo planejando o encontro perfeito, porque pode acabar esquecendo a parte mais importante.

– Qual é?

– Conversar. Fazer com que ela se abra. Você está entrando na próxima fase do plano.

Mack riu.

– Ah, sim. Agora é que fica bom.

– Ah, meu Deus. – Gavin esfregou o rosto. – Como assim?

– Meu jovem – começou Malcolm, como se não fosse só um ano mais velho do que Gavin –, o que você sabe sobre o Ponto G?

Gavin engasgou.

– Entenda – interveio Malcolm. – Sua esposa não quer que você simplesmente diga que a ama, mas isso não quer dizer que você não deva expressar seus sentimentos.

Yan assentiu e completou:

– Só não pode usar essas palavras. Pense que não fazem mais parte do idioma dela. Bom, talvez nunca tenham feito.

– Você tem que dizer que a ama de uma forma que ela queira ouvir – explicou Del. – Uma forma que a faça se sentir bem e segura. Uma forma que quebre as paredes e os medos dela.

– O q-que isso tem a ver com o Ponto G?

Malcolm abriu um sorriso largo.

– Você vai encontrar e massagear o Ponto G *emocional* dela.

– Toda mulher tem um – explicou Del. – Um lugar lá no fundo que só o homem certo consegue alcançar.

A voz saiu trêmula. Del parou, cobrindo a boca com a mão. Mack deu um tapinha em seu ombro, dizendo:

– Tudo bem, cara. Bota para fora.

– Todos temos um vazio – explicou Del, um momento depois. – Uma parte que falta. Uma coisa de que precisamos, mas não queremos admitir, ou que nem sabemos que falta, até descobrirmos na outra pessoa. Se quer consertar as coisas com a Thea, descubra o que falta nela. Acaricie essa parte ferida até que pare de doer. É assim que você vai conseguir dizer *eu te amo*.

– E é realmente só isso, Gavin – completou Malcolm. – Sua esposa tem um vazio. Um buraco. Basta encontrar e preencher.

As palavras de Malcolm foram recebidas com um silêncio incômodo, como quando uma professora de ensino fundamental sem querer diz a palavra *ereto* na frente de meninos de 12 anos. Todo mundo quer rir, mas ninguém tem coragem de começar.

Mack finalmente cedeu:

– Gavin não preenche o buraco da Thea faz um bom tempo.

– Um dia vou bater em você quando ninguém estiver olhando.

Del grunhiu de frustração.

– Olha, que bom que ela aceitou o encontro. É um progresso. Mas não fique pensando que vai ser fácil. Ela vai estar arredia, pode até tentar arranjar uma briga amanhã à noite.

Yan assentiu.

– Não esqueça que ela está no modo resistência total. Você só precisa ficar calmo, de cabeça tranquila, e ser paciente.

Calmo. Tranquilo. Paciente. Achava que conseguiria.

Mack enfiou o celular no bolso.

– E juro que você nem vai reparar em mim, amanhã à noite.

– Agora, vamos falar do livro – interveio Del. – Até onde você leu?

– Estou na metade.

– Perfeito – disse Malcolm.

– Por que é perfeito?

– Porque é agora que a coisa fica séria – explicou Mack.

Cortejando a condessa

A única parte agradável de toda a farsa da noite, se é que havia uma, era que Irena finalmente poderia olhar no rosto do marido e dizer o que todas as mulheres sonhavam em dizer para um homem que a sociedade, a família e a igreja convenceram, havia muito tempo, que estava sempre certo.

Cruzando as mãos no colo, afetada, olhou para Benedict, sentado na cadeira em frente, na carruagem, e se esforçou para não deixar o sorriso escapar.

— Eu avisei.

Benedict conseguiu parecer repreendido enquanto ajeitava a gravata. Até que de repente bateu com o punho na coxa.

— A audácia daquela mulher!

— A que mulher o senhor se refere? Havia tantas...

— À duquesa.

— Ah, claro.

A declaração sucinta da Duquesa de Marbury, rejeitando Irena no baile, tinha sido muito maldosa. As outras mulheres no salão, menos poderosas, tinham simplesmente começado a fofocar alto a respeito de Irena, com expressões tranquilas de desdém, mantendo-se afastadas, quase do outro lado do aposento, mas a duquesa fora responsável pelo insulto mais eficiente de todos. Ela simplesmente se recusara a cumprimentar, sequer a olhar para Irena, quando foram apresentadas.

– Não me importa o título que aquela mulher tem. Ninguém ignora minha esposa daquele jeito. Ninguém!

– Não pense mal dela, milorde. Nós, mulheres, precisamos empregar nosso poder sempre que possível, e, no mundo da alta sociedade, esse poder infelizmente está limitado a destratar outras mulheres.

– Se ela fosse um homem, eu a desafiaria para um duelo.

A risada escapou dos lábios de Irena, tão animadora quanto inesperada. Benedict a encarou, surpreso.

– Você está rindo de mim?

– Perdão – pediu Irena, levando a mão à boca. – É que… nunca vou esquecer essa imagem.

– Cuidado, minha querida. Sua risada é tão bem-vinda que posso ser levado a cometer um homicídio.

– Que romântico.

– Eu falei que faria qualquer coisa para provar meu amor.

– Então talvez seja bom que o senhor passe os próximos dias fora – refletiu ela.

Benedict tinha que viajar até a propriedade no campo para resolver algumas questões. Irena jamais admitiria, mas não estava muito ansiosa para a partida dele, no dia seguinte.

A carruagem passou por cima de uma raiz exposta na estrada lamacenta e sacolejou. Irena fez careta quando os suportes do espartilho afundaram na caixa torácica.

– Está passando mal? – perguntou Benedict.

– Ficarei bem assim que puder tirar a monstruosidade que é este vestido.

Ele abriu um meio sorriso.

– Acho que agora não seria um momento adequado para dizer que acho incrivelmente excitante quando você fala assim.

– Não seria mesmo.

– Ainda assim, se sentir que precisa de ajuda para retirar o vestido, estarei às ordens.

A pele de Irena se encheu de calor, sobretudo em locais que não se importavam muito com o fato de que a dignidade exigia que demonstrasse ao menos uma falsa indignação. Mas sua dignidade já estava enfeitiçada por aquele conde, assim como todas as partes do corpo. Sobretudo quando dançaram naquela noite. O conde a segurou perto demais, mesmo para um marido e esposa em valsa. A mão em suas costas parecia queimar a seda do vestido e deixar marcas na pele. A sensação vertiginosa durou até bem depois que a música acabou.

– Desculpe-me por esta noite não ter sido como o senhor esperava – disse Irena, nervosa de repente, mesmo que não houvesse motivos para tanto.

– Eu tive você em meus braços. Foi exatamente como eu esperava.

As palavras geraram um arrepio que se espalhou pela espinha e pelos braços dela. Irena achava um milagre conseguir ouvir qualquer coisa, de tão altas que eram as batidas de seu coração. Era uma tola por deixar que ele chegasse perto daquele jeito de novo, mas também por achar que podia continuar mantendo-o afastado. Não com seu corpo querendo a mesma coisa que o dele, não com o coração parecendo determinado a se aproximar.

A carruagem desacelerou diante da casa deles. Um lacaio abriu a porta, e Benedict desceu para a rua de paralelepípedos, virou-se e ofereceu a mão para ajudá-la a descer. Quando o lorde ofereceu a braço para que Irena se apoiasse, o calor de seu corpo viril acendeu outra vez o dela. Se as coisas progredissem como nas duas vezes anteriores em que tinham saído, ele a acompanharia até o quarto e daria boa-noite com um beijo casto na mão. Uma hora depois, se juntaria a ela na biblioteca, para ler perto do fogo.

Algo lhe dizia que o lorde iria querer mais naquela noite.

Ou talvez fosse só a voz do próprio desejo.

Benedict a acompanhou para dentro de casa, indo direto até a escada. Nenhum dos dois falou até estarem em frente à porta fechada do quarto dela.

— Obrigada por me acompanhar até o quarto.

Esse deveria ser o momento em que o conde levaria a mão dela aos lábios, mas ele só se aproximou um pouco mais.

— Irena — disse, rouco.

— Sim? — sussurrou ela.

Benedict chegou a boca mais perto do ouvido dela, murmurando:

— Posso lhe dar um beijo de boa-noite?

Não. A mente exigiu que ela negasse. Mas, quando o conde encostou a ponta do nariz em seu queixo, o corpo agiu sozinho, virando o rosto para o dele.

O primeiro toque dos lábios foi leve, um mero roçar de hálitos, e Irena se perguntou se não teria imaginado tudo. Mas a pressão se intensificou quando Benedict apertou os lábios nos dela, enfiando uma das mãos em seu cabelo e entrelaçando os dedos da outra nos dela, unindo as palmas no ponto em que os dois corações se encontravam. De repente, tudo contra o que Irena estava lutando, as lembranças, saudades e desejos, ergueram a bandeira branca da rendição. *Ela* se rendia.

Benedict se inclinou mais para perto até ela estar com as costas coladas à porta do quarto. A boca explorava a dela com tanta paixão e carinho que Irena sentiu o coração subindo a alturas perigosas.

Ele apoiou a testa na dela.

— Agora a noite está perfeita. — Ele deu um passo para trás e uma piscadela. — Nos encontramos no lugar secreto?

Era uma rotina boba do casamento, mas o encontro secreto era sua parte favorita do dia. Irena assentiu.

— Estarei lá.

Quando entrou na biblioteca, uma hora depois, Benedict já estava lá. Jogara várias almofadas dos sofás no chão e abrira um cobertor grande em frente à lareira. Irena deixou a vela em uma mesa próxima e permitiu que ele segurasse sua mão quando se abaixou para sentar no cobertor. Ela o viu se agachar na frente da lareira e atiçar o fogo. Um brilho laranja afastou a escuridão.

Benedict se sentou atrás dela e se deitou de costas no chão, com um dos braços apoiando a cabeça. Seu corpo exalava o tipo de masculinidade tranquila que deixava as moças nos bailes perdidas em risadinhas. Ele a encarou e estendeu o outro braço, até seus dedos roçarem o tecido do robe dela.

— Senti sua falta — murmurou.

— Só se passou uma hora.

— É muito tempo.

— O que leremos hoje?

Benedict lhe entregou um livro que ela nunca vira. Irena tracejou o título em alto-relevo, sentindo um nó surgir na garganta.

— Como soube? — sussurrou.

— Eu a ouvi mencionar, certa vez, que você e Sophia sonhavam em visitar os Estados Unidos e ver os cavalos selvagens. Encomendei este livro na hora. Só chegou hoje.

Seu coração deu um salto.

— Por que você queria ver os cavalos selvagens, amor?

Irena sentiu todas as emoções reprimidas. Alguém realmente superava a morte de uma irmã tão amada?

— Porque eles eram livres — sussurrou Irena. — Nós fazíamos planos secretos tarde da noite sobre como fugir. Poderíamos nos vestir de meninos e fugir em um navio. Ou reservar uma passagem e fingir sermos órfãs procurando a família do outro lado do oceano. Eu teria ido... Teria feito isso por ela.

— Me conte mais sobre ela — pediu Benedict, baixinho.

— Ela amava cavalos tanto quanto eu.

— Era tão talentosa na montaria quanto você?

— Não. Teria sido, mas nunca teve liberdade de explorar esse interesse, não como eu tive.

— Por quê?

— Ela era a mais velha de três filhas. A expectativa de casamento caiu toda em seus ombros. Afinal, era considerada a mais bela da família.

Benedict resmungou uma torrente de ofensas criativas que secretamente a deixaram muito satisfeita.

— Você é a mulher mais linda que já vi, Irena. Quando meu olhar recaiu sobre você, perdi a capacidade de falar.

— Não preciso de elogios, milorde. Estou ciente da beleza que tenho, o que nenhuma dama deve admitir, é claro, mas o mundo é assim. A sociedade inglesa parece exigir que as mulheres fiquem umas contra as outras até que todas tenham inveja de todas.

Benedict ficou um tempo quieto. Mas só por um momento.

— Você sentia inveja de sua irmã mais velha?

Irena balançou a cabeça.

— Nunca. Mas ela sentia de mim.

— Por quê?

-- Eu não carregava o mesmo fardo. A vida dela era dedicada a garantir um marido que não desejava, apenas para agradar aos meus pais.

— E, quando ela morreu, esse fardo ficou para você.

Irena evitou seu olhar, mas assentiu. A mão dele encontrou a dela.

— Fale comigo, meu amor. Confie em mim.

Irena o encarou.

— Ela se sentia culpada por ter ficado doente. Antes de

morrer, me fez prometer que nunca me casaria se não fosse por amor.

Benedict se sentou, hesitante, até o rosto estar a centímetros do dela.

– E você cumpriu a promessa?

O tempo passou, segundos que pareciam horas, enquanto Benedict encarava sua boca, esperando pela resposta.

Um discreto pigarrear os fez pular de susto, como se tivessem sido flagrados em uma posição comprometedora. Estavam casados, claro, então não havia necessidade de constrangimento; mesmo assim, as bochechas de Irena arderam.

Benedict se virou para o invasor. O velho mordomo estava a alguns metros.

– O que foi, Isaiah?

– Peço desculpas, milorde. Um cavaleiro chegou de Ebberfield com notícias urgentes.

Ebberfield era o nome da propriedade Latford em Dorset.

– Que tipo de notícias? – perguntou Benedict, tenso.

– É Rosendale. Ele sofreu um acidente horrível.

Irena sentiu o corpo do marido se encher de tensão.

– Vou agora mesmo.

Ela segurou a mão de Benedict.

– Vou com o senhor.

– Não. Você só vai me atrasar.

– Eu cavalgo melhor que o senhor, milorde.

– Irena, por favor – insistiu ele, de repente incorporando o conde da nobreza. – Como seu marido, ordeno que fique aqui.

As palavras foram como um tapa. Ela recuou, as mãos trêmulas.

Benedict soltou um palavrão e reduziu a distância entre os dois.

– Desculpe-me – pediu.

Ele enfiou as mãos nos cachos soltos da nuca da condessa e

puxou-a. Sua boca estava colada à dela antes que Irena tivesse tempo de reagir. Foi um beijo tenso e desesperado; quando o conde se afastou, foi só o suficiente para levar os lábios à testa dela.

— Perdoe-me, mas há coisas sobre as quais não posso falar agora.

Ele se virou e saiu.

CATORZE

– Não acredito que você vai mesmo fazer isso.

Era noite de terça, e Thea, que passava rímel, deu um pulo de susto ao ouvir a voz de Liv na porta do banheiro. Uma meia-lua de pontinhos se espalhou embaixo do olho direito. Ótimo. Não que se importasse com a aparência, não era um primeiro encontro de verdade. Isso era só um detalhe técnico. Uma parte do acordo.

Thea limpou o rímel borrado com um cotonete e decidiu que já estava mais do que bom. Deu um passo para trás e observou o resultado no espelho. Na verdade, estava um pouco melhor do que bom.

– Se nada der certo, deixe as pernas à mostra, não é mesmo? – rosnou Liv.

– Não acredito que você acabou de citar nossa mãe.

Liv se sentou na cama.

– Só estou dizendo que você está fazendo esforço demais por um homem que não está tentando impressionar.

Thea calçou os saltos pretos.

– É só um vestido.

– Um vestido que diz: *Me encoste na parede e cuide bem de mim, garotão.*

– Na verdade, o vestido diz: *Não foi minha irmã que me convenceu a comprar isto na semana passada?*

– É, mas isso foi antes de saber que o Gavin tinha feito chantagem para ter um encontro.

As duas se viraram, culpadas, ao ouvir alguém pigarreando à porta. Ambas ostentavam expressões de *não estávamos nem falando de você.*

– Pronta? – perguntou Gavin, abrindo um sorrisinho que dizia *sim, eu sei que vocês estavam falando de mim.*

Thea tentou responder, mas só conseguiu emitir um grunhido baixo. *Caramba*. O marido estava lindo. Usava uma calça cinza-escura que ela nunca tinha visto, mas parecia ter sido feita sob medida. E também era a primeira vez que via aquela camisa azul e lisa, de botão, ajustada a ponto de esticar um pouco nos ombros e bíceps. As mangas estavam enroladas, deixando à mostra os antebraços musculosos. Ela se abanou mentalmente. Os homens deviam passar mais tempo trabalhando os antebraços. Eles não faziam ideia do impacto que a flexão daqueles músculos provocava numa mulher.

– Você está bonita – comentou ele.

– Você também.

– Vestido novo?

– É. Camisa nova?

– É.

– Gostei.

– Essa é a dica para você sair, Liv – comentou Gavin, sem tirar os olhos de Thea.

– E essa é a dica para você…

– Liv – repreendeu Thea. A irmã repuxou os lábios e saiu da cama.

Gavin entrou no quarto com um sorriso quase tímido.

– O-onde está sua bolsa?

– Na cômoda. Por quê?

Ele tirou uma bandana dobrada do bolso.

– Porque você precisa guardar isto dentro.

– Hum… É para eu ficar com medo?

Ele respondeu com um sorriso menos tímido.

– Você vai ver.

No andar de baixo, os dois beijaram as meninas, desviaram da baba do cachorro e mandaram Liv não deixar as gêmeas vendo nenhum vídeo idiota do YouTube. Liv respondeu que não podia prometer nada e os expulsou de casa.

Gavin ajudou Thea a entrar no carro e foi para o outro lado.

– Então... – Ele pigarreou, quando entraram na via expressa. – V-você teve alguma notícia de Vanderbilt?

– Ainda não. Mas devo ter esta semana.

– E s-se... – Ele não terminou a pergunta, mas não precisava. Thea sabia o que era.

– Se eu não entrar? Não sei. Ainda não pensei nisso.

– Você vai entrar – retrucou Gavin, com uma confiança que não devia existir. – E vamos comemorar quando isso acontecer.

Thea grunhiu, indiferente.

Alguns minutos depois, Gavin sinalizou que pegaria a saída.

– Coloque a venda – pediu, bem-humorado.

– Aqui? – Ela olhou em volta. Estavam no estacionamento de uma loja sem identificação.

– É. Aqui.

Com o coração disparado, Thea amarrou a bandana sobre os olhos. Aquilo era ao mesmo tempo ridículo e fofo, o que só tornava a situação mais perigosa. Só tinha que ir ao encontro, não precisava se divertir de verdade.

– Está vendo alguma coisa?

– Nadinha.

– Que bom. Não pode espiar.

O carro virou mais duas vezes, até Thea sentir que estava parando de novo. Luzes fortes deixaram tudo avermelhado através do tecido.

Thea sentiu que Gavin se inclinava em sua direção.

– Tudo bem. Pronta?

Ela riu.

– Pronta.

Gavin mexeu na bandana. Tomando cuidado para não puxar seu

cabelo, ele desfez o nó e deixou que o pano caísse. Thea se encolheu por um momento, por causa da luz forte. E...

– Você me trouxe à Art Supplies Plus?

– Achei que p-podíamos comprar umas coisas para as suas aulas.

Thea ficou encarando Gavin, o coração emitindo um aviso. Ele não estava seguindo o protocolo. Aquele era o tipo de encontro elaborado para quebrar suas defesas. O marido estava tentando seduzi-la com canetas e telas de pintura.

Notou um instante de incerteza nos olhos dele.

– T-tudo bem?

– Tudo. Eu só... Obrigada.

Lá dentro, Thea pegou um carrinho e o encarou como quem pergunta *tem certeza?*

– Você quer mesmo fazer isso? – indagou, tentando manter o tom leve.

– Você não quer?

– Eu quero. Mas fique avisado, Gavin: em lugares assim, eu fico parecendo uma criança numa loja de doces.

Ele sorriu.

– Eu sei. Já vi sua gaveta de canetas, Thea. Estou preparado.

Ele não estava preparado.

Ver Thea andando pela loja de materiais de arte era como ver um animal furioso solto na Corrida de Touros em Pamplona. Gavin se oferecera para empurrar o carrinho enquanto ela olhava tudo e escolhia, o que era ótimo, pois lhe permitia uma visão melhor dela naquele vestido.

Meu Deus, que vestido. No instante em que entrara no quarto, sentira-se como um daqueles personagens de desenho, com olhos saltando e a língua pendurada para fora.

Gavin a seguiu por vários corredores, até que Thea soltou um suspiro apaixonado.

– Washi tape – sussurrou, a mão sobre o peito.

Havia um corredor inteiro daquilo. Fileiras e mais fileiras de todas as estampas e cores imagináveis. Thea observou cada rolo de fita com olhar crítico, jogou alguns no carrinho e botou outros de volta na prateleira. Como se não pudessem comprar tudo duas vezes... Bem, esse não era o estilo de Thea. Na verdade, Gavin ficou impressionado quando soube das compras, na sexta-feira anterior.

– Olha isso. – Thea enfiou uma coleção de fitas com tema escolar na cara dele. – As meninas iam adorar!

Gavin botou as fitas de volta na prateleira. Thea o encarou, confusa.

– Por que você fez isso?

– Nós viemos comprar coisas para você, não para as meninas. – Ele estendeu a mão por cima dela e pegou outras fitas, que pareciam recriações das pinturas de Van Gogh. – Que tal estas?

Ela as jogou no carrinho.

– Você já ouviu falar do Pinterest? – perguntou ele, alguns minutos depois.

Thea o encarou como se ele tivesse perguntado se ela já tinha ouvido falar de Elvis Presley.

– Sério? Eu vivo no Pinterest.

– Você tem conta lá?

– Tenho. Por quê?

– E usa para quê?

Thea soltou um suspiro trêmulo.

– Meu Deus, para que eu *não* uso? Receitas, ideias de artesanatos, dicas de maternidade... Fotos fofas de cachorro. Por quê?

Gavin sentiu as bochechas esquentarem.

– Tem... Tem fotos minhas lá.

Thea deu risada.

– Eu sei.

– Você já viu?

– Você acabou de descobrir o Pinterest, é?

– Mais ou menos. – Ele inclinou a cabeça. – Então você viu as fotos?

Ela deu de ombros.

– Vi. Tenho um painel dedicado ao Legends, e o algoritmo do site me recomenda pins relacionados, para eu botar lá. É comum você aparecer. Ainda mais depois...

Ela deixou a frase por terminar. Estava falando da reação do público depois do grande *grand slam*. Mas não queria falar nisso.

– Então você fica sentada na frente do computador procurando receitas de carne assada e, de repente, aparece uma foto do seu marido, só que postada por outra mulher?

– Gavin, tem mulheres postando fotos suas em todas as redes sociais desde o dia em que nos conhecemos. Às vezes, até postam fotos de nós dois juntos, ou me tiram com Photoshop. Estou acostumada.

– Se tivesse um site em que homens estranhos postassem milhares de fotos suas, eu n-não ia conseguir me acostumar.

– É diferente. Eu não sou famosa.

– Você é a pessoa mais importante do m-m-mundo para mim, então discordo.

Thea entreabriu os lábios, um caleidoscópio de emoções conflitantes surgiu nos olhos dela. Como se não acreditasse nele, mas quisesse desesperadamente acreditar. De repente, antes que Gavin percebesse o que estava acontecendo, Thea ficou na ponta dos pés e deu um beijo levíssimo em seus lábios.

Foi tão rápido que ele quase não acreditou que tivesse acontecido. Thea recuou, balançando a cabeça.

– Desculpe. Não sei por que fiz isso.

Gavin tentou aliviar a tensão com uma piada.

– Eu devia trazer você para comprar washi t-t-tape mais vezes.

Deu certo. Thea relaxou.

– Espere até chegarmos ao corredor dos pincéis.

– Nossa, podemos ir logo?

Thea o empurrou de brincadeira.

Infelizmente, nada aconteceu no corredor dos pincéis. Nada de bom, pelo menos. Mas, depois de analisar mais de vinte modelos de vários tamanhos em duas fileiras diferentes, Thea o segurou pelo braço, puxando-o para cochichar em seu ouvido.

– Olha, você vai achar que estou paranoica depois da conversa do Pinterest, mas acho que tem dois torcedores malucos seguindo você.

Gavin sentiu os pelos da nuca se eriçarem.

– Do que você está falando?

– Tem dois caras estranhos que não param de surgir nos corredores. Eles não conseguem disfarçar. Não sei... Parece que estão de olho em você, mas tentam parecer que não estão.

Gavin tentou manter a expressão neutra.

– Como eles são?

– Eu mostro se a gente passar por eles de novo. Mas devo estar sendo paranoica...

– Fique perto de mim – pediu, tenso.

Era uma das coisas que odiava em ser jogador profissional de beisebol. A família ficava exposta. Deixando de lado as brincadeiras sobre o Pinterest, era horrível saber que não podia nem sair com a esposa sem se preocupar se alguém ficaria olhando, incomodando os dois.

Pagaram as compras e, quando estavam saindo, Gavin deu uma última olhada para trás, para ver se os homens estranhos que Thea mencionara ainda estavam lá. Como não viu ninguém, acabou relaxando, mas manteve a mão nas costas dela enquanto andavam. Gavin guardou as sacolas no porta-malas e ajudou Thea a voltar para o carro.

– E agora, para onde vamos? – perguntou ela, quando Gavin saiu do estacionamento.

Ele quase sugeriu que encontrassem uma estrada escura e ficassem no banco de trás, mas isso seria abusar da sorte.

– Vamos jantar – disse, virando para a esquerda.

– Que bom. Estou morrendo de fome.

– Eu também – concordou ele, encarando-a sem o menor pudor.

O sorriso tímido de Thea fez seu coração bater mais forte.

Um trajeto rápido pela via expressa os levou até a cidade. O trânsito era horrível, mesmo numa terça-feira, e havia gente demais na rua. Gavin passou bem devagar por um sinal e entrou em uma rampa de estacionamento perto do restaurante. Parou ao lado do manobrista enquanto Thea passava batom e ajeitava o cabelo no espelho. Sentiu o coração saltar outra vez. Ela era tão linda que às vezes doía só de olhar. Como agora.

Depois de trocar a chave por um cartão do manobrista, Gavin apoiou a mão nas costas dela enquanto caminhavam. Estavam a alguns quarteirões da Broadway, a via turística principal do centro de Nashville. Mas o lugar estava cheio de moradores locais e de turistas que buscavam entretenimento longe das multidões.

Andaram em silêncio por um quarteirão inteiro, parando e seguindo junto com o fluxo de gente em busca de uísque e música. Gavin a manteve junto ao corpo, protetoramente, sobretudo quando o inevitável começou.

– Cara, acho que aquele era o Gavin Scott – comentou um sujeito de botas de caubói, quando passaram.

Thea ergueu os olhos, abrindo um sorriso.

– Cara – repetiu, dando risada.

– Vamos andando, com sorte vão nos deixar em paz.

Alguns metros depois, outro homem o reconheceu.

– Ei, você não é…

Gavin levantou a mão livre, em um gesto educado que dizia *agora não, por favor.*

Desde o *grand slam*, era reconhecido mais do que nunca. Isso quase o fez escolher um lugar diferente para levá-la naquela noite, mas o restaurante era uma churrascaria famosa que ele sabia que Thea adoraria. Também tinha música ao vivo e pista de dança, um restaurante único em Nashville. Quando Gavin fez a reserva, pediu a mesa mais particular possível. Não usava muito seu status de celebridade, mas aproveitou para garantir que teria o que queria. Compensou, porque a recepcionista os tratou como realeza quando chegaram e os levou para um espaço particular com vista da pista de dança.

A mesa estava posta para dois com uma vela no centro, ao lado de um vaso cheio de margaridas. A recepcionista avisou que a garçonete logo apareceria para anotar os pedidos de bebidas e os deixou a sós.

– Você pediu isso aqui? – perguntou Thea, apontando as margaridas.

– Pedi.

O gesto a deixou incomodada.

– Sinto muito por não me lembrar desse dia da margarida.

– Eu reparei em você bem antes de você reparar em mim, então n-não poderia esperar que você lembrasse.

– Não foi *tão* antes assim – argumentou Thea.

– Foi bastante tempo antes.

– Quanto tempo?

– Dois meses.

Ela revirou os olhos.

– Que mentira.

Gavin riu e levantou as mãos.

– Eu juro.

– Você frequentou aquele café durante dois meses antes de eu reparar em você?

– Sim. Eu sempre ficava decepcionado, até que você finalmente ergueu o rosto e sorriu para mim.

– Mas eu *reparei* em você antes de sorrirmos um para o outro.

– Certo. Quando?

Ela deu de ombros.

– Não sei. Algumas vezes.

– Bom, eu odiava café, só comecei a ir lá na esperança de ver você, então…

Thea abriu os lábios.

– Sério?

– Sério.

– Por que você nunca me contou isso?

– Acho que, quando finalmente reuni coragem para falar com você, tinha muitas outras coisas sobre as quais eu queria conversar.

E porque havia coisas sobre as quais nunca conversavam, como os pais dela. Gavin tentara várias vezes, mas Thea sempre interrompia as conversas. Ao que parecia, ele era burro o suficiente para pensar que isso significava que não havia nada que valesse ser discutido. Mas, quando perguntou se Thea queria que ele resolvesse as coisas com o pai dela, o muro subiu, como sempre. Pelo menos agora reconhecia o muro. Pelo menos agora sabia que o muro precisava ser derrubado.

A garçonete os interrompeu discretamente e perguntou se queriam uma garrafa de vinho. Gavin gesticulou para que Thea fizesse as honras, porque ela era bem melhor naquelas coisas. Ela passou os olhos pela carta de vinhos e pediu um chardonnay com nome francês.

A garçonete voltou com o vinho, serviu duas taças e anotou os pedidos. Gavin moveu a cadeira para ficar mais perto de Thea, e bateu a taça na dela.

Ela ergueu uma sobrancelha.

– Estamos brindando?

– Estamos.

– A quê?

Gavin pensou em dizer alguma bobagem, como brindar à washi tape. Mas decidiu dizer uma coisa mais madura e significativa.

– Ao nosso primeiro encontro.

Thea sorriu, olhando para o vinho, mas depois olhou por cima do ombro dele, estreitando os olhos.

– O que foi?

– Se lembra dos dois caras que eu vi na loja?

Gavin ficou tenso.

– O que tem?

– Eles estão aqui.

– Onde?

Seguiu o dedo de Thea, que apontou para o bar. Os dois homens se viraram depressa. Um usava chapéu de caubói e óculos de sol, o outro, uma camisa do Detroit Red Wings. Não dava para ver os rostos tão de longe, mas Gavin reconheceria aquela postura arrogante em qualquer lugar.

Era o idiota do Braden Mack, com um disfarce ridículo.

QUINZE

Ia matar o desgraçado. Tentando manter a voz neutra, perguntou:

– Tem certeza de que são os mesmos caras?

– Tenho. Mas deve ser só coincidência, né?

Gavin largou o guardanapo na mesa.

– Fique aqui.

– O quê? – Ele se levantou, e Thea segurou seu braço. – O que você vai fazer? Gavin, você não pode brigar com eles!

– Confie em mim.

Os dois "homens" souberam que tinham sido identificados no instante em que Gavin surgiu na escada. Ele acompanhou os dois com o olhar enquanto abriam caminho pelo bar lotado até um corredor escuro nos fundos, com um letreiro neon escrito TOALETES iluminando o ambiente com um brilho rosa.

Gavin desviou de casais dançando e de cretinos bêbados caçando mulheres e finalmente abriu a porta do banheiro com as duas mãos.

– Sei que você está aqui, Mack!

– Não tem ninguém aqui com esse nome – respondeu uma voz no segundo reservado.

Gavin bateu na porta de aço inoxidável.

– Saia. Agora.

A porta se abriu. Gavin recuou, os punhos cerrados junto às coxas. Mack saiu com o chapéu na mão.

– Por que não está respondendo nossas mensagens?

Gavin sentiu um rosnado crescer na garganta.

– Você está de sacanagem!? É isso que tem para me dizer? O que você está fazendo aqui?

– Tentando ajudar.

Gavin seguiu pelo banheiro, batendo nas outras portas.

– Quem veio com você?

Uma segunda porta se abriu, e o jogador de hóquei russo com problemas com queijo saiu.

– Pergunta à esposa se ela quer dançar.

– É sério isso? – indagou, olhando para Mack. – Você o arrastou junto?

– Ele está certo – disse Mack. – Ela não para de olhar para a pista de dança. Pergunta se ela quer dançar.

– Estou indo bem sem sua ajuda, muito obrigado. A propósito, esse chapéu e esses óculos são o pior disfarce que eu já vi na vida. Acha mesmo que ninguém reconhece vocês?

– Ninguém veio falar comigo.

– Deve ter sido por vergonha alheia. Acham que você ficou doido. E, quer saber? Você ficou. Tenho certeza. Você não tem vida?

– E o meu disfarce? – perguntou o russo, olhando para a camisa do time rival, o Red Wings.

– Horrível.

– Mas ninguém nos reconheceu... – retrucou Mack. – Aliás, você estava certo sobre aquelas washi tapes! Ela te beijou!

Gavin agarrou Mack pela camisa.

– Eu juro por Deus...

Ouviram alguém apertar a descarga. Gavin sentiu um vaso sanguíneo explodir no cérebro. Um homem baixo e corpulento saiu do último reservado e parou para encará-los. Mack começou a assobiar e olhar em volta. Gavin trincou o maxilar com tanta força que ouviu um osso estalar.

O homem o encarou.

– Olha, eu conheço você.

Gavin soltou a camisa de Mack.

– Não conhece, não.

– Você é Gavin Scott.

– Não é, não – disse o russo. – Gavin Scott é muito maior. E não é feio como ele.

O homem riu e lavou as mãos. No espelho, olhou para Gavin.

– Você devia perguntar se ela quer dançar. Se ela está olhando para a pista de dança, é porque quer.

Ótimo. Agora estava ouvindo conselhos de estranhos na porcaria do banheiro.

O homem secou as mãos, dizendo:

– Eu não ouvi nada.

E saiu.

Gavin apontou para Mack.

– Você vai embora. Agora.

– Escuta a gente, cara – pediu Mack. – Você está indo bem, mas dance com ela. E use isso como oportunidade para fazê-la falar. Acontece o tempo todo nos manuais. Lembra quando Irena e Benedict dançaram a valsa? Fez com que os dois se aproximassem. As pessoas revelam segredos quando dançam. É mais fácil falar com um ombro do que com um rosto.

Aquilo fazia um sentido absurdo, o que só deixou Gavin mais irritado.

A porta se abriu de novo, e um segurança de uniforme cinza entrou. Ele observou a cena.

– Tudo bem aí?

– Tudo – disse Mack. – Não tem nada acontecendo.

– Uma mulher disse que estava com medo de o marido estar com problemas.

Gavin estendeu a mão para o segurança.

– Meu nome é Gavin Scott, sou jogador do Nashville Legends. Esses dois estão incomodando minha esposa e eu, gostaria que você os retirasse daqui, por favor.

– Vamos. – O segurança segurou o braço de Mack. Hesitou quando percebeu que o braço era puro músculo. – Hum…

Mack ignorou o segurança.

– Quando chegar em casa, ainda no carro, pergunte se pode beijá-la. No carro. Ela vai amar. Li isso em um livro e tentei com uma garota uma vez. Eu juro, ela derreteu feito manteiga.

– Esse homem está descontrolado – disse Gavin ao segurança.

– O senhor andou bebendo? – perguntou o segurança.

Mack assentiu.

– Sim. Boa. Vou fingir que estou bêbado. Faça Thea ver isso quando ele nos expulsar. Você pode nos seguir e ficar dizendo coisas como *sumam daqui!* e ser o macho alfa, essas coisas.

– Você é louco.

Mack botou o chapéu.

– Estou dizendo, ela vai se abrir com você depois de tudo isso. Você vai nos agradecer.

O segurança puxou o braço de Mack.

– Olha, não sei o que está acontecendo aqui, não sei nem se quero saber, mas quero vocês dois fora.

Ele empurrou Mack na direção da porta. O russo foi atrás.

– Meu disfarce não é horrível.

Um grupo pequeno tinha se formado do lado de fora do banheiro. Afinal, quem não fica curioso quando um segurança entra no banheiro de um bar? Mack se virou para olhar para trás e fez a maior cena que conseguiu.

– Eu te amo, cara! – gritou, tropeçando, para causar mais efeito. – Sou um grande fã. O maior.

Gavin massageou o ponto entre os olhos.

– Sim. Grande fã – completou o russo, erguendo os braços no ar sem o menor motivo.

– Para fora – mandou o segurança, empurrando os dois pela porta.

Gavin ignorou os olhares e perguntas enquanto voltava pela pista de dança. Olhou para cima e viu Thea reclinada sobre a amurada, mordendo o lábio. Ele subiu dois degraus de cada vez.

Thea correu até ele.

– O que houve?

– Nada. Está tudo bem.

– O que você disse para eles?

– Falei que estava tendo uma noite agradável com minha esposa e que gostaria que nos deixassem em paz.

– Não faça isso de novo, está me ouvindo? Eles podiam ser malucos! Não quero que você faça mais isso.

– Não vou fazer.

– Estou falando sério.

Gavin botou as mãos nos quadris dela e a puxou para perto.

– Q-quer dançar?

– Dançar?

Thea examinou o rosto de Gavin em busca de sinais de outra batida na cabeça. Será que ele apanhara dos homens no banheiro?

Notou a insegurança surgir no rosto dele.

– Eu achei que talvez você q-q-quisesse…

– Eu…

– Não precisa se não quiser, não tem problema…

Gavin começou a recuar, mas Thea segurou as mãos dele.

– Eu não disse que não queria. É que a gente nunca dançou.

– Eu sei. Já passou muito da hora, não acha?

Sim, mas nada no casamento deles era muito normal. Estavam fazendo pela primeira vez muitas coisas que os casais normais faziam bem antes de se casarem e terem filhos.

– Eu gosto de dançar – disse ela, por fim.

Calma. Não. O que ela estava pensando? Aquilo não era para ser um encontro de verdade. Devia estar fazendo só o básico. A washi tape e o vinho estavam bagunçando seu cérebro. Thea recuou.

– Eu também – disse Gavin, segurando sua mão e a puxando de volta. Ele entrelaçou os dedos nos dela. – Vamos?

Thea olhou ao redor. Estavam longe dos olhos xeretas, e a banda tinha começado a tocar uma música lenta.

Um frio de nervoso se alojou em sua barriga quando Gavin passou o braço por sua cintura e a puxou mais para perto. Ele segurou a outra mão dela, entrelaçando os dedos junto do coração. Foi másculo, galante e muito sexy. E isso *antes* de começarem a se mover.

E… Uau. Gavin dançou com um ritmo natural que a deixou sem ar. Claro que a maioria dos atletas tinha bastante controle do corpo, mas isso não queria dizer que eram bons dançarinos. Thea já tinha visto danças suficientes no banco de reservas para saber que a maioria dos jogadores só tinha controle do corpo no campo. Mas, Gavin… Uau. Por que ele escondera aquilo por tanto tempo?

– Você se arrepende de não termos feito um c-casamento de verdade? – perguntou ele, depois de um tempo dançando em silêncio.

– Nós tivemos um casamento de verdade.

– Você sabe do que estou falando. Uma festa grande.

Ela sentiu a barriga se contrair. Era um assunto perigoso.

– Não. E você?

– Eu não me arrependia, mas agora acho que gostaria de ter a lembrança de você entrando de branco na igreja.

– É só um vestido.

– *Isto* não é só um vestido.

Gavin espalmou a mão nas costas dela. Thea sentiu o coração disparar. Os flertes que na semana anterior a incomodaram tanto agora estavam provocando uma confusão em seus nervos, o que não era nada bom. Ela encarou os ombros dele, evitando seus olhos.

– E lua de mel? – murmurou ele.

– O que tem?

Aquilo sim era um assunto perigoso. Thea se concentrou nos passos, na respiração…

– Eu me arrependo de não termos tido lua de mel – disse Gavin, num tom brincalhão, movendo o polegar por sua lombar de forma sugestiva.

Thea tossiu.

– Aonde você ia querer ir?

– Para um lugar quente, onde você ficasse o dia todo de biquíni.

A risada escapuliu, inesperada.

– Eu não uso biquíni desde que as meninas nasceram.

– Eu sei. É fonte de grande d-decepção para mim.

Os dois dançaram mais um pouco em silêncio, mas Gavin logo voltou a falar.

– Se tivéssemos feito um c-casamento, v-você teria pedido ao seu pai para entrar com você na igreja?

Thea engoliu em seco e fechou os olhos. Não queria pensar naquele filho da mãe, não naquele momento. Não enquanto estava cheia de outras emoções confusas. E aquele tipo de pergunta era o motivo pelo qual não devia ter aberto a porta da conversa.

– Fale comigo, Thea – pediu Gavin, a boca junto de seu cabelo.

– Qual é a importância?

– É que eu me importo com você.

Thea balançou a cabeça.

– Não sei – admitiu. – Parece o tipo de coisa que um homem teria que conquistar, não só simplesmente poder fazer.

Gavin a puxou mais para perto.

– E ele não conquistou.

– Não. Ele definitivamente não conquistou esse direito.

Os dois dançaram em silêncio por vários minutos. O corpo de Thea registrou cada detalhe do corpo dele roçando e se ajustando ao dela. Gavin inclinou o rosto e beijou o topo de sua cabeça.

– Por que você não quer ir ao casamento? – perguntou, baixinho.

Por algum motivo, ela respondeu:

– Porque não suporto ver outra mulher jovem e ingênua ser enganada a ponto de acreditar que vai mudar meu pai, que vai ser a mulher capaz de fazer com que ele fique. Ele não vai ficar. Só vai abandonar a coitada, porque é isso que ele faz. Ele vai embora.

A volta para casa foi silenciosa.

Não era um silêncio tenso. Só... um silêncio estranho. Durante toda a noite, tinham mantido um vácuo tranquilo, evitando todas as questões enormes e desagradáveis ainda não resolvidas. Tantas situações ruins foram esquecidas por uma noite...

Gavin parou na porta de casa e desligou o motor, mas nenhum dos dois fez menção de sair.

– Eu me diverti hoje – disse ele.

Thea não queria admitir que também tinha se divertido, então não disse nada. De que adiantaria encorajá-lo com falsas esperanças? Assim que saíssem do abrigo escuro do carro, a realidade jogaria a vida real na cara deles, e nem a saudade, nem o desejo de que as coisas fossem diferentes mudaria isso.

Gavin pigarreou.

– Então...

Thea olhou para ele.

– Então?

– Como isto é um encontro... Posso beijar você aqui, no carro, antes de voltarmos lá para dentro?

Thea sentiu o ar sumir dos pulmões.

– É isso que as pessoas fazem em encontros? Eu tinha esquecido.

– Eu me lembro de fazer bem mais do que isso em um carro com você – retrucou ele, rouco.

Thea sentiu as bochechas esquentarem.

– Você sabe que aquela deve ter sido a noite em que engravidei, né?

– Eu sempre me p-perguntei isso.

O olhar carregado com que ele a encarava sugeria que tinha mesmo se perguntado aquilo, mas não de um jeito negativo; Gavin só gostava da lembrança e não se importaria de criar uma nova.

E era por isso que o mais inteligente a se fazer era sair do carro naquele momento.

Mas Thea não estava se sentindo muito inteligente. Estava tomada de sentimentos.

– Sim – murmurou.

– Sim?

Thea olhou para os lábios dele.

A felicidade explodiu no peito de Gavin quando ele a beijou. Não foi como antes. Não foi como o beijo na cozinha, nem o da noite em que ele voltou para casa. Aquele beijo não foi nenhuma explosão de paixão, mas mesmo assim foi destruidor. Quem imaginaria que uma pressão suave poderia ser tão incandescente? Aquele beijo exigia respiração lenta pelo nariz e firmeza nas pernas. Era o tipo de beijo que dizia que ela estaria encrencada se continuassem com essa história de encontros.

Gavin ajustou o ângulo da boca e roçou nos lábios dela uma, duas, três vezes. Então recuou e a encarou, um meio sorriso erguendo o canto da boca.

Depois, passou o polegar pelo lábio inferior dela.

– Está com vontade de ler hoje?

Thea assentiu, sua cabeça parecia se mover por vontade própria.

Uma hora depois, caiu no sono com a cadência suave da voz dele e as batidas confusas do próprio coração.

DEZESSEIS

– As criançonas se divertiram ontem à noite?

Na manhã seguinte, Gavin fechou a geladeira e viu que Liv tinha se materializado na cozinha, como se tivesse se teletransportado. Deu um pulo de susto, soltando um palavrão.

– Sim – respondeu ele.

– Droga – retrucou Liv. – Eu estava com esperanças de sair do porão.

Gavin botou o leite do cereal das meninas na mesa. Thea estava vestindo as duas no andar de cima. Ele ainda não a vira naquela manhã, só a ouvira andando pela casa.

– Sabe, Liv, essa troca entre a g-g-gente até que é divertida – resmungou Gavin –, mas não estou com paciência esta manhã.

– Só estou cuidando da minha irmã. Avisei você sobre fazer mal a ela, não foi?

Gavin abriu a despensa e pegou o cereal.

– Você já parou para pensar que isso não é da sua conta?

– Ela é minha irmã.

– E é minha esposa.

– Eu moro aqui.

– Fique à vontade se quiser ir embora.

– Você primeiro. – Ela estalou os dedos. – Ah, espere! Você já tentou isso antes.

– E não planejo repetir.

Thea entrou na cozinha, e Gavin pegou o cereal.

– Oi – sussurrou.

– Bom dia – disse Liv.

Thea olhou de um para o outro.

– O que está acontecendo?

– Nada – disse Gavin.

– Só estou deixando bem claro ao meu cunhado o que acho dele.

Thea suspirou e prendeu o cabelo no alto da cabeça. As meninas entraram na cozinha com camisetas rosa e leggings roxas iguais. Gavin botou as duas na cadeira e serviu o cereal.

Ela estava rígida quando foi encher uma caneca de café. Será que dormira melhor do que ele? Porque Gavin tinha dormido muito mal. Para sair da cama dela, na noite anterior, e ir para o quarto de hóspedes, fizera uma força hercúlea. Não tinha mais aquela força. Precisava tocar nela.

Gavin se aproximou por trás e passou o braço pela cintura dela, encostando o nariz em sua bochecha.

Thea virou o rosto para ele, surpresa, de olhos arregalados. Gavin deu um beijo rápido nos lábios dela.

– Bom dia – murmurou.

– Bom dia – sussurrou ela.

– Eu me diverti ontem à noite.

Liv fingiu que vomitava.

Gavin olhou para trás, grunhindo. Liv estreitou os olhos. Ele mostrou os dentes. Ela espalmou a mão no ar, mexendo os dedos e cantarolando "alguém ficou na mão".

Thea se virou, soltando outro suspiro.

– Vocês dois precisam parar com isso.

– Ela que começou.

Thea inclinou a cabeça.

– Eu nunca deixo as meninas se safarem com essa desculpa.

As gêmeas, que botavam colheradas de cereal com leite na boca, quietinhas, deviam ter sentido a tensão na cozinha, porque começaram a discutir sobre quem tinha mais cereal. Gavin afastou o olhar de Thea e interveio.

– Vocês duas receberam a mesma quantidade, meninas.

– Acabei – anunciou Ava, empurrando o prato e fazendo beicinho sem o menor motivo.

– Espere sua irmã acabar, para depois as duas se arrumarem – disse Thea, indo até as meninas.

Ela começou a limpar as duas boquinhas, mas parou quando sentiu o celular vibrar no bolso. Soltando um grunhido irritado, Thea pegou o aparelho.

E ficou paralisada.

– O que aconteceu? – perguntou Gavin.

– Chegou um e-mail da Vanderbilt.

Liv soltou o café na bancada.

– Merda.

– Abre – incentivou ele.

Thea engoliu em seco, mexendo no aparelho. Gavin prendeu a respiração enquanto os olhos da esposa deslizavam pela tela.

Ela abriu um sorriso, virando o celular para ele.

– Minha nossa – sussurrou Gavin. – Você entrou?

– Entrei!

Thea levantou os braços e soltou um grito de vitória. Liv fez uma dancinha pela cozinha, e as meninas riram da palhaçada. Gavin queria participar da comemoração. Queria passar os braços em volta de Thea e parabenizá-la com um beijo, mas preferiu se conter.

– Isso é incrível, Thea! – disse, mantendo uma distância segura. – Parabéns.

– Quando começam as aulas? – perguntou Liv.

Thea olhou para o e-mail de novo.

– Dia 18 de janeiro.

– Vamos comemorar hoje – anunciou Liv, abraçando a irmã por trás.

Gavin ficou irritado, mas se controlou. Thea e Liv já tinham planejado ajudar a amiga de Liv com o café. Guardaria a própria comemoração para outra noite, quando pudessem ficar a sós.

Thea olhou para ele e ficou com as bochechas coradas. Gavin não devia ser muito bom em esconder os pensamentos.

– Tenho que me vestir – anunciou Thea.

Gavin recolheu o cereal das meninas e as ajudou a descer das cadeiras. Em seguida, foi até o quadro branco, pegou uma caneta e circulou o dia 18 de janeiro no calendário.

– Eu não planejaria com tanta antecedência – comentou Liv, se aproximando por trás dele. – Seu cronograma termina no Natal.

Não se pudesse evitar.

A noite anterior tinha sido um ponto de virada. Thea revelara coisas sobre as quais nunca tinham conversado. Os dois tinham dançado. Tinham se beijado.

Os caras estavam certos. Gavin precisava ser paciente. Mas Liv também estava certa. O tempo não estava a seu favor, e a notícia de Vanderbilt era uma nova virada na história à qual precisava se adaptar.

A coisa ia ficar séria.

Gavin mandou uma mensagem para os rapazes: *Reunião de emergência esta noite. Minha casa.*

Depois de deixar as meninas na escola, Thea correu para casa para tomar um banho e se arrumar. Por sorte, Gavin tinha ido treinar. Não aguentaria uma conversa, só os dois. Não depois da forma como ele a olhara, naquela manhã. Não depois daquele beijo doce e de tudo que o momento envolvia.

Liv estava certa. Thea estava cedendo. E só por uns beijos carinhosos, um encontro bem planejado e... Thea balançou a cabeça. O e-mail de Vanderbilt chegara no momento perfeito. Gavin estava tecendo suas teias no cérebro dela, mas a aceitação na faculdade tinha sido como uma vassoura lhe devolvendo a clareza mental.

Tinha muito a fazer. Precisava levar os documentos pedidos no e--mail, se inscrever nas matérias e passar na livraria. Muita coisa poderia ficar para depois, mas Thea já ansiava para voltar a estudar havia quase quatro anos. Estava cansada de esperar.

O campus da Vanderbilt ficava a meia hora de carro. Thea encontrou uma vaga no estacionamento em frente ao prédio da administração, botou algumas moedas no parquímetro e entrou. O departamento de matrículas ficava no terceiro andar. Uma secretária com óculos de gatinho a encarou, intrigada, quando Thea lhe entregou os documentos.

– Você pode fazer tudo isso on-line, sabia? – comentou a mulher.

Thea deu de ombros.

– Eu sei. Mas eu quis vir.

Estava com saudade daquilo. Da energia do campus. Da rebelião criativa dos alunos de artes e de teatro, do passo cambaleante dos alunos que tinham passado a noite estudando, dos comentários sardônicos dos professores arrogantes... Nunca se sentira tão dona de si quanto na época em que estava na faculdade.

Depois de ir ao prédio da administração, Thea foi à livraria do campus. Por impulso, comprou duas camisetas da Vanderbilt para as meninas.

Droga! As meninas! Pegou o telefone para verificar a hora. Chegaria atrasada para buscá-las. A não ser que Gavin pudesse ir...

Apesar da hesitação, enviou uma mensagem de texto para ver ser ele poderia buscar as meninas na escola, porque precisaria ir direto para o café da Alexis. Gavin rapidamente respondeu que poderia ir e perguntou como estavam as coisas no campus. Thea ignorou a pergunta e respondeu que chegaria em casa por volta das dez.

Comprou um sanduíche numa lanchonete e voltou para o carro. O trajeto até o café da Alexis levou quarenta minutos no trânsito da tarde. Parou numa vaga atrás do prédio, e encontrou a porta do café aberta.

Botou a cabeça lá dentro.

– Olá?

Como não ouviu nada, entrou e tentou de novo. Nada. A cozinha estava cheia de caixas e rolos de plástico-bolha, com panelas reluzentes penduradas em uma fileira de ganchos acima de um fogão industrial novo.

– Liv? Vocês estão aqui?

Thea desviou das caixas enquanto andava pela cozinha. Uma porta vaivém levava ao que supunha ser a área do café propriamente dito. Empurrou a porta e…

– Surpresa!

Thea deu um gritinho, levando a mão ao peito. Liv e Alexis estavam no meio do café, ao lado da única mesa que não estava coberta com caixas e pilhas de pratos esperando para serem guardados. Nela, havia uma garrafa de champanhe, três taças e um cartão enorme dizendo *Parabéns*.

– O que é isso? – perguntou, rindo.

– Eu falei que a gente ia comemorar! – respondeu Liv. – Surpresa!

Alexis sorriu.

– Liv me contou a novidade. Que maravilha! E no momento perfeito.

Ela e Liv trocaram olhares.

Thea entrou mais na sala.

– Momento perfeito para…

– Booom – disse Alexis, arrastando um pouco a palavra. – Tenho umas paredes muito lisas que estão precisando de arte. E estava pensando que seria ótimo poder exibir quadros originais de uma artista local…

Thea ficou encarando Alexis. Liv revirou os olhos.

– Ela está falando de você, Thea.

– Você quer que eu pendure alguns dos meus quadros aqui?

– Você aceita? Quero exibir artistas locais, dar espaço para que vendam seu trabalho.

Thea quase se beliscou. Em um só dia, tinha sido aceita de volta na faculdade de artes e recebera a oportunidade de exibir seu trabalho. Não acreditava muito em sinais, mas parecia um.

Thea observou o café.

– O que vamos fazer primeiro?

Liv se aproximou e colocou uma taça de champanhe na mão dela.

– Primeiro, vamos brindar.

Thea aceitou o champanhe.

Liv ergueu a taça.

– A novos começos.

Thea imitou a pose.

– A novos começos.

Mas, quando o champanhe tocou sua língua, as bolhas *e* o sentimento deixaram um gosto amargo.

DEZESSETE

– Podemos ir direto ao ponto, por favor?

Gavin abriu uma cerveja e se sentou no sofá com o máximo de dignidade que um homem adulto poderia ter usando um boá de penas vermelhas e chifres de rena. Ava, Amelia e Jo-Jo exigiram que todos brincassem de fantasia antes de se acomodarem no quarto das meninas para ver um filme enquanto os homens "trabalhavam na parede". Mas a escolha de *A pequena sereia* tinha gerado um debate no andar de baixo, e as coisas estavam fora de controle.

– Ela precisa mudar de uma espécie para outra para ficar com o cara – explicou Mack, balançando as mãos para terminar de secar as unhas que Ava o obrigara a pintar de verde e vermelho, em clima de Natal. – Que tipo de mensagem isso passa para as menininhas?

– É um *filme* – resmungou Del, na defensiva, porque o título tinha sido sugestão dele.

– Del disse uma coisa importante que não devemos desconsiderar – interveio Malcolm, sempre calmo. Os sininhos pendurados em sua barba tilintaram, festivos, enquanto ele falava. – Não podemos supor que as mulheres e meninas não sabem a diferença entre realidade e fantasia. Ninguém fica com medo de que os homens que leem mistérios e suspenses acabem se tornando assassinos em série. Então por que achamos que as meninas não vão entender que não precisam mudar de espécie para encontrar o amor só por que isso acontece em um filme?

– Porque essa às vezes é a única mensagem que as meninas recebem – argumentou Mack. – Não é só um filme. São praticamente todos os filmes.

Todos assentiram, quietos. O russo ergueu o quadril e peidou.

– Verdade – argumentou Malcolm. – Mas precisamos encontrar uma forma de produzir e apreciar conteúdo que celebre a energia das mulheres sem diminuir a capacidade delas de separar fato de ficção.

– Como nos romances – resmungou Gavin.

Mack colocou a mão no peito.

– Nosso menino está crescendo!

– O menino na verdade se irritou – retrucou Gavin. – Já está tarde. Estamos ficando sem tempo.

O russo se levantou com cara de quem também estava ficando sem tempo.

– Onde é o banheiro?

A sala explodiu com um coral alto de *nãããão*. Mack foi até a cozinha.

– Não deixe ele chegar perto do seu banheiro, Gavin – alertou Mack, abrindo a geladeira como se fosse o dono da casa. – Você nunca vai conseguir tirar o cheiro. O intestino dele produz lixo tóxico.

– Eu tenho um problema digestivo – explicou o russo.

– Use o banheiro do porão – resmungou Gavin. – E você, fique longe da minha geladeira.

Mack voltou com uma caixa de comida para viagem. Tirou a tampa com a ponta dos dedos, para não borrar o esmalte.

– O que é isso?

– Não sei.

– Posso comer?

Gavin deu de ombros.

– Sei lá, pode. Podemos começar, por favor?

Cada um tinha chegado com uma sacola cheia para ele e espalhado os livros no chão, sem cerimônia. Gavin pegou o primeiro que viu: uma capa escura com um homem sem camisa segurando uma arma.

– Que porcaria é essa?

– Suspense romântico – explicou Del.

– Suspense romântico? – repetiu, cético.

– É, você sabe. – Mack levantou o punho e recitou, dramático, para o teto. – Será que *um dia* ele vai transar? Essa é a história da sua vida, cara!

Gavin jogou o livro de volta na pilha.

– Estou falando sério. Nós progredimos muito ontem à noite, mas ela ficou estranha hoje de manhã, quando descobriu que foi aceita em Vanderbilt.

– Conta o que aconteceu – pediu Malcolm.

Gavin resumiu os momentos essenciais do encontro e da manhã.

– Você está no meio da sua história, cara! – explicou Del. – Por um tempo, vai parecer que está dando um passo para a frente e dois para trás, como no livro. Lembra quando Irena finalmente se abre com Benedict sobre a irmã, sobre quererem fugir para os Estados Unidos?

Gavin assentiu.

– Bom, isso acabou fazendo com que se sentisse vulnerável e até um pouco irritada quando ele foi embora.

Gavin tapou os ouvidos.

– Sem spoilers! Não li depois dessa parte.

– O fato de Thea ter se aberto um pouco sobre o pai é um bom sinal, mas esse tipo de progresso também é assustador para ela – explicou Malcolm. – Você a fez falar de coisas que doem. O Ponto G fica mais sensível antes de entrar em atividade.

– Pago um milhão de dólares para cada um se pararem de chamar de Ponto G – reclamou Gavin.

– A questão é que você tirou algumas lascas do muro ontem à noite. Isso vai fazer com que ela se sinta exposta, vulnerável.

– É, bom, eu também me sinto – admitiu Gavin, baixinho.

A sala ficou imóvel.

– Continue assim, cara – disse Mack. – Isso é bom.

Malcolm se inclinou para trás.

– Gavin, nós passamos muito tempo falando sobre os medos dela, as resistências dela. Do que *você* tem medo?

– De perder minha esposa.

– Que besteira – disse Del.

Gavin o encarou.

– Como é?

– Isso é besteira, é superficial – explicou Del. – Claro que você tem medo de perder sua esposa. Nem precisava dizer. Mas se acha que só precisa reconquistá-la para ser feliz, está redondamente enganado. Seria melhor desistir de vez.

– Eu não… – Ele ficou quieto por um tempo. – Você pode parar com os enigmas e explicar logo?

– O que Del está tentando dizer – interveio Malcolm – é que ela não pode ser a única a revelar coisas que a amedrontam. Você se abriu com ela? Se abriu *de verdade*?

– Eu não… não sei. – Gavin sentiu as axilas começarem a suar.

– Então comece se abrindo com a gente – pediu Del. – O que você acha que nunca, nunca seria capaz de fazer? Do que sente mais medo no mundo todo? Do que *você* não quer falar?

Os rapazes ficaram olhando para ele.

Não. Não podia contar. Não aquilo.

Gavin balançou a cabeça.

Malcolm soltou um suspiro frustrado, coisa atípica para o mestre zen do clube do livro.

– Gavin, não podemos ajudar quem não quer ser ajudado.

– Vocês não entendem… É pessoal.

Del grunhiu e se levantou.

– Não vou mais perder tempo com você se não vai…

– Ela fingia.

Puta merda. Tinha dito em voz alta. Ele se preparou para as risadas, para as piadas, para o céu cair…

Mas não aconteceu. Olhou para a frente e só encontrou rostos solidários.

– Ela fingia… os orgasmos? – perguntou Mack.

– Não, gênio. O pouso na lua.

– Uau, cara. Que droga – disse Del. – Sinto muito.

– Ela fingia sempre? – perguntou Malcolm. – Ou só às vezes?

– Sempre. – A amargura fez sua língua arder. – Até onde eu sei, só fiz minha esposa ter um único orgasmo durante toda a nossa vida de casados.

Mack murmurou um palavrão.

– Que merda, cara. Desculpe. Todas aquelas piadas sobre sexo... Eu não sabia. Nossa, sou um babaca.

O pedido de desculpas foi surpreendentemente sincero.

– Não tinha como você saber.

Del deu uma tossida discreta.

– Então... suponho que você descobriu que ela fingia porque...

Gavin sentiu o pescoço esquentar.

– Porque teve uma noite em que ela não fingiu, aí ficou óbvio.

– Não entendi – interveio Mack. – Você foi expulso de casa porque finalmente a fez ter um orgasmo?

Gavin se irritou com o *finalmente*.

– Não. Ela me expulsou de casa porque não reagi bem quando descobri a verdade.

– Como assim?

– Eu passei a dormir no quarto de hóspedes e parei de falar com ela.

A sala enfim explodiu como ele sabia que aconteceria. Todos se levantaram de repente. Del começou a andar de um lado para outro, batendo com o punho na mão espalmada. Malcolm coçou a barba cheia de sinos e começou a cantarolar como um monge. Mack enfiava garfadas de macarrão marrom na boca, alternando entre comer e apontar o dedo para Gavin, quieto e parecendo bem irritado.

– Seu imbecil! – exclamou Del, por fim.

– Eu sei que não lidei bem com a situação... – disse Gavin, na defensiva. – Tentei pedir desculpas quando voltei para casa, depois que ela pediu o divórcio.

– Gavin, você tem muito mais coisas pelo que pedir desculpas – explicou Malcolm. – As mulheres não fingem o orgasmo se não estiverem fingindo outras coisas.

Meu Deus. Mais charadas.

– Só... só me digam o q-que fazer.

– Você precisa parar de concentrar toda a sua atenção no fato de que ela fingia e começar a se perguntar por que não reparou antes.

As palavras de Malcolm o atingiram como um soco no estômago.

– É – concordou Mack, limpando a gordura dos lábios com o antebraço. – E por que não teve coragem de falar com ela quando descobriu a verdade.

– E, depois, precisa abrir seu coração – continuou Del. – Ela pode ter sido desonesta sobre os orgasmos, mas o quanto você foi honesto com ela? Você pode virar essa situação, mas não sem correr o mesmo tipo de risco emocional que está pedindo que ela corra.

– Thea está seguindo a vida sem você, cara – continuou Malcolm. – Ela tem planos. Objetivos. Vai voltar a estudar, não precisa de você. A não ser que você dê a ela um motivo para acreditar que…

Um brilho amarelo irrompeu pela cortina, fazendo todos se calarem. Um *ah, merda* coletivo os botou em movimento.

– Eu achei que ela só voltaria às dez! – gritou Del.

– Foi o que ela disse! – Gavin olhou para o chão. – Os livros! Escondam os livros!

Gavin e Mack se abaixaram e começaram a recolher e empilhar os livros.

Os faróis se apagaram lá fora.

– Debaixo do sofá – sussurrou Gavin.

– O esmalte ainda não secou – resmungou Mack.

Gavin fez cara feia e começou a empurrar os livros para debaixo do sofá. Os passos de Thea soaram na varanda.

– Bote alguns atrás da almofada – sussurrou Del.

O russo peidou e levou a mão à barriga.

– Preciso ir ao banheiro de novo.

E correu para o porão.

A porta se abriu. Gavin jogou os últimos livros debaixo de um cobertor e empurrou Mack para que se sentasse em cima.

Thea entrou, logo depois de Liv, e os homens ficaram imóveis.

Gavin pigarreou.

– Oi. Ei.

Thea olhou em volta.

– O que…?

Gavin se lembrou das fantasias.

– Ah! Hã… as meninas q-q-quiseram brincar de nos fantasiar.

– Entendi. – Ela olhou um por um. – E onde estão as meninas?

– Dormindo lá em cima.

– Entendi.

Mack olhou por cima do sofá, soprando as unhas.

– Ei, Thea. Parabéns pela faculdade.

Liv entrou na sala e viu a caixa de comida.

– Quem comeu minha comida chinesa?

Gavin apontou para Mack.

Que estava estranhamente imóvel. Ele encarava Liv, os olhos arregalados. Bem arregalados.

– Oi – disse, estupidamente. – Eu… Eu sou o Braden.

Lançando um olhar capaz de botar fogo num arbusto, Liv foi para a cozinha. Deixou para trás um silêncio nada natural e descrente, do tipo que paira no ar quando alguém invade o campo pelado no meio da partida.

Uma mulher dera as costas para Braden Mack.

– Nunca pensei que fosse ver isso – comentou Malcolm, com a voz calma de barítono.

– Parece que acabei de testemunhar Jesus aparecendo numa torrada – concordou Del.

Liv abriu a geladeira.

– Ah, meu Deus! Vocês também comeram meu resto de pizza?

Ela foi para o porão.

– Liv, talvez seja melhor esperar…

A porta batida cortou o aviso de Gavin, mas, menos de dez segundos depois, ouviram o berro de Liv. Seus passos soaram enquanto ela subia correndo a escada.

A porta se abriu. Ela saiu correndo, sufocada, gritando:

– Eu *odeio* homens!

Gavin apontou para a porta da rua.

– Hora de ir, rapazes.

DEZOITO

Gavin só conseguiu respirar vinte minutos depois, quando os rapazes já tinham ido embora, as mulheres se recolheram em seus quartos e ele teve tempo de pegar os livros. Guardou-os em duas sacolas grandes, que enfiou no armário do quarto de hóspedes. Em seguida, afundou no colchão, esfregando os olhos.

Tinha sido por pouco.

Os sons da rotina noturna de Thea o atraíram até a porta do quarto. O barulho da água na pia enquanto lavava o rosto. O ruído baixo da escova de dentes. A gaveta se abrindo quando ela foi pegar o pijama.

Abra seu coração, dissera Del, quando saiu, com Jo-Jo dormindo no ombro.

Gavin bateu.

– Entre – respondeu Thea, um momento depois.

Ela estava diante da cômoda, escolhendo o pijama. Gavin sentiu o coração disparar de carência e nervosismo.

– Hã… como foi hoje? – perguntou, parado à porta.

– Está falando de Vanderbilt ou do café?

– Os dois.

Ela deu de ombros.

– Foi bom.

Pronto. Thea estava se afastando de novo. *Corra um risco emocional.*

– Eu estava pensando em acender a lareira lá fora… Q-quer ir comigo?

Thea olhou para a cama e para ele.

– Hum…

– A gente podia ler lá.

– Tudo bem.

Gavin saiu primeiro para acender o fogo. Depois, estendeu um cobertor no sofá do pátio, abriu duas cervejas e esperou a esposa. Thea saiu alguns minutos depois, usando o moletom dele, leggings e meias felpudas. Tinha prendido o cabelo no alto da cabeça. Nas mãos, trazia o livro.

– Ei – cumprimentou, bobo com a visão dela.

Thea parou a alguns metros de distância.

– Ei.

– O fogo ainda não está esquentando muito, mas eu trouxe um cobertor.

– Tudo bem.

Ela olhou para o sofá, então olhou outra vez para ele. Sua expressão gerou uma onda de choque que acertou em cheio suas partes impacientes.

Thea o olhou com desejo. Um desejo exposto e inconfundível. O peito subiu e desceu com a respiração pesada, e ela deslizou os olhos até a boca de Gavin. Ele ficou com o corpo quente e duro. Dolorosamente duro.

Gavin pigarreou e mal conseguiu falar.

– Você está me matando, Thea.

Ela piscou.

– O quê?

– Você precisa ou parar de me olhar assim ou simplesmente me beijar, mas tem que ser você a a-agir, porque eu n-não quero estragar tudo.

Thea arregalou os olhos, mas forçou uma risada e balançou a cabeça.

– Não seja bobo.

Gavin escondeu a decepção e esperou que Thea se sentasse primeiro. Em seguida, se acomodou no sofá ao lado dela. Automaticamente, como se tivessem feito aquilo cem vezes, ele se virou para ficar de costas para o braço do sofá, para que a esposa pudesse se encostar em seu peito. Thea puxou o cobertor sobre as pernas dos dois, e Gavin passou o braço em volta do tronco dela e a puxou mais para perto.

– Está bom assim?

Thea soltou um murmúrio afirmativo e apoiou a cabeça no ombro dele. Os dois ficaram quietos, olhando para o fogo, se adaptando à situação, fosse qual fosse, que tinha começado na noite anterior.

– Estou ouvindo você pensando – comentou ele.

Thea respondeu com silêncio. Gavin segurou um suspiro; se irritar com ela não ajudaria em nada. Tentou uma abordagem diferente.

– Gostaria que tivéssemos feito isso com mais frequência – comentou.

– Parecia que nunca sobrava tempo.

Abra seu coração.

– Mas sobrava. Eu poderia ter arrumado tempo.

Ela prendeu a respiração.

– Eu botei o beisebol em primeiro lugar. Agora eu sei disso. Perdi tudo. Os primeiros passos das meninas, as primeiras palavras... A ida ao pronto-socorro quando elas ficaram doentes. Eu justificava para mim mesmo dizendo que minha carreira era importante, mas eu abriria mão de tudo agora para salvar nosso relacionamento.

Thea se sentou para encará-lo, hesitante, provavelmente para avaliar se ele estava sendo sincero.

Ela não deu indicação do que pensava, mas Gavin não estava preparado para o que ela disse.

– Lembra quando você me perguntou como minha mãe estava reagindo ao novo casamento do meu pai?

– Lembro.

– A verdade é que eu não sei. Não falo com ela desde a Páscoa.

Não tinha ideia de aonde ela queria chegar com aquilo, mas pareceu importante.

– Por quê?

– Minha mãe ficaria exultante se soubesse que estamos com problemas.

Gavin ficou tenso.

– Exultante?

– Quando nos casamos, ela me acusou de ter engravidado de propósito. Para… você sabe.

Caramba.

– Para me forçar a casar?

– É. – A resposta monossilábica carregava o peso de um dicionário de mágoas.

– Meu Deus, Thea.

A ficção e a realidade de repente se chocaram.

– E disse que eu era mesmo filha dela. – Thea deixou escapar uma risada triste. – Porque ela tinha engravidado de mim de propósito.

– Ela contou isso?

– Eu sempre desconfiei… pelo menos sabia que eu não tinha sido planejada. Meu pai me deu um apelido… – Thea hesitou de novo. Gavin a apertou de leve com o braço, até ela falar. – Ele me chamava de *Armadilha*.

Gavin apertou o braço do sofá com força.

– Quando eu era pequena, achava que era por eu atrair todo mundo para perto. Depois descobri que o significado era outro.

– Quantos anos você tinha quando entendeu?

– Nove.

Gavin cerrou o maxilar com força, quase rachando um dente.

– Thea, você tem que me deixar ligar para aquele filho da mãe.

Ou, melhor ainda, deixá-lo dirigir até a casa do cretino para meter um soco na cara do sujeito.

– Ele não vale o esforço.

– Você vale.

Thea observou seu rosto de novo, procurando sinais de mentira.

– O que a sua mãe disse… Foi por isso que você me evitou quando descobriu que estava grávida? Porque tinha medo de que eu pensaria que você estava tentando me fazer cair na sua armadilha?

– Em parte – respondeu ela, dando de ombros. – E em parte porque eu estava com medo. Eu era muito nova. Nós éramos muito novos.

Gavin passou a mão no cabelo dela, massageando a nuca. Pela primeira vez, não precisou perguntar *O que lorde Benedict faria?* para saber o que dizer.

– Sua gravidez foi a melhor coisa que me aconteceu. E não só porque não consigo imaginar minha vida sem as meninas, mas porque não consigo imaginar minha vida sem você.

Gavin viu uma batalha se desenrolar no rosto de Thea, e sabia exatamente qual era a guerra que acontecia dentro dela. O desejo patético de acreditar nele lutava contra as realidades duras que a vida ensinara. Palavras eram lindas, mas não eram dignas de confiança. Thea tinha medo de atravessar aquela ponte quebrada porque sabia muito bem o que havia do outro lado: incerteza, e paixão e alegria do tipo que passa. Do tipo que dói.

Amor não basta.

– Thea, se alguém capturou alguém numa armadilha, fui eu. Eu capturei você.

Ela abriu os lábios, soltando um suspiro minúsculo.

– O quê?

– Eu fiz o pedido de casamento q-quando você estava com medo. Quando estava vulnerável. Eu devia ter tomado o cuidado de deixar claro que eu estava querendo um relacionamento de verdade, ter deixado você se adaptar à notícia antes de falar em casamento.

Ela ergueu a sobrancelha direita, sarcástica.

– Eu podia ter dito não. Eu não era uma menininha indefesa.

– Mas você não sabia no que estava se metendo. Eu já sabia como seria o casamento com um jogador de beisebol da primeira divisão, mas você, não. Você não teve tempo de se acostumar, de se ajustar a isso.

O tempo passou, e Gavin reparou em cada movimento dos músculos dela. Na forma como o maxilar se contraiu quando ela engoliu em seco. E como os olhos dela trilharam um caminho até os lábios dele. E como ela sugou o canto do lábio inferior entre os dentes.

E, finalmente, graças a Deus, *finalmente*, quando ela estendeu a mão, hesitante, e a espalmou em seu peitoral.

Thea levou o rosto até o dele. A expressão estava tão sensível quanto na noite anterior, mas também diferente. Na noite anterior, ela estava sufocada. Agora, o olhava com avidez. Com desejo.

Gavin inclinou a cabeça e encostou os lábios nos dela.

~

Thea se inclinou mais para cima dele, a boca aberta, ávida. Gavin passou os braços em volta dela e a puxou para o colo. A onda de sangue bombeando em suas veias afogou tudo, exceto o som da sua respiração trêmula.

Era por isso que estava hesitante em ir lá para fora com ele. Por isso que precisara de espaço, mais cedo. Era isso que o tornava perigoso. Thea não tinha força de vontade quando estava nos braços dele, não depois das coisas lindas que ele acabara de dizer.

Ah, por que tinham parado de se beijar assim? *Quando* tinham parado? E por que não conseguia mais parar? A cada segundo, ficava mais difícil manter as barreiras que construíra entre eles, mas quem queria enganar? As barreiras tinham sido reduzidas a minúsculas partículas de poeira inútil assim que Gavin tirou a venda de seus olhos e ela percebeu que ele a levara para comprar material de arte. Nem conseguia lembrar direito por que precisava das barreiras, com aquela vibração de prazer passando de uma parte do corpo para outra.

– Meu Deus, Thea – murmurou Gavin, gemendo e traçando beijos do maxilar dela até o pescoço. Thea inclinou a cabeça para facilitar o trabalho. A mão dele subiu pela cintura, entrando na blusa até o polegar roçar na parte de baixo do seu seio. – Posso tocar em você?

Thea concordou, trêmula. Os dedos de Gavin empurraram a renda do sutiã para o lado e acariciaram a ponta rígida do mamilo. Ela não conseguiu segurar a reação; afastou os lábios dos dele e inclinou a cabeça para trás, gemendo. Os lábios dele encontraram um novo ponto sensível em seu pescoço enquanto os dedos faziam magia em seu seio intumescido. Gavin apertou e puxou a ponta rígida do mamilo. O tempo todo, a língua entrava e saía da boca de Thea com um ritmo erótico.

Ela se endireitou e tirou o moletom. Delicadamente, mas com uma sensação de urgência, Gavin enfiou um dedo debaixo de cada alça do sutiã, baixando-as. Os seios de Thea se soltaram da prisão, e ela levou a mão às costas para soltar o fecho. Houve uma sensação de frio, seguida de um calor intenso quando as mãos dele cobriram a pele.

Thea gemeu, segurando as mãos dele. Gavin levou os lábios aos dela outra vez, a língua invadindo a boca enquanto as mãos trabalhavam, os dedos girando e apertando os mamilos duros.

Manteiga latiu de repente e pulou para caçar alguma coisa no pátio.

Thea deu um salto, a interrupção agindo como um banho de bom senso. Ela saiu do colo de Gavin, passando o braço na frente dos seios.

– Ah, meu Deus! O que estamos fazendo?

Gavin se remexeu, inquieto.

– Nos beijando.

– Nós não nos beijamos assim há muito tempo...

Thea tentou recuperar o fôlego enquanto vestia o moletom.

– Talvez a gente devesse continuar – sugeriu Gavin, rouco e sem fôlego.

Ele virou a cabeça para encará-la, a expressão em seus olhos tão apavorante quanto calorosa.

– O certo seria eu ir para a cama – retrucou ela.

– Eu vou junto.

– Não. – Ela se levantou, balançando a cabeça. – Eu... preciso de um tempo.

Gavin se levantou e bloqueou o caminho.

– Olha para mim.

Thea olhou, ainda que com relutância. Ele a encarou, fazendo com os olhos as perguntas que não podiam ser transmitidas em palavras.

– Se estivermos indo rápido demais, Thea, podemos ir mais devagar. Você dita o ritmo. Eu juro. Não vou forçar a barra.

Tendo apenas o silêncio como resposta, Gavin encostou a testa na dela.

– Fale comigo, Thea. Por favor.

– Estou com medo, Gavin. – As palavras saíram antes que ela pudesse pensar nas consequências daquela verdade.

Mas ele respondeu com uma verdade própria.

– Eu também.

Cortejando a condessa

Ah, podia se perder aqui por dias, pensou Irena, olhando as prateleiras altas da biblioteca. Se ao menos pudesse... Benedict já estava fora havia dez dias. Dez dias sem uma palavra dele nem de ninguém sobre o que estava acontecendo em Ebberfield.

E a única coisa que a irritava mais do que a falta de explicação era a própria consternação pela longa ausência dele.

Irena passara a explorar a biblioteca à noite, para não ficar louca.

— Procurando alguma coisa?

Sobressaltada, Irena se virou no escuro. Do outro lado da sala, viu Benedict deitado em um sofá minúsculo, parecendo um gato preguiçoso. Ele levantou a mão em um cumprimento casual, prova da familiaridade com que se tratavam. Os pés calçados apenas de meias estavam pendurados no braço do sofá, e os ombros, apoiados em almofadas. Benedict tinha tirado o paletó e a gravata, deixando a pele do pescoço exposta ao olhar dela.

– O senhor chegou – comentou Irene, com o máximo de calma que conseguia imprimir à voz, considerando o coração disparado.

– Cheguei – concordou ele, a voz baixa e cansada.

– Não o ouvi chegar.

E por que não me avisou?

– Eu não queria acordar você.

Irena encolheu os dedos dos pés descalços no tapete, antes de perguntar:

– O que está fazendo aqui?

– Talvez a mesma coisa que você.

– Procurando livros sobre a engenharia das antigas carruagens romanas?

– Graças a Deus, não.

– Então o que está fazendo?

– Evitando a tentação da porta destrancada que separa nossos quartos.

– Não. Não é a mesma coisa, então.

Ele moveu a mão no peito de forma deselegante.

– Assim você me magoa, querida.

Um sorriso surgiu nos lábios dela, apesar do esforço de manter a expressão de indignação.

– Eu não sabia que estava em casa, Benedict.

– E, agora que sabe, o que vamos fazer com nosso tempo roubado no escuro?

Uma melodia provocativa se desvelava naquela pergunta, mas também havia algo sombrio nas palavras, como se ele estivesse com raiva. Mas que direito Benedict tinha de estar com raiva? Ele que tinha desaparecido por dias!

– Que tal procurarmos meu livro?

Com um movimento gracioso e fluido, Benedict se empertigou e se levantou do divã.

– Claro. Afinal, o que mais maridos e esposas fazem no escuro?

Irena ignorou a provocação.

Benedict deslizou a escada da biblioteca pelo trilho que percorria o aposento até parar em uma seção onde alguém poderia esconder livros pelos quais ninguém se interessaria. Que em geral eram os que Irena mais queria ler. Ele subiu vários degraus e se virou, a mão esticada.

— Vela?

Irena entregou a vela e esperou pacientemente enquanto ele inclinava a cabeça para olhar as lombadas. Depois de um momento, Benedict tirou um livro da estante, devolveu a vela e desceu a escada. Virou-se e estendeu um livro fino na direção dela.

— Este serve?

Irena piscou, surpresa, diante do título.

— *Engenharia na Roma Antiga*. Acho que é exatamente o que estou procurando.

— Excelente. Então vou acender a lareira, e você pode ler para mim até eu cair em um sono profundo e esquecer os últimos dez dias.

Ela ficou tensa.

— Esquecer os últimos dez dias? O senhor desaparece sem dizer nada, logo depois de me mandar ficar em casa, e acha que vou simplesmente ler até que durma?

Benedict esfregou o rosto, cansado.

— Irena, por favor.

— Está tarde, milorde. O senhor está claramente exausto. Talvez devêssemos voltar para nossos aposentos.

Benedict estendeu a mão e a segurou pelo cotovelo.

— Não tenho desejo nenhum de passar mais uma noite no meu quarto vazio, Irena. Não hoje. Por favor. Só preciso ouvir sua voz por um tempo.

A súplica destruiu sua determinação.

— O que houve em Ebberfield, Benedict? Como está Rosendale?

Ele engoliu em seco, mas não respondeu.

Irena se soltou da mão dele.

– Milorde, o senhor pediu várias vezes por minha confiança, mas se recusa a confiar em mim. Enquanto não confiar, não poderemos recomeçar.

Segurando o livro contra o peito, Irena se virou para a porta. Dera menos de dez passos quando ele voltou a falar.

– Ele se foi. Aguentou por dias, mas os ferimentos eram graves demais. Não havia o que fazer.

Irena se virou. Sob o brilho fraco da vela, as feições de Benedict carregavam uma sombra que não tinha nada a ver com a chama tremeluzente.

– Ah, Benedict... Sinto muito. – Irena foi até ele. – Os senhores eram próximos?

– Eu o conheço desde que me entendo por gente.

Irena suplicou silenciosamente que ele dissesse mais; por um momento decepcionante, achou que ele não falaria. Mas o momento passou.

– Ele me criou – explicou Benedict.

– Como assim?

O conde foi até a lareira, o olhar fixo nas chamas.

– Ele era como um pai para mim, mais até do que meu verdadeiro pai.

– Por quê?

Benedict deu de ombros.

– Eu era o herdeiro, isso era a única coisa que importava para meu pai. Cheguei a passar dois anos inteiros sem vê-lo. Ele nem me reconheceu depois daquele tempo todo.

Irena soltou um suspiro.

– Ah, Benedict...

Ele se virou.

– Rosendale não tinha filhos. Ele e a esposa não podiam conceber. A casa deles virou a minha casa... – A sombra de um sorriso se abriu no rosto dele, pensando no velho casal.

– Ele me levava para todos os lugares. Foi ele quem me ensinou tudo o que sei sobre cuidar da propriedade. E Elizabeth, sua esposa, sempre nos recebia no fim do dia com um doce ou uma tigela de ensopado.

– Sua mãe não perguntava onde você havia estado?

– Minha mãe não morava lá. Ela passava a temporada em Londres e o verão na nossa propriedade da Escócia. Eu só a via nas festas de fim de ano.

– Benedict, que horror! – Irena se aproximou dele. – Seus pais o abandonaram – constatou, parando a centímetros dele. – Isso é imperdoável.

– Eu fiquei melhor sem eles. A vida era bem desagradável quando os dois estavam na mesma casa.

– Por quê? Sei que membros do pariato raramente se casam por amor, mas a maioria pelo menos se acomoda em um companheirismo tolerável. Até meus pais gozavam disso.

– Talvez meus pais fossem menos companheiros do que a maioria – respondeu ele, com um sorriso, mas o maxilar contraído revelou que não tinha uma imagem tão cavalheiresca da situação quanto queria que ela acreditasse.

Irena ergueu a mão. Depois de um instante de hesitação, encostou a palma na bochecha dele. Sentiu a aspereza da barba que crescera ao longo do dia, mas a pele era quente e macia. Com um gemido baixo, Benedict fechou os olhos e se inclinou mais para perto de seu toque, como uma flor se virando para o sol.

– Senti tanto a sua falta, Irena.

– Eu também senti – admitiu ela.

Com um gemido, Benedict encostou a testa na dela.

– Eu sou seu, Irena. Desde o momento em que a vi pela primeira vez, sou um homem pela metade. Porque a outra metade pertence a você. Acabe com a minha agonia, amor. Eu suplico. Me beije. Me deixe abraçá-la. *Por favor.*

Irena não negaria o conforto de que ele precisava, assim

como não negaria comida a um homem faminto. Encostou os lábios nos dele. O beijo começou suave, até que a pressão foi aumentando. O conde gemeu de novo e assumiu o comando, tirando o livro das mãos dela e o largando de lado. Em seguida, deitou-a no chão. Seus lábios percorreram a pele quente, provocando uma trilha de ardor do maxilar até o pescoço, seguindo para os seios redondos. Foi subindo a mão pela lateral do corpo dela, carregando o tecido, revelando suas pernas, então subindo mais, até os dedos roçarem a parte logo abaixo dos seios.

A necessidade de ser tocada fez com que Irena arqueasse o corpo na direção dele com uma súplica fervente nos lábios, mas ela não sabia bem o que queria.

– Meu amor – murmurou Benedict. – Posso tocar em você?

– Pode – gemeu ela. – Sim.

DEZENOVE

– Como está ficando, Thea?

Ela soltou o pincel e se virou, o rosto vermelho.

– O quê?

Nove dias tinham se passado, e elas estavam no café de Alexis. Thea estava pintando o logotipo do restaurante na parede de tijolos expostos atrás da bancada da confeitaria. E não estava fazendo de graça. Receberia pela pintura. Seria seu primeiro trabalho como artista.

Liv largou o enorme vaso que carregava na mesa mais próxima e cruzou os braços.

– Tudo bem, já chega. O que está acontecendo?

– Como assim?

– Você está distraída, tensa. Está me evitando há uma semana e quase não disse nada desde que chegamos. Parece que está incomodada, sei lá.

– Estou bem – mentiu.

Estava mesmo evitando Liv. Não dava para negar. Mas o motivo era justamente a razão daquela conversa. A irmã sempre via através de seus disfarces, e já estava enrolada o suficiente sem o sarcasmo de Liv. Uma coisa importante acontecera entre ela e Gavin, naquela noite junto à lareira, e tudo mudou entre eles. Cada vez mais se aproximavam dos finalmentes, mas sempre paravam.

Na noite seguinte seria a festa de Natal do time e passaria uma noite inteira sozinha com ele em um hotel. E os dois sabiam o que aquilo significava.

Ah, que ironia... Liv era a única pessoa em quem confiava de verdade, mas tinha voltado a fingir. E ainda por cima para Liv.

A irmã riu atrás dela. Não uma risada de quem está achando graça, mas uma gargalhada de surpresa, como se de repente tivesse entendido alguma piada que ouvira horas antes.

– Puta merda! – disse, com um sorriso.

Thea olhou para trás.

– O quê?

– Não estou acreditando. Não percebi os sinais, mas, caramba.

Liv riu de novo.

– Você vai me explicar essa pequena epifania?

– Vou – disse Liv, então sorriu e cruzou os braços. – Você está *com tesão*.

Um rubor quente subiu pelo pescoço de Thea.

– Para com isso.

A porta da cozinha se abriu, e Alexis entrou. Um gato chamado Roliço veio atrás dela.

– Quem está com tesão?

– Ah, meu Deus, ninguém! – retrucou Thea, voltando ao mural.

– Admita! Você está. Eu sei que ele faz visitas noturnas aos seus aposentos... – Essa última palavra saiu com um tom aristocrático e zombeteiro. – E isso está começando a mexer com a sua cabeça. E, se *você* está com tanto tesão assim, imagine o estado dele... Bem feito. Já deve estar ficando louco. Aposto que os lençóis do quarto de hóspedes estão tão duros quanto ele...

– Eca, Liv! – exclamou Thea.

A irmã começou a fazer uma dancinha.

– Tesã-ão. Tesã-ão. Admita, você está com tesão!

Thea enfiou o pincel no pote e se virou.

– Tudo bem. Sim, estou com tesão. Mas por que não deveria estar? Você viu meu marido? É como morar com um calendário de bombeiros gatos. Aqueles com homens sem camisa. Cada mês um homem diferente... sem camisa com um cachorro, sem camisa com as crianças, sem camisa consertando uma parede, sem camisa lendo.

Alexis balançou a cabeça.

– Uau, eu não tenho ideia do que está acontecendo.

Liv cruzou os braços e ergueu uma sobrancelha.

– Sim, seu marido tem um corpo ótimo.

– Ótimo? Ótimo? O treinador o colocou para fazer um novo exercício, e sabe aquela coisa em V que os homens têm acima dos quadris? – Thea passou o dedo para cima e para baixo de cada lado dos ossos da pélvis.

– Hã...

– Gavin sempre teve, mas agora tem *mais*. E a barba! Ah, meu Deus, Liv, você sabe o que ele fez hoje, quando eu estava saindo? Ele se inclinou. Sabe de que estou falando, não é? Aquela inclinada masculina? Ele botou as mãos dos dois lados do meu corpo e se *inclinou* para me beijar. Ele está tentando me matar!

A risada de Liv soou como um galo morrendo.

– Então transa com ele de uma vez. Usa o corpo e joga fora.

Alexis pigarreou.

– É... De quem exatamente estamos falando mesmo?

Liv e Thea responderam ao mesmo tempo:

– Do meu marido.

– Do marido dela.

Alexis inclinou a cabeça.

– Você precisa de permissão da sua irmã para transar com seu marido?

Mais uma vez, as duas falaram ao mesmo tempo, mas deram respostas diferentes:

– Não – retrucou Thea, com um rosnado.

– Sim. – Liv riu.

Roliço miou.

– Gavin e eu estamos... com problemas – explicou Thea, as bochechas vermelhas.

– Problemas? – comentou Liv. – É assim que você está descrevendo agora? – Liv olhou para Alexis. – Ela estava prestes a se divorciar três semanas atrás, mas ele mandou um papo para que ela o deixasse voltar para casa para uma segunda chance.

– Ele está tentando salvar nosso casamento.

Pronto. Estava defendendo o maldito. O mundo tinha virado de cabeça para baixo.

A risada de Liv sumiu.

– Espera. Você… você está mesmo pensando em aceitar ele de volta?

Thea voltou a pintar.

– Thea, você não pode estar falando sério.

Ela segurou uma resposta ácida, preferindo perguntar:

– Por que não?

– Porque você está fazendo exatamente o que ele quer. Gavin sempre soube como mexer com você. É isso que ele faz. Ele é um atleta profissional.

Thea se virou de novo.

– O que isso tem a ver?

– Quer dizer que Gavin adora competir e que, para ele, você não passa de um jogo, uma conquista.

– Nossa, valeu.

Liv apontou para ela, enfatizando as palavras:

– *Não deixe* ele vencer.

Alexis entrou entre as duas como uma juíza.

– Certo, que tal se eu abrir uma garrafa de vinho, aí podemos conversar como irmãs e amigas…

– Eu não vou ficar olhando enquanto ele magoa você de novo! – interrompeu Liv.

Thea sentiu frio, calor e fúria, tudo ao mesmo tempo.

– Liv, eu te amo, mas você parece ter uma péssima opinião sobre a minha capacidade de decidir o que é melhor para mim.

– Seu histórico não é muito bom.

Alexis interveio, baixinho:

– Liv, quero que saiba que digo isso como uma das suas melhores amigas. Você não está sendo muito justa com a sua irmã. Relacionamentos são complicados. As coisas podem mudar quando menos esperamos. Você não pode apoiá-la nesse processo?

O rosto de Liv desmoronou, como se ela tivesse sido traída, acertando Thea no coração.

– Não. Não posso. – Liv pegou o casaco na cadeira, onde o largara mais cedo. – Talvez a mamãe apoie. Você é mesmo filha dela.

Irena e Benedict estavam mandando ver.

Gavin decidiu ler um pouco depois de botar as meninas na cama, mas, nossa... Não tinha ideia de que havia uma cena de sexo importante chegando. E não era uma cena de sexo qualquer. Era pura perversão. As pessoas faziam mesmo aquilo naquela época?

Claro que fazíamos, respondeu Lorde Dedo de Geleia. *Acha que a civilização branca e ocidental inventou a cunilíngua no século XX?*

Não fazia diferença. Gavin só sabia que finalmente acontecera.

Estava com uma maldita Ereção Literária.

Ele se remexeu no sofá e releu a cena. Benedict estava com a cara enfiada embaixo da saia de Irena, que estava ofegante. Gemendo. Benedict enfiou dois dedos dentro dela. Tirou e botou. Junto com a língua.

Deus do céu... faria isso com Thea se tivesse a chance. E, uau... Assim que substituiu a imagem de Irena por Thea, foi demais para ele.

– *Me escute, meu amor* – sussurrou Benedict, no ouvido dela. – *Quando ficamos juntos assim, você está no comando. Quando ficamos juntos assim, eu me rendo apenas ao seu prazer.*

Gavin cedeu e passou a mão na frente do latejar...

A porta da frente se abriu de repente. Gavin pulou, assustado como um adolescente vendo pornografia no computador. O livro girou no ar, mas conseguiu pegá-lo e enfiá-lo atrás da almofada antes que Thea entrasse correndo.

– Oi – cumprimentou ele. – Nossa, o que...

Thea tirou a camiseta, montou em seu colo e o beijou como se houvesse um tesouro enterrado na garganta dele. Gavin aguentou, aproveitando o ataque até estar quase sufocado.

– Querida – ofegou, recuando. – Não que eu m-m-me oponha a isso, mas o q-q-que está acontecendo?

Thea se levantou.

– Deite-se.

Gavin se deitou no sofá, as pernas meio para o lado. Thea ficou de pé na frente dele e abriu o sutiã. O olhar dele acompanhou quando ela jogou a peça do outro lado da sala, antes de voltar a olhar para os seios dela. Mas logo depois foi distraído pela imagem dos dedos sujos de tinta no botão da calça, baixando o zíper… Esqueceu de respirar quando Thea tirou a calça e a calcinha. Vendo a nudez dela, Gavin gemeu e rezou para quaisquer deuses que estivessem ouvindo para que aquilo não fosse um sonho nem nenhum tipo de alucinação causada pela Ereção Literária. O que talvez existisse. Teria que perguntar aos rapazes.

Mas aquilo não era sonho. Thea, nua, se inclinou para a frente e abriu o botão da calça jeans dele. Gavin a fez parar.

– O q-que estamos fazendo, Thea?

– Achei que fosse óbvio.

– Preciso que você f-fale.

– Falar o quê? – Thea lambeu ao redor do umbigo de Gavin, que instintivamente projetou o quadril para a frente.

– Que quer isso – Gavin conseguiu dizer. – Fale que está pronta.

Thea enfiou a mão dentro da calça dele, segurou seu membro.

– Eu estou pronta, Gavin.

A voz dele quase falhou.

– Graças a Deus.

Nunca tinha se despido tão rápido. Thea mais uma vez empurrou o peito dele e o mandou se deitar. Gavin obedeceu, esticando os braços para ela ao mesmo tempo.

Thea montou em seu colo e se esfregou para a frente e para trás até ele achar que perderia a cabeça de desejo. Finalmente, Deus do céu, finalmente ela ergueu o tronco, colocou a mão entre os dois corpos e guiou seu membro até a entrada úmida. Em seguida, centímetro a centímetro, dolorosamente, desceu sobre ele.

Ah, merda! Gavin revirou a cabeça na almofada. Os gemidos dos dois se misturaram e se mesclaram enquanto ele a ocupava, a preenchia. Olhou para ela e a viu com a cabeça inclinada para trás, os olhos fechados.

– Olhe para mim – pediu.

Thea abriu os olhos e o encarou.

– Você está no comando – disse. Céus, não tinha ideia de que poderia usar aquelas palavras tão pouco tempo depois de lê-las. – Quando estamos juntos assim, fico r-rendido, eu me rendo ao seu prazer.

Thea piscou várias vezes, confusa.

– O quê?

– Você só precisa me dizer onde tocar. Como tocar em você.

Thea guiou a mão dele para os corpos unidos.

– Preciso…

– De quê? Me diga do que precisa.

– Preciso que você me toque aqui quando estiver dentro de mim.

Gavin pressionou o polegar no clitóris intumescido. Podia fazer aquilo. Aprendera algumas coisas alguns minutos antes, com o Lorde Lambe-Lambe.

– Assim?

Thea assentiu, ofegante demais para falar. Ela o segurou pelos ombros, enfiando as unhas a ponto de machucar. Moveu os quadris, montou nele. Gavin mexeu o polegar enquanto a outra mão apertava o quadril dela.

Ela se moveu mais rápido. Gavin deu outra estocada. Thea choramingou e gemeu.

Puta merda. Aquilo ia mesmo acontecer?

– Gavin – gemeu ela, ofegante. – Meu Deus, sim…

– Isso mesmo, amor. Vamos lá.

– Ah, meu Deus…

– Isso mesmo, Thea. Você consegue.

Ela virou a cabeça para trás e agarrou os próprios seios, e Gavin ia acabar estragando tudo se não fosse mais devagar com o próprio desejo.

– Você consegue, gata...

Thea tapou a boca dele com a mão.

– Pode parar de torcer como se estivéssemos em um treino de rebatimentos?

– Desculpa – murmurou ele. Thea agarrou seu ombro de novo. – Desculpa, gata. Eu só queria encorajar você. Nossa, você é tão gostosa.

– Para de falar.

Thea inclinou a cabeça para trás de novo e retomou o ritmo, veloz e intenso. Mas alguma coisa estava diferente. Ela firmou as mãos nos ombros de Gavin.

– Querida...

– Talvez... talvez a gente devesse mudar de posição.

Naquele instante, Gavin percebeu que a melhor coisa de ser atleta profissional era ter a força bruta para botar a esposa embaixo de si sem interromper o contato. Thea envolveu sua cintura com as pernas, e Gavin penetrou até estar com a testa e as costas molhadas de suor.

– Gavin – disse ela, as mãos pendendo nas laterais do corpo. A voz soava resignada.

Não. Não, não, não... Gavin se curvou para capturar um dos mamilos dela com a boca.

– Gavin, para. Não... não vai rolar.

Gavin parou, ainda dentro dela.

– Gata, você estava tão perto... Me diz o que devo fazer.

– Me desculpa...

O tremor na voz dela o deixou arrasado. Thea estava com lágrimas nos olhos, e tudo dentro dele pareceu congelar.

– Me desculpa, Gavin. Não sei o que aconteceu. Não sei o que tem de errado...

– Meu bem, não fale assim. Está tudo bem. – Gavin saiu de dentro dela com um grunhido. Chegou a doer. – Nós f-fomos rápido demais. Só isso. Devíamos ter ido mais devagar.

– Estamos indo devagar a semana toda!

Thea se afastou e se levantou.

Gavin controlou a expressão e recitou silenciosamente todos os xingamentos em que o Lorde Boca Suja conseguiria pensar. Bastardo maldito, ignóbil e purulento!

Obrigou a voz a permanecer calma.

– Conversa comigo, Thea. Me conta o que estou fazendo errado.

– Não sei.

Ela vestiu a camiseta e procurou a calça jeans.

– *Conversa comigo.*

Thea vestiu a calça jeans.

– Não sei o que dizer! Não sei o que tem de errado! Você não pode simplesmente estalar os dedos e dizer *Goza, gata* e fazer acontecer. Meu Deus, qual é o problema dos homens? Acham que só porque têm uma ereção, nós mulheres temos que rolar de costas e começar a gemer como uma atriz pornô!

Calma, amigão. Não vá dizer alguma coisa de que vá se arrepender.

Seu lado bestial e humilhado deu um soco na cara do Lorde Pênis Mágico. Gavin se levantou.

– Só que você fazia isso, Thea. Todas as vezes. Eu achava que era o maioral na cama graças à sua atuação. – Ele passou a mão no cabelo. – Meu Deus, Thea. Era só comigo? Eu sou o único homem com quem você nunca conseguiu ter um orgasmo?

– Como ousa falar de outros homens! Eu tive dois namorados antes de você e, para sua informação, não que seja da sua conta, sim, eu às vezes tinha orgasmos com eles.

A admissão pareceu ajudá-lo a se decidir.

– Por que você simplesmente *não me contou*?

– Por que você não percebeu?

– Porque eu não leio mentes. N-nós temos que falar abertamente sobre essas coisas, precisamos ser honestos.

– Faz muito tempo que não falamos abertamente sobre nada, Gavin.

Ele vestiu as próprias roupas.

– Você faz parecer que as coisas estavam horríveis, Thea. Não estavam.

– Esse é o padrão mais alto que você tem como objetivo? *Não estava horrível?* Você realmente prefere voltar a como as coisas eram antes daquela noite?

– Eu preferiria sim, em vez disto.

O rosto dela se transformou.

– É isso que mais me assusta, Gavin. Existem muitas formas de fingir. Mas parece que eu sou a única disposta a admitir que fingia.

– Como assim?

– Às vezes acho que você preferia nunca ter descoberto que eu estava fingindo.

– Não é verdade!

– Droga, Gavin. Seja sincero!

Ele cerrou os punhos.

– Quer que eu seja sincero? Tudo bem. Sim. Droga! Eu queria nunca ter descoberto que minha esposa tratou todo o nosso casamento como uma trepada por pena!

Ah, você tem cérebro de titica de galinha! Agora foi longe demais, ami-gão. Não tenho mais como salvar você.

– Trepada por pena? – Thea recuou, como se tivesse levado um tapa. – Não sei para quem isso é mais ofensivo, Gavin, para você ou para mim, mas meu corpo não é caridade. Eu não transo com ninguém se não quiser. Nem mesmo com meu marido.

O arrependimento deixou um gosto amargo na boca.

– Não foi… não foi isso que eu quis dizer, Thea.

Ela balançou a cabeça e respondeu, com uma tristeza que o deixou arrasado.

– Você me decepcionou, Gavin.

Ele sentiu o peito afundar. Atravessou a sala e a segurou pelos ombros.

– Me deixa consertar isso.

– Não posso voltar para como era antes, Gavin. Para quem eu era. Não posso.

– Também não q-q-quero isso. Quero seguir em frente.

Thea abraçou o próprio corpo.

– Não sei se acredito em você.

Ele se virou e foi até o aparador perto da porta. Pegou a chave e a carteira e enfiou os pés nos sapatos.

– Aonde você vai? – perguntou Thea, sem fôlego.

– Eu preciso espairecer.

– Você vai sair?

Ele abriu a porta e saiu.

VINTE

Gavin dirigiu direto para o campo do parque. Entraria naquela droga de campo e rebateria umas bolas até as mãos sangrarem e a dor dos cortes superar a ferida aberta que sangrava no peito.

Virou o carro para a gaiola de rebatidas na frente do campo e deixou os faróis acesos. No porta-malas, pegou a bolsa com o bastão e as doze bolas que sempre ficavam lá.

Com um arremesso forte, jogou a bolsa por cima da cerca. Pegou impulso com uma corrida e escalou a cerca sem dificuldade, pulando para o do outro lado. Se fosse pego, azar. O que iam fazer? Multá-lo? Prendê-lo? A cadeia seria uma bênção.

Gavin pegou o bastão e a primeira bola, que jogou para o ar e rebateu. O bastão acertou a bola com um ruído satisfatório, lançando-a na rede do outro lado.

Outra foi em seguida. Uma terceira. Gavin arregaçou as mangas. *Você partiu meu coração, Gavin.* Uma quarta bola se juntou às outras, na extremidade da gaiola de rebatidas.

Não sei se acredito em você. Acertou a quinta bola com tanta força que ela rebateu com seu joelho e quase arrancou sua patela. Só para se vingar, lançou-a de novo e a mandou se ferrar.

Foi tão bom que fez de novo com a bola número seis. Na sete, parou de xingar e começou a falar diretamente com Thea.

– Você também me decepcionou – resmungou. Uma rebatida. A bola voou na rede. – Você não foi a única.

A bola oito saiu voando.

– Você me expulsou!

A bola nove bateu na rede.

– Já se sentiu assim?

A bola dez quase rasgou na costura.

– O que eu devia fazer?

Um sotaque britânico pomposo respondeu na escuridão. *Você devia lutar por ela.*

A bola onze quase abriu um buraco na gaiola.

– Ela me mandou embora!

Ela estava testando você.

– Quanta besteira.

A bola doze quase quebrou o bastão.

Por que você foi para o quarto de hóspedes?

Gavin foi até a rede batendo os pés e começou a jogar as bolas de volta.

Vejo que está evitando a pergunta.

– Eu não tenho obrigação de responder, Lorde Peito Cabeludo.

Ele pegou o bastão de novo.

Você queria puni-la.

– Ela passou três anos mentindo para mim – rosnou Gavin, batendo em outra bola.

Mas não foi por isso que você a puniu.

Outra rebatida. Outra bola.

Você a culpou por arrancar o véu que encobria a falsa felicidade do seu casamento.

– Mentira.

Por obrigar você a lidar com algo que você não queria ver.

– Vai se foder.

Porque você tinha medo da verdade.

– VAI SE FODER.

Gavin largou o bastão e começou a jogar as bolas do outro lado da gaiola até não sobrar nada para arremessar, nada para bater. Ofegante, suando, ele se inclinou e apoiou as mãos nos joelhos.

Thea estava certa. O Lorde Nervosinho estava certo. O clube do livro todo estava certo.

Ele *estava* fingindo. Estava fingindo havia meses antes daquela noite. Fingindo que tudo estava bem entre os dois quando claramente não estava, porque era mais fácil fingir do que enfrentar a verdade: estavam se afastando, ele a estava perdendo. E *ainda* estava fingindo, achando que podia conquistá-la de volta com um livro, um beijo romântico e encontros, que podia consertar as coisas sem realmente tratar do que estava destruído, porque assim era mais fácil.

Porque não exigia nada dele.

Nenhuma autoanálise. Nenhuma avaliação do próprio comportamento. Nenhuma droga de epifania inconveniente, como a que embrulhava seu estômago naquele momento.

Ela vai voltar a estudar e não precisa de você. A não ser que você dê a ela um motivo para acreditar que...

Gavin guardou as bolas na bolsa. Estava coberto de terra e suor, com um rasgo no cotovelo da camisa. Os pneus giraram no cascalho do estacionamento quando ele saiu com o carro. Quando chegou, a casa estava escura. A luz não estava acesa na varanda. Não havia brilho azul da televisão. Não havia calor amarelo iluminando a cortina. Gavin subiu a escada até a varanda e abriu a porta com um baque alto.

Subiu a escada dois degraus de cada vez. A porta dela estava fechada. Se estivesse trancada, estava definitivamente ferrado. Segurou a maçaneta. Encostou a testa na madeira.

Por favor, não esteja trancada.

A maçaneta girou sob seus dedos.

Graças a Deus.

O quarto estava totalmente escuro, mas viu duas formas na cama. Uma tinha um rabo enorme e peludo e estava à vontade demais no lado de Gavin da cama. A outra, escondida embaixo do edredom grosso, rolou depressa ao ouvir a invasão.

– Eu... cheguei – anunciou Gavin, estupefato.

– Ótimo – foi a resposta, baixinha.

Gavin estalou os dedos para Manteiga, que foi para o pé da cama com um suspiro resignado. *Tudo bem, vai. Você pelo menos pode dormir na mesma cama que ela.* Thea se sentou, um protesto pronto nos lábios.

– Eu quero contar uma coisa – anunciou ele, sem nem deixar que ela falasse.

– Gavin, estou cansada disso. Não aguento mais.

Ele contornou a cama e se ajoelhou no chão ao lado dela.

– Q-quando eu estava no ensino médio, tinha uma garota de quem eu gostava. Ela e-era bonita e popular. Eu finalmente reuni coragem e a convidei para sair, mas ela riu de mim. Debochou da minha gagueira bem na minha cara.

– Gavin, eu sinto muito, mas...

– Fica pior. Tipo uma s-s-semana depois, uma lista começou a percorrer a escola. Os dez caras que mais precisavam de... – Ele parou para engolir em seco, sentindo o estômago querendo regurgitar a memória da humilhação. – De uma transa por pena. Eu era o número um. E ela tinha feito a lista.

Thea massageou as têmporas.

– Thea, eu nunca fui confiante no sexo. Eu... despertei tarde. Só perdi a virgindade na faculdade. E sempre tive... – Ele inspirou fundo. – Eu sempre tive medo de ser o mais apaixonado deste casamento.

– Gavin – sussurrou ela, o olhar se suavizando.

– Meu medo sempre foi de você ter se casado apenas porque ficou grávida.

Thea agarrou a camisa dele.

– Como você pode pensar isso?

– Então, sim, há uma parte de mim que g-g-gostaria de não ter descoberto que você estava fingindo, porque assim eu poderia continuar achando que estava tudo bem. Que eu não estava perdendo você.

Uma lágrima rolou pela bochecha dela.

– Eu estava fingindo que podíamos seguir em frente como se nada tivesse acontecido, mas isso não é justo com você. Nem comigo, acho.

Thea botou as pernas para fora da cama e o abraçou. Foi um incentivo tão bom quanto qualquer outro. Gavin estava disposto a arriscar tudo. Encostou a testa nos joelhos dela.

– Estou à sua mercê, Thea. Desde o momento em que a vi pela primeira vez, sou um homem pela metade. Porque a outra metade pertence a você.

– Gavin... – A voz saiu rouca, como se ela de repente tivesse dificuldade de respirar, assim como ele.

Gavin ergueu os olhos.

– Acabe com a minha agonia, Thea. Eu suplico.

Enquanto esperava que ela agisse, seu coração quicou como uma bola no chão na segunda base. A indecisão e a ansiedade aumentavam e diminuíam a cada suspiro ofegante compartilhado. Centímetro a centímetro, dolorosamente, Thea colou os lábios nos dele. A respiração dela ficou errática, os dedos envolveram o bíceps musculoso contraído.

Gavin se levantou e a empurrou delicadamente para a cama. Thea afundou no travesseiro, abrindo bem a boca, e alguma coisa se libertou no peito dele. Uma onda de oxigênio e euforia irrompeu em suas veias, um coquetel inebriante de alívio e desejo.

Não beijava a esposa assim havia tanto tempo, e não estava falando dos beijos apaixonados nas duas semanas anteriores. Não a beijava assim havia tanto tempo que nem lembrava quando fora a última vez. Foi um beijo preguiçoso e quente, com o conforto da familiaridade, mas a emoção da novidade. As mãos de Thea estavam em seu cabelo. As pernas envolviam seu quadril. Os seios pressionavam seu peito. Nem os beijos selvagens de mais cedo chegaram perto daquela intimidade simples. Gavin despejou pedidos de desculpas e promessas em cada movimento da boca e sentiu o primeiro gosto de aceitação em resposta.

Seu corpo ardia para tirar as roupas e se enfiar bem fundo nela, mas sabia que nenhum dos dois estava pronto. O casamento não estava pronto. Estavam à beira de algo novo, algo melhor do que antes. Não ia arriscar tudo só para atender seu desejos carnais.

Principalmente porque ainda não tinha certeza de que poderia atender os desejos dela. E qualquer fracasso agora iria levá-los a um lugar para o qual não queria voltar. Não sabendo que havia momentos assim à frente.

E, com o oxigênio escapando dos pulmões, uma coisa que parecia gratidão entrou para expandi-los. Sim, *gratidão*. Por aquele momento. Por aquela segunda chance. Por aquela mulher.

Thea era dona de metade do coração dele havia tanto tempo que os batimentos intensos e frenéticos eram uma sensação tão estranha quanto a plenitude da vida que só sentia com ela, que só *tinha sentido* com ela. Thea fez um ruído, um murmúrio suave como se tivesse entendido, como se também estivesse sentindo tudo.

Ela passou a mão por seu maxilar e abriu os lábios junto ao seu pescoço, respirando sobre o ponto em que mais sentia sua pulsação. Os dois se moveram, se tocaram. Só falaram por meio dos lábios leves roçando a pele febril.

Gavin percebeu, com uma inspiração trêmula, que aquele era o momento mais importante de sua vida.

Ergueu o rosto o suficiente para encará-la. O peito de Thea tremeu quando ela inspirou.

– Fale comigo – sussurrou ele.

Ela sorriu em meio às lágrimas.

– Quer ficar e ler?

VINTE E UM

Thea acordou nua.

Não tinham feito amor, nem tentaram, mas Gavin dormiu na cama e fizeram o acordo tácito de que roupas eram opcionais.

Gavin grunhiu, sonolento, atrás dela.

– Estou ouvindo você pensando. – Ele a apertou mais, puxando-a para perto. – Dormiu bem?

– Aham.

– Me conte o q-q-que está pensando – pediu, enfiando o rosto na curva do pescoço dela e murmurando em seu ouvido.

Ah, sabe como é. Nada de mais. Só sexo.

Sexo quente.

Sexo despreocupado.

Sexo do tipo em que passava a unha nas costas dele.

Sexo do tipo em que é impossível não ter orgasmos.

Argh.

Gavin roçou os lábios no lóbulo da sua orelha.

– Sabe em q-que eu estou pensando?

– Em sexo?

A risada dele balançou seus seios.

– Isso nem preciso dizer. – Gavin deslizou a mão por seu corpo até encontrar e segurar a mão dela. – Mas eu ia dizer bacon.

Thea virou a cabeça para olhar para trás.

– Isso é um eufemismo?

– Você nem faz ideia. – Gavin se levantou e a encarou com aquele olhar sexy e cansado. – Bom dia.

Thea rolou de costas para poder vê-lo melhor.

– Bom dia.

– Quer que eu faça as panquecas?

Ah, sim. Era domingo.

– Claro. Mas não agora. Está cedo. As meninas nem acordaram.

Ele ergueu uma sobrancelha.

– O que vamos fazer com nosso tempo roubado no e-escuro?

Thea riu, e a risada virou um grito quando Gavin puxou o edredom por cima da cabeça dos dois e os escondeu em um casulo escuro. Os dois pararam ao mesmo tempo, absortos no momento. Catalogaram todos os lugares em que as partes rígidas dele pressionavam as partes macias dela.

Com a boca, Thea capturou o lábio inferior dele e puxou.

Isso bastou. Gavin soltou um grunhido baixo, vindo da garganta, e colou a boca à dela. Pressionou-a no colchão, massageando-a e apertando-a com os lábios, provocando e explorando. Ele a beijou como se tivessem todo o tempo do mundo, mas, quando Thea deslizou uma das pernas pela dele, passando os dedos pela panturrilha, algo mudou. *Ele* mudou. Fechou a mão livre na curva do maxilar dela e mudou o ângulo do beijo, indo mais fundo, mais forte, a língua explorando sua boca.

Thea passou os braços em volta dele. Os dedos exploraram os músculos torneados do tronco, cada onda, cada marca, cada forma... As explorações pareceram alimentar o fogo de Gavin, porque um gemido subiu do fundo do seu peito e ele moveu os quadris para pressionar as partes dela que agora latejavam de vontade. Thea queria se fundir a ele. Queria beijar cada centímetro daquele corpo.

Apenas *queria*.

Queria sentir o peso do corpo suado dele sobre o seu. Queria mexer os quadris embaixo dele. Queria gemer, se contorcer e ofegar.

Queria as mãos dele na pele, os lábios nos seios. Queria senti-lo duro, longo e grosso penetrando fundo dentro dela. Queria encontrar de novo aquele lugar em que viviam o calor, as fagulha e os furacões. E, depois, queria se aconchegar ao lado dele, passar os dedos no peito úmido e dar beijos quentes na barriga.

Ela queria.

Ela *o* queria.

– Gavin – disse, a voz rouca. – Posso perguntar uma coisa?

Ele lambeu um ponto embaixo da sua orelha. Thea inspirou. Ah, como gostava daquilo. E se esforçou para respirar.

– Como você soube, naquela noite?

– Soube o quê? – Gavin sugou o lóbulo da orelha dela.

– Que eu tive um orgasmo.

– Primeiro pelos barulhos que você fez. – Ele chupou o lugar macio onde a pulsação vibrava no pescoço. – Eu nunca tinha ouvido você fazer aquele barulho, parecia um ch-choramingo.

Thea se remexeu embaixo dele. A pressão crescente entre suas pernas procurava o comprimento duro entre as dele.

– E você começou a se esfregar em mim.

Gavin inclinou o quadril mais para perto. Thea apertou os ombros dele.

– Você começou a dizer meu nome – continuou, a respiração quente no pescoço dela. – Sem parar. Até não conseguir mais falar.

Thea gemeu e roçou nele de novo.

– Você ficou frenética.

Gavin ofegou, passando a ereção entre as pernas dela.

Thea ofegou e se balançou junto ao volume dele.

– E seu corpo todo ficou tenso. – Gavin afundou os dedos no quadril dela. – Chamou meu nome. E, dentro de você... Meu Deus, Thea, dentro de você...

Gavin levou a mão para o local entre os dois corpos e encontrou a fonte do desejo dela. Seus dedos começaram a explorar. Thea gemeu e inclinou a cabeça para trás.

– Eu senti, Thea. Senti seu orgasmo.

Ele enfiou dois dedos dentro da mulher, que soltou um gritinho.

– Seus músculos se contraíram, me apertando, e... nossa... – Gavin inclinou a cabeça para perto do ombro dela e bombeou os dedos em um ritmo regular. – Foi a coisa mais incrível que já senti. E, quando eu gozei, nunca tinha sido daquele jeito.

Thea levou a boca à dele. Os dois se beijaram, as línguas se explorando como adolescentes enquanto Thea se remexia na mão dele. Ela moveu os quadris em busca daquele sentimento, daquele prazer.

Gavin gemeu.

– Estou sofrendo desde aquela noite. Q-quero fazer você sentir aquilo de novo. Quero você, Thea. Tanto...

Ouviram uma mãozinha bater à porta do quarto, e os dois arregalaram os olhos.

– Merda!

– Só pode ser brincadeira! – gemeu Gavin.

– Mamãe! – Era Amelia.

– Só um minuto, querida.

Thea empurrou Gavin para longe e pegou a peça de roupa mais próxima, uma camiseta comprida que estava ao pé da cama. Gavin rolou, um movimento dramático. Quando Thea vestiu a camiseta, Gavin botou o braço em cima dos olhos.

– Só um segundo, querida, estou quase chegando lá.

– Não está mais – resmungou Gavin.

Thea jogou a coberta no colo dele e se levantou para destrancar a porta.

Amelia entrou, arrastando o cobertor em uma das mãos. Ava veio atrás, segurando o patinho.

– O papai está aqui? – perguntou Amelia, acelerando os passos.

– Estou. Venham deitar com a gente.

As meninas foram até o lado de Gavin da cama e esperaram que ele as erguesse. As duas se deitaram em cima das cobertas, no espaço entre os pais.

– As costas do papai não estão mais doendo? – perguntou Ava.

Tinha sido a desculpa que deram para as duas quando ele foi dormir no quarto de hóspedes.

Thea ignorou a pergunta.

– Vocês acordaram cedo – sussurrou, dando um beijo na bochecha de Amelia. – Por que não dormem mais um pouco?

As meninas fecharam os olhos. Thea ficou de lado, de conchinha com Amelia, e Gavin fez o mesmo com Ava. Acima do corpo das filhas, eles se olharam, e o que Thea viu nos olhos de Gavin fez sua garganta apertar e o coração disparar.

O mundo tinha voltado a girar no eixo.

Às dez da manhã, Thea estava arrumando a cozinha quando recebeu uma mensagem de texto de Liv, que não voltara para casa na noite anterior.

Ia passar uns dias na casa da Alexis e não poderia cuidar das meninas naquela noite.

Até alguns dias antes, Thea teria ligado para a irmã e tentado ajeitar as coisas. Mas não faria isso dessa vez. Liv estava se comportando como uma criança mimada.

Gavin a abraçou por trás, trazendo uma xícara de café em uma das mãos.

– É Liv?

– Ela não vai poder cuidar das meninas hoje à noite.

– Ela vai superar. E vamos dar um jeito para hoje à noite.

Thea se virou nos braços dele, ficou nas pontas dos pés e o beijou. Gavin soltou um grunhido grave, botou o café de lado e a tomou nos braços.

– Vamos dar um jeito – repetiu. – Nem que eu tenha que gastar 20 mil para trazer meus pais de avião para cá, nós vamos ficar naquele hotel.

Thea moveu a boca para beijá-lo de novo, mas ele se afastou com um sorriso malicioso.

– Sabe aquela coisa que fiz com a mão, hoje de manhã?

– Sei – sussurrou ela.

– Da próxima vez, vou usar a boca.

VINTE E DOIS

Não precisaram gastar 20 mil para levar os pais dele até lá.

Del e Nessa sugeriram que as gêmeas passassem a noite na casa deles, com Jo-Jo e uma babá. Ao que parecia, os dois tinham decidido não ficar no hotel porque Nessa ainda estava tendo enjoos matinais.

– Quanto tempo temos que ficar? – perguntou Thea, quando entraram na rampa do estacionamento do estádio onde acontecia a festa, puxando a pashmina sobre os ombros.

– Se quiser ir direto para o hotel, tenho certeza de que você consegue me convencer rapidinho... – retrucou Gavin.

Tinham passado o dia todo daquele jeito. Implicitamente, *o hotel* virou a síntese de tudo o que estava para acontecer lá. Como se dizer as palavras em voz alta pudesse estragar o momento, um sentimento análogo à superstição de que não se podia dizer "nenhuma rebatida" quando ficava claro que um arremessador estava prestes a conseguir o feito.

Naquela noite, fariam sexo de novo.

A questão era: Thea conseguiria ter um orgasmo? E o que aconteceria se ela não tivesse?

– Acho que a gente devia pelo menos aparecer na festa – brincou Thea.

Tradução: *Estou tão nervosa que não vou nem aproveitar a chance de evitar outro encontro com minha melhor amiga, Rachel.*

– Acho que a gente deve ficar até os prêmios – sugeriu Gavin.

Tradução: *Também estou nervoso.*

– E vamos embora depois?

Tradução: *Então tenho duas horas para superar o nervosismo?*

Gavin desligou o motor e olhou para Thea no escuro.

– Combinado.

Tradução: *Eu tenho duas horas para superar o nervosismo.*

Gavin segurou sua mão quando saíram do elevador no andar mais alto da ala administrativa do estádio, onde, todos os anos, os funcionários e a equipe do bufê transformavam o saguão alto e amplo para o baile de Natal. Gavin a conduziu por um labirinto de mesas altas, até uma onde Del e Nessa os esperavam. A maioria dos jogadores por quem passaram acenaram depressa ou cumprimentaram Gavin com soquinhos no punho, mas as esposas e namoradas não poderiam ter deixado mais evidente o desprezo que sentiam por Thea, desviando os olhares e abrindo sorrisos amarelos. O que não era tão incomum, mas, naquela noite, pareceu ainda mais evidente.

Ela descobriu o motivo assim que se sentou com Nessa, enquanto os homens iam buscar bebidas.

– Rachel e Jake brigaram feio – contou Nessa, parecendo uma modelo, com o vestido longo, todo de contas douradas. – Não sei se é verdade, mas parece que ele disse que quer ficar em um hotel por um tempo.

Thea sentiu uma empatia surpreendente por Rachel.

– Eles vieram para a festa?

– Vieram, mas está na cara que tem alguma coisa errada.

– E ela acha que a culpa é minha, não é? – indagou Thea, finalmente entendendo. – Coisa da minha energia maligna no Dia de Ação de Graças?

Nessa fez careta.

– Eu ouvi algo do tipo.

Ótimo.

As duas interromperam a conversa quando os homens voltaram com as bebidas. Del inclinou a cerveja na direção de Gavin.

– Às nossas lindas esposas.

– Sem dúvida vou beber a isso.

Gavin se inclinou para a frente e bateu com a garrafa na de Del antes de dar um gole. Em seguida, chegou perto do ouvido de Thea.

– À esposa *mais* bonita do salão – sussurrou, batendo de leve com a garrafa no copo dela. E a beijou antes de deixar que ela bebesse.

– Estou me sentindo meio ignorado... – brincou Del. – E você, Ness?

Thea ergueu os olhos. Nessa ostentava um sorriso sentimental, já o de Del tinha um ar malicioso. Gavin passou os lábios depressa pela têmpora dela. A noite seria longa.

Outras mesas começaram a se encher de casais durante a meia hora seguinte, mas a deles ficou estranhamente vazia. Até Yan e a esposa, Soledad, preferiram se sentar do outro lado do salão, o que deixou Thea meio magoada. Como as pessoas podiam ser tão supersticiosas? Achavam mesmo que ela teria algo a ver com o possível rompimento de Jake e Rachel? Thea bebeu o champanhe depressa e deixou Gavin ir buscar outro.

Alguns minutos antes do jantar, dois dos treinadores e suas esposas finalmente ficaram com pena do grupo e perguntaram se os lugares estavam ocupados. Ao que parecia, a superstição não chegara aos ouvidos da equipe de treinamento.

Quando o jantar acabou e começou a cerimônia, Thea já tinha bebido três taças de champanhe. Ela percebeu, com uma risadinha baixa, que pelo menos não estava mais tão estressada, pensando se chegaria ou não ao orgasmo mais tarde.

Os prêmios foram uma combinação de realizações sérias e tradições bobas. A barba mais épica do campeonato. A pior dança em campo. Del se recusou de brincadeira a receber o prêmio de pior chilique no banco de reservas, por uma tentativa falha de roubar a segunda base no começo da temporada. Mas cada prêmio os levava para mais perto do momento inevitável em que o *grand slam* seria reconhecido e, a cada minuto, Thea ia ficando mais tensa e cheia de expectativa.

As coisas ficariam bem se não as tratassem de um jeito meio excessivo. Só que não havia como falarem depressa sobre o assunto. Tinha sido a maior jogada do ano. Provavelmente mostrariam um vídeo completo da jogada; seria a primeira vez que Thea assistiria desde a noite do acontecimento. Não se permitira assistir a nenhum replay, porque as lembranças ainda eram muito dolorosas. A noite da maior realização da carreira dele tinha sido a noite de maior humilhação e mágoa da vida dela. Só o fato de essas duas coisas poderem ter acontecido no mesmo espaço e tempo era um golpe cruel do destino. E ainda por cima teria que reviver isso na frente de todas aquelas pessoas.

Se Gavin compartilhava da sua ansiedade, não demonstrou. Ficou com o braço o tempo todo em volta dela, buscando seu olhar de tempos em tempos, com aquele sorriso inebriante ou uma piscadela.

– O próximo é indiscutível – começou o cara do marketing, por fim. – A melhor bola longa vai para...

A sala irrompeu em uma cantoria quase ensaiada de *grand slam, grand slam, grand slam*. Uma foto agora icônica de Gavin pulando nos braços dos colegas na base principal apareceu no telão. Os presentes aplaudiram. O vídeo da jogada ficou em câmera lenta quando ele contornou a terceira base na direção da principal. Na metade do caminho, Gavin lançou o capacete de rebatedor no ar, um gesto exuberante que gerou mil tuítes de *Será que o capacete do Gavin Scott já caiu?* no dia seguinte. Os companheiros de time o puxaram para um abraço vigoroso, agitado, aos berros. Eles o sacudiram, o abraçaram, o derrubaram no chão e o levantaram de novo. Arrancaram a camisa de seu corpo, revelando uma regata preta por baixo, colada a cada músculo da barriga, do peito e dos ombros. *Essa foto* tinha gerado mil outros tuítes de *Gavin Scott, casa comigo.*

Gavin foi até o palco e aceitou o prêmio não-oficial em meio a abraços, com tapas nas costas e gargalhadas. Quando voltou à mesa, ele se inclinou e deu um beijo exagerado em Thea, mas não se sentou. O cara do marketing disse que estava na hora do último prêmio, um prêmio novo, que os próprios jogadores tinham decidido que já passava da hora de existir.

– Legends, levantem-se.

Todos os jogadores e treinadores se levantaram. Thea olhou para Nessa, que deu de ombros, tão confusa quanto Thea.

– Nós todos sabemos que as verdadeiras heroínas desse time são as companheiras em casa, que conseguem nos aguentar – ia dizendo o cara no microfone.

O coração de Thea parou. O que era aquilo?

– Vocês ficam ao nosso lado nas vitórias e nas derrotas. Durante o estresse das negociações de contrato e prazos do período de troca de times. Vocês tornam possível esse sonho louco, e nós não fazemos o suficiente para deixar claro o quanto somos gratos.

Thea engoliu em seco. Seu coração disparou no peito.

– Legends – disse o homem –, demonstrem seu agradecimento.

A sala se encheu de assobios. Todos, jogadores e treinadores, puxaram as esposas e namoradas para que ficassem de pé, tomando-as nos braços, trocando beijos apaixonados de surpresa. Gavin estendeu a mão para ela, o rosto uma máscara de incerteza. Thea segurou a mão dele e se levantou, os pés inseguros nos saltos.

– Era por isso que eu queria que você viesse hoje – explicou ele, baixinho, passando um braço pela cintura dela para puxá-la mais para perto.

Thea levantou o rosto, e o que veio em seguida foi um momento de cinema daqueles em que o tempo parece parar, quando o resto do salão some e só restam os olhos, o sorriso e as mãos do cara. De Gavin. Meu Deus, as mãos dele. Grandes e calejadas, depois de anos e anos de trabalho árduo. Os dedos em suas costas fizeram um caminho lento pela pele exposta, subindo e descendo. Um tremor percorreu seu corpo. Um tremor quente.

Gavin segurou sua nuca enquanto inclinava a cabeça. Os lábios procurando os dela, como se quisesse dar a ela uma chance de recuar, a linguagem corporal dizendo que aquele não seria como todos os outros beijos que trocaram naquela noite. Os outros tinham sido apenas o aquecimento. O treino para o grande show. Aquele era para valer.

Ele a provocou com uma mordidinha no lábio inferior que espalhou arrepios por todo o seu corpo.

– Gavin – sussurrou Thea, suplicando, deixando o champanhe tomar todas as decisões.

Abrindo um sorriso, o marido cobriu sua boca com a dele. Finalmente. Um beijo completo.

Uma sensação de flutuar tomou o corpo dela, leve e vertiginosa, mas não era o champanhe. Era ele. O cheiro, o gosto, a força dos lábios. Foi o jeito como Gavin recuou para poder aprofundar o beijo, várias vezes. Foi a empolgação louca de beijá-lo num salão cheio, onde todas as pessoas tinham deixado de existir assim que os dois entraram naquele casulo particular. Foi o jeito carinhoso e ao mesmo tempo possessivo com que Gavin apoiava sua nuca. Thea tocou as bochechas macias dele, com uma barba leve, e afastou os lábios. A respiração rápida e irregular dos dois se misturou, virando um ofegar único e uma risada surpresa. Os sons voltaram lentamente. O tilintar de copos. O murmúrio de casais cujos abraços já tinham terminado. O clique de saltos altos no piso frio. Os acordes românticos de uma música lenta que a banda começava a tocar.

Gavin virou o rosto dela para encará-la.

– N-não sei você, mas estou pronto para sair daqui.

Hora do jogo. Thea assentiu.

– Só preciso ir ao banheiro.

Ela pegou a bolsa de mão, que caíra no chão, e abriu um sorriso agradecido quando Gavin a segurou pelo cotovelo para ajudá-la a se levantar.

– Já volto – disse.

O banheiro era no final de um longo corredor, depois de uma esquina. Quando saiu do salão, o som da banda foi sumindo até ela só conseguir ouvir as batidas rápidas do próprio coração.

Mas isso não escondeu as vozes no corredor.

Ela parou, contendo um grunhido. Rachel e seu bando pareciam estar sentadas na área entre os escritórios e os banheiros. O que lhe deixava duas opções: descer e usar outro banheiro, ou passar por elas com um aceno, talvez ignorá-las. Droga! Não queria perder o tempo de ir até o outro andar. E por quê? Por que deveria desviar o caminho? Não era porque Rachel tinha convencido a maior parte das outras mulheres a ficar contra ela que Thea tinha menos direito de estar ali. Ela e Gavin ainda eram casados.

Respirando fundo para ganhar coragem, Thea se aproximou.

Mas o que ouviu a fez parar de novo.

– Não acredito que eles tiveram coragem de vir aqui hoje – disse Rachel, as palavras arrastadas só o suficiente para refletir o tanto de álcool que ela consumira.

– São tão egoístas! – concordou Mia Lewis, noiva do defensor externo Kevin Krieg. – Olha, sinto muito, mas é verdade: os dois oficialmente dão azar.

O estômago de Thea se contraiu. Não podia haver dúvida de que estavam falando dela e de Gavin.

Rachel deu uma risadinha.

– Você viu os dois se beijando?

– Eu achei fofo – comentou outra voz.

Talvez Mary Phillips? A esposa de Brad Phillips, o receptor reserva, sempre foi gentil com ela. O que estava fazendo com aquele bando?

– Foi nojento – retrucou Rachel, a voz cheia de desprezo. – Meu Deus! Por que não vão logo para um quarto?

– Todo mundo estava se beijando – argumentou Mary.

– É, mas eram *eles* – explicou Rachel. – Aposto que os dois eram virgens quando se conheceram.

– Que maldade – disse Mia, rindo.

– Você consegue se imaginar casada com ele? – perguntou Rachel.

Thea fechou a mão junto à barriga.

– Já tentou sequer conversar com o cara? Aposto que ele gagueja até na cama.

Uma fúria quente e vermelha corou a pele de Thea, nublando sua visão. Uma imagem surgiu em sua mente: ela pulando no pescoço de Rachel, derrubando-a no chão e dando na cara dela. Em vez disso, simplesmente se revelou.

– Como você ousa!

As três fofoqueiras viraram a cabeça e tiveram a decência de pelo menos fazerem cara de culpa por terem sido pegas.

Thea se aproximou.

– Quem vocês pensam que são?

Mary ficou pálida e deu um passo à frente.

– Thea, nós não… Nós não estávamos falando de vocês.

Rachel revirou os olhos.

– Acho que ela não vai cair nessa.

A fúria tomou conta dela, forte como uma tempestade.

– Você pode dizer o que quiser sobre mim, mas *nunca* desrespeite o meu marido. Gavin tem mais dignidade, integridade e coragem do que todos os homens desse time juntos, mais do que vocês três poderiam imaginar.

Mary engoliu em seco.

– Me desculpe. Eu… vou voltar para a festa. – Ela passou correndo por Thea com as bochechas vermelhas.

Rachel revirou os olhos.

– Olha, se espera que eu peça desculpas, vai ter que esperar sentada.

– Não espero e não me importo. Mas, se eu ouvir você falando esses absurdos sobre meu marido de novo…

– Você vai fazer o quê? – Rachel se levantou, se aproveitando de cada centímetro do corpo alto e leve. – Vai ficar com raivinha? Vai contar para o seu marido? Aqui não é o ensino médio, queridinha.

Thea deu risada. Aquilo sim era o sujo falando do mal lavado! Rachel oscilou nos saltos, embriagada.

– Quanto você bebeu, Rachel?

– Não é da sua conta.

Mas, quando falou, ela se balançou de novo e quase caiu. Thea a segurou pelo braço, para firmá-la. Rachel se soltou, ríspida.

– Não toca em mim.

Thea não se surpreenderia se a mulher fingisse limpar o lugar onde ela a tocara.

Mia segurou a amiga pelo braço.

– Vamos.

Rachel se soltou.

– Não. Por que não contamos a verdade a ela?

Mia desviou o olhar, encarando um ponto atrás de Thea.

– Rachel, vamos.

– Que verdade? – perguntou Thea. – Que você me culpa pelos seus problemas?

Rachel saltou para a frente.

– Jake e eu estaríamos ótimos se tivéssemos chegado à World Series! E isso só não aconteceu por culpa do seu marido no último jogo!

– O que você está fazendo agora se chama projeção de culpa. É mesmo muito triste.

– Eu tinha planos! – berrou ela. – Acha que quero passar o resto da vida nessa cidadezinha? Seu marido roubou a chance de Jake, com todos os acordos que viriam depois!

Thea bufou como um motor de trator enferrujado depois de um longo inverno no celeiro. Mas, quando finalmente engrenou, a fúria a lançou para a frente com um tranco.

– O *meu* marido? Então vamos falar sobre aquele *home run* duplo que o seu marido permitiu, na terceira entrada! Que tal aquela bola fora que deixou o Cubs na liderança?

Rachel recuou, parecendo surpresa.

– Bom, se o seu marido tivesse feito *alguma coisa* na base, no sétimo jogo…

– Nem haveria sétimo jogo se não fosse o que meu marido fez no sexto jogo!

Era a abertura que Rachel esperava. Ela repuxou os lábios, erguendo a sobrancelha perfeita, cheia de desdém.

– E, se você fosse uma boa esposa de beisebol, teria ido ao sétimo jogo.

– O que está acontecendo aqui?

Ao ouvir a voz do marido, Thea se virou, sobressaltada. Gavin estava a poucos metros, parecia transtornado.

Rachel deu uma risada irônica, cheia de deboche.

– Ah, lá vem ele! O homem grande e forte ao resgate.

Só que o homem grande e forte não estava sozinho. O marido de Rachel, ou talvez futuro ex-marido, apareceu acompanhado do que parecia ser meio time. O mesmo sentimento de empatia voltou, e, por um momento, Thea pensou em simplesmente ir embora.

Mas era isso que sempre fazia.

E não ia mais fugir da luta.

Chegou mais perto de Rachel, tão perto que a mulher teve que dar um passo oscilante para trás.

– Quer saber que tipo de esposa de beisebol eu sou? Sou o tipo de esposa que teve que parir sozinha porque o marido estava fora. O tipo de esposa que teve que passar 24 horas no pronto-socorro *sozinha* porque as meninas tiveram infecção estomacal durante a temporada de jogos. O tipo de esposa que ainda não sabe muito bem a diferença entre um jogo sem rebatidas e um jogo perfeito. E quer saber? Não importa. Porque eu não me casei com o beisebol. Eu me casei com Gavin, um homem mais íntegro do que você poderia sonhar em ser.

Rachel parecia estar com um pouco de medo. Ela recuou mais um passo, sozinha, encostando na parede. Thea deu mais um passo à frente.

– E sou o tipo de esposa de beisebol que deixou os próprios sonhos de lado durante três anos para poder apoiar a carreira do marido e tentar ser igual a pessoas como você, mas esse é um erro que estou finalmente conseguindo consertar. E você só me odeia porque não tem coragem de fazer o mesmo. Você prefere agredir e culpar os outros. Mas ninguém se meteu no seu relacionamento com Jake, só você mesma.

Thea deu meia-volta, pronta para sair, mas parou e voltou para um último comentário.

– E, para sua informação, sim, o Gavin gagueja na cama. E é uma delícia.

Sem nem olhar para Gavin e o restante do time, Thea ergueu a cabeça e saiu andando.

VINTE E TRÊS

Gavin a alcançou no elevador. Thea já tinha pegado a echarpe e a bolsa.

– Thea...

Ela levantou a mão.

– Não fale nada. Rachel mereceu.

O elevador chegou, e Gavin entrou atrás de Thea. Ela ainda estava tensa, a respiração ofegante da discussão, e suas palavras reverberavam no ar carregado entre os dois. *Sim, o Gavin gagueja na cama. E é uma delícia.*

Era para ele estar humilhado. Furioso. Mas não. Estava duro como pedra.

Thea o encarou, e Gavin sentiu um choque que desceu até a virilha. Thea estava tão excitada quanto ele. Os dois se desencostaram das paredes do elevador ao mesmo tempo e colidiram como dois animais em acasalamento, respondendo ao chamado mais primitivo da natureza. Gavin tropeçou, e eles desabaram contra a parede.

– Hoje você não vai fingir – disse ele, a voz rouca, a boca colada à dela. – Está me ouvindo? Você nunca mais vai fingir.

Nunca tinha dirigido tão rápido. O hotel ficava a apenas 1,5 quilômetro, mas pareceu ser do outro lado da Terra. Gavin freou com tudo na entrada e jogou as chaves para o manobrista. Por ele, o garoto podia até ficar com o carro.

Pegou as bolsas no banco de trás enquanto Thea esperava na calçada, os olhos carregados de desejo.

A esposa teria um orgasmo naquela noite, nem que fosse a última coisa que ele fizesse.

O check-in só levou cinco minutos, mas pareceu uma hora. No elevador, se uniram de novo, mãos e lábios, e saíram aos tropeços quando as portas se abriram na cobertura. Gavin tinha reservado uma suíte master. Porque podia, porque aquela noite era especial.

As mãos estavam trêmulas quando ele enfiou o cartão na abertura.

Depois de um bipe, a luz ficou vermelha.

Gavin grunhiu e tentou de novo. Finalmente, a luz ficou verde. Ele abriu a porta, jogou as bolsas para dentro e se virou, procurando a esposa.

Os dois se encostaram na parede de novo, roçando o corpo um no outro.

– Vira – mandou ele.

Os dedos tremiam quando ele abriu o zíper do vestido preto. Se não estivesse tão desesperado, agiria mais devagar. Primeiro a despiria lentamente, beijando cada centímetro de pele exposta... mas isso ficaria para outra hora.

O vestido caiu aos pés de Thea, que o chutou de lado enquanto se virava para encará-lo. Ficou diante dele só com os saltos agulha e uma calcinha minúscula. Gavin soltou um ruído animalesco, passando o braço pela cintura dela e a puxando mais para perto. Thea o beijou com uma paixão ausente havia muito tempo. *Ela* estava ausente havia muito tempo. Aquela mulher corajosa por quem Gavin se apaixonara. E, Deus, como sentia falta dela.

Gavin deslizou a mão pela barriga dela, entre os corpos, e Thea arqueou de desejo. Quando ele chegou aos pelos úmidos e abriu passagem com o dedo, ela deu um gritinho e ergueu os quadris para se aproximar do toque. Deus, se Gavin pudesse fazê-la gozar assim, de pé, com a mão...

– Gavin – murmurou Thea, segurando a cabeça dele. – Faça amor comigo.

Ele espalmou as mãos em sua bunda, erguendo-a nos braços. Thea envolveu as pernas em sua cintura, os saltos afundando nas nádegas dele. Ah, não havia chance de tirar aquilo dos pés.

Ele cambaleou até a cama e a colocou no colchão. Então, arrancou a própria camisa e abriu o zíper da calça, que já estava quase explodindo. Thea tirou a calcinha, ficando nua, exceto pelos sapatos.

Gavin gemeu, ajoelhando na beirada da cama. Era hora de botar as aulas do livro em prática.

– Gavin, o que você está fazendo? – sussurrou Thea. – Eu quero você.

– Me deixa amar você desse jeito primeiro – pediu, agradecendo a Deus pelo Lorde Máquina de Sexo saber as coisas certas a dizer.

Gavin deslizou as mãos embaixo das nádegas dela e se inclinou para a frente, até os lábios tocarem no ponto de desejo de Thea.

– Ah, meu Deus – murmurou ela, ofegante, agarrando o edredom.

Gavin soprou a pele quente e foi recompensado com mais um ofegar, outro arquear de costas. Quando abriu a passagem com a língua, o gemido gutural quase o fez explodir.

Ele lambeu até Thea começar a se contorcer, alternando entre movimentos leves da língua e sugadas do botão intumescido. Os gemidos o deixaram louco, mas ele recuou para deixá-la respirar. Era uma coisa que tinha aprendido com o Lorde Língua Feliz. Era preciso deixar que a mulher se ajustasse às sensações antes de ir mais fundo. Usar palavras, não só o corpo.

Gavin soprou de leve a pele quente.

– Seu g-g-gosto é delicioso – disse, lambendo-a lentamente de cima a baixo.

Nunca tinha pensado em dizer isso antes do livro. Thea reagiu como ele esperava e passou a perna por cima de seu ombro.

– É mesmo? – choramingou ela.

– Eu poderia beijar e chupar você o dia todo, Thea – respondeu, rouco.

Ela ergueu os quadris, procurando sua boca de novo. Desta vez, quando levou os lábios ao clitóris, Gavin enfiou dois dedos dentro dela, botando e tirando-os acompanhando o ritmo dos movimentos da língua.

Thea se balançou. Ergueu os quadris na cara dele. Enfiou as mãos em seu cabelo.

Gavin acelerou, acompanhando Thea.

As coxas de Thea começaram a tremer.

Os gemidos viraram choramingos.

O prazer foi crescendo até ela começar a se contorcer. *Se contorcer.* E foi a coisa mais erótica que Gavin já tinha visto. Foi tomado por uma onda de carinho tão potente quanto a luxúria que percorria suas veias. Aquela era sua esposa. O amor da sua vida. E, por três anos, não conseguira fazer com que ela sentisse isso. Não conseguira fazer com que ela se sentisse segura a ponto de estar aberta a sentir isso. Falhara com ela de tantas formas, tantas vezes. Não falharia de novo.

– Gav... – Thea não conseguiu dizer o nome dele.

Estava tão perto.

– Assim. Assim, ah, meu Deus.

Ela agarrou a cabeça dele, apertando com força, inclinando o corpo para trás com um grito. Seu corpo todo tremeu. Os músculos íntimos se contraíram e pulsaram em volta dos dedos dele. Thea ergueu os quadris em direção ao rosto dele, se esfregando uma última vez contra sua boca.

De repente, ficou imóvel. O grito rouco virou um grunhido leve, outro choramingo, outro *ah, meu Deus.*

Cacete. Tinha conseguido.

Fizera a esposa gozar.

Cacete.

Thea tinha gozado.

Só com as mãos e a boca. Sentiu as pernas dela relaxarem em seus ombros enquanto ela voltava a si, sussurrando seu nome.

Gavin subiu sua barriga com uma trilha de beijos.

– Fale comigo – pediu, a voz trêmula.

– Quero você dentro de mim.

Ele nem se deu ao trabalho de tirar o que ainda restava das roupas. Empurrou a calça e a cueca para baixo e se inclinou sobre ela. O aperto urgente da ereção contra a vagina ainda latejante fez os quadris dela se erguerem outra vez em busca de prazer.

– Me diga o que quer. Dig-ga. Diga exatamente o q-que quer que eu faça.

– Quero você dentro de mim – repetiu ela.

– Diga de novo – pediu ele, ofegando, encostando a ponta do membro na entrada dela.

Thea encostou a boca em seu ouvido.

– Quero que você me faça gozar de novo.

Gavin a penetrou. De vez. Profundamente. Enfiou a ereção com tudo dentro dela, gerando um grito de prazer.

Thea envolveu a cintura dele com as pernas.

– Quero que você me coma – explicou ela, gemendo.

Puta merda, foi a coisa mais erótica que já ouvira da esposa.

Thea se agarrou a ele.

– Quero que me coma com força, com tudo.

Ele obedeceu. Apoiou-se nos cotovelos e impôs um ritmo que a fez se esquecer de como falar. Sentia os bíceps arderem, se contraindo dos dois lados da cama. O suor de seu corpo pingava sobre ela.

Thea gozou tão de repente que Gavin não estava preparado, e não pôde fazer nada além de ficar parado enquanto ela fincava as unhas em suas costas, até não aguentar mais e cair no abismo com ela, estocando uma última vez com um tremor, um grunhido e o sussurro rouco do nome dela.

Thea sentiu os músculos virarem gelatina e caiu, inerte, embaixo do marido, as mãos escorregando das costas suadas dele para o edredom abaixo. Gavin caiu pesadamente em cima dela, cada resto de força do corpo liberado com o orgasmo. Thea gozara duas vezes. Gavin fizera a esposa gozar *duas vezes*. A sensação não seria tão boa nem mesmo se vencesse a World Series cinco vezes seguidas.

– Gavin – chamou ela, virando-se para encostar os lábios na lateral de sua cabeça. – Adivinha.

Ele grunhiu em resposta, o rosto enfiado na cama.

– Eu não fingi.

Gavin ergueu o rosto e a beijou.

– Adivinha – murmurou, quando se afastou.

– Hum?

– Eu também não.

Thea riu. Gavin rolou na cama, puxando-a para junto, até o corpo nu dela estar por cima de seu peitoral. Passou um braço em volta da cintura dela para segurá-la bem, a outra mão ficou na cabeça, aninhando-a.

Seu estômago roncou. Thea passou os dedos pelo abdome dele.

– Com fome?

– Sempre.

– Quer pedir comida no quarto?

– Você está no cardápio?

Thea riu de novo.

– Vou pegar o cardápio.

Gavin apertou o abraço.

– Eu pego. Fica na cama. E não tira esses sapatos.

– Ah, você gostou dos sapatos?

Com um movimento forte, Gavin fez os dois rolarem até Thea ficar outra vez debaixo dele. Então saiu de cima dela com uma fileira de beijos pelo pescoço, pelo peito (parando para mordiscar cada mamilo), até o umbigo.

E se levantou com um grunhido.

– Já volto.

Depois que Gavin saiu, Thea se levantou e procurou a camisa dele do time na bolsa. Vestiu por cima do corpo nu e…

– Meu Deus do céu, você está tentando me matar?

Ela mordeu o lábio e deu uma voltinha.

– Gostou?

– Melhor do que qualquer lingerie do planeta.

Ela puxou a barra da camisa.

– É mesmo?

– Quer ver o que está acontecendo dentro da minha calça?

– Quero – respondeu Thea, sem fôlego, uma emoção erótica se espalhando pelo corpo. De onde saíra aquele homem confiante que falava safadezas?

Gavin largou o cardápio e foi até onde ela estava. Pegou sua mão e a colocou sobre o volume crescente.

– Eu n-nem sabia que era humanamente possível ficar duro de novo tão rápido, Thea.

Ela lambeu os lábios.

– Então não podemos desperdiçar.

– De jeito nenhum.

Gavin passou o braço pela cintura dela, puxou-a para a cama, e liberou a ereção.

Ele se sentou e puxou Thea para perto até ela estar montada em seu colo. Com um único movimento, estava dentro dela de novo. O prazer intenso fez algo tomar o controle dos dois, algo primitivo, feroz, descontrolado. Thea ardia com um fogo que nunca tinha sentido.

Gavin desceu as mãos para aninhar as nádegas dela, apertando e massageando para segurá-la no lugar, apoiando os joelhos na cama para subir e descer em um ritmo erótico. Thea apertou os ombros dele, enfiou os dedos na pele e rebolou em seu membro duro. Os dedos grossos e calejados de Gavin roçaram embaixo dos seios dela, subindo até os mamilos duros doerem sob a exploração apressada.

Thea baixou os olhos, as mãos ainda nos ombros dele, e Gavin a encarou com um fogo faminto e possessivo.

– Você é linda demais.

Gavin abriu a camisa dela com tudo, estourando os botões, e se inclinou para a frente. Abocanhou um mamilo duro com a boca. Thea soltou um grito e inclinou a cabeça para trás, as mãos enfiadas no cabelo dele, segurando-o naquela posição. Gavin se dedicou a cada seio, sugando e lambendo até a pressão entre as coxas dela ficar insuportável.

Thea afundou mais na ereção de Gavin, que passou os braços em volta dela, e os dois se agarraram um ao outro, se movendo e gemendo. Thea abriu mais as pernas, querendo que ele entrasse mais fundo, querendo se chocar de novo na parede dura daquele abdome.

Os grunhidos roucos e guturais dele a encheram de uma satisfação erótica que ela nem sabia que podia sentir.

– Porra, Thea – gemeu Gavin, rebolando junto dela.

As mãos afundaram na bunda da esposa, e ele deu um tapa estalado. Puta merda.

Thea ficou paralisada, encarando-o.

– Você bateu na minha bunda?

– Hum… bati. Você gostou?

– Acho que gostei. Acho que você devia fazer de novo, só para ter certeza.

Gavin grunhiu o que parecia *macacos me mordam*. Estranho, mas Thea teria que investigar melhor depois, porque ele acertou outro tapa em sua bunda.

– Ah, Deus, sim… – Gavin bateu de novo. – Gostei, sim.

O corpo dela explodiu em cores e sensações, e, enquanto Thea as vivia e sentia, Gavin se juntou a ela até cair na cama, o rosto cheio de surpresa.

Ela riu, olhando para ele.

– Eu já tive três orgasmos e você nem tirou a calça.

– Querida – respondeu ele, ofegante –, nós só estamos começando. Temos três anos de tempo perdido para compensar.

VINTE E QUATRO

E Gavin compensou o tempo perdido.

Mais uma vez na cama.

Uma vez no chão da antessala, depois de finalmente pedirem o serviço de quarto.

Às três da manhã, quando ela acordou de um sono exausto, sentindo as mãos dele nos seios.

Às seis, quando Thea o acordou com a mão na ereção matinal dele.

Depois daquela última, dormiram como uma pedra.

Quando ela acordou de novo, Gavin a admirava do travesseiro, uma expressão carinhosa nos olhos e um sorriso doce nos lábios. Ele estendeu a mão e afastou o cabelo do rosto dela.

– Bom dia – sussurrou.

– Oi. – Ela bocejou. – Que horas são?

– Dez e pouquinho.

Ela grunhiu, desapontada.

– Temos que sair daqui a pouco.

– Eu sei. – Gavin prendeu uma mecha de cabelo atrás da orelha dela. – Eu estava pensando se, depois de pegarmos as meninas, podemos ir comprar nossa árvore de Natal.

– E depois enfeitar a árvore e fazer chocolate quente.

– Deixar as meninas vendo um filme...

Thea o beijou de leve. Gavin encostou a testa na dela.

– Estou com medo de sair desta cama.

Um calor se espalhou pelo peito dela. Thea também odiaria sair da cama, mas estava ansiosa pelo que viria.

– Nossa cama em casa é melhor.

Gavin levou a boca à dela e a beijou loucamente. Um tempo depois, Thea se aconchegou, aquecida e saciada, na dobra do braço dele.

– Vamos para casa, Gavin.

Cortejando a condessa

*I*rena estava certa. Bailes eram uma coisa horrível e abafada. E não só por todos os motivos pelos quais não gostava de bailes, mas também porque as regras da sociedade, por algum motivo bizarro, proibiam que marido e esposa dançassem um com o outro mais de uma vez.

Benedict a queria em seus braços. Agora. Sempre. Tudo mudara desde a noite em que ele finalmente se abrira para ela. O toque inocente e o beijo hesitante de Irena acenderam um fogo e, embora ele estivesse disposto a esperar mais, finalmente tinham consumado o casamento. Fazer amor com a esposa era uma experiência tão transcendental que ele se ressentia da aparição do sol a cada manhã.

— Latford. — Uma mão forte e pesada bateu nas suas costas.

Benedict desviou o olhar da esposa para o amigo, o visconde Melvin.

— Não esperava vê-lo aqui — comentou Melvin.

— Por quê?

– Sua última aparição na sociedade deixou uma impressão forte.

Benedict não queria pensar naquilo. Jogara a esposa aos lobos, pensando, inocentemente, que ela era forte o suficiente para lutar contra eles com a mera força de vontade.

– Eu diria que você está causando uma impressão totalmente diferente hoje – refletiu Melvin.

– Por quê? – Seu olhar voltou para Irena.

– Não passou despercebida sua aparência de homem apaixonado pela esposa.

– E estou mesmo. – Uma euforia estranha que não parecia nada masculina, mas era muito libertadora, surgiu em seu peito. – Sou um homem casado e feliz, meu amigo.

– Fico contente em ouvir isso. Mas tome cuidado, Latford. Nem todo mundo é misericordioso. – Ele indicou um grupo de mulheres onde sua esposa estava.

Bem a tempo de ver Irena se afastar correndo.

Foi na direção em que tinha visto a esposa correr. Para o mundo externo, ela pareceria ótima, mas Benedict a conhecia melhor que todos, e havia algo de errado. Estava no jeito como ela comprimia os lábios, como apertava as mãos junto à barriga, nos passos rápidos com os sapatinhos que ela tanto desprezava.

Ele a encontrou na biblioteca.

É claro.

Fechou a porta pesada ao entrar. O clique do trinco foi o único som na sala exceto por uma respiração suave e irregular.

– Irena?

Ele a encontrou sentada em uma cadeira de espaldar reto, virada para a lareira enorme do outro lado da sala. Irena parecia pequena no imponente móvel de veludo. Mas não só na estatura. Ela parecia derrotada.

– Você está bem?

Benedict se agachou diante da esposa, cobriu as mãos dela com as suas. Estavam geladas. Assim como o olhar.

— Irena, o que houve?

— O que poderia fazer um marido e uma esposa se desprezarem tanto a ponto de abandonarem o próprio filho só para evitarem estar na mesma casa?

Sentiu uma pontada de alarme.

— Sobre o que você estava conversando?

— O senhor disse que seus pais eram infelizes, mas isso nunca pareceu uma explicação adequada.

— Por que estamos falando disso? — Um arrepio frio o percorreu. — O que aquelas mulheres disseram?

— Isso não é culpa delas. Me conte a verdade.

Benedict se levantou, hesitante.

— Não tenho ideia do que você está falando.

Mas tinha. E era tolo pensar que poderia esconder aquilo dela, acreditar que não chegaria aos seus ouvidos.

Irena o seguiu com o olhar quando ele se levantou.

— A sociedade nunca esquece um escândalo. Ainda não aprendeu isso, milorde?

O uso do título o deixou com o estômago embrulhado.

— Irena, me escute…

— Me conte a verdade.

— O que aconteceu com minha mãe e meu pai não tem nada a ver conosco.

Um grunhido debochado escapou dos lábios delicados dela.

— Tem tudo a ver conosco. Fale, Benedict. Me conte o que aconteceu.

— Minha mãe preparou uma armadilha para ele.

VINTE E CINCO

– Oba! A tia Liv chegou!

Na quinta-feira depois da festa do time, Thea viu o Jeep da irmã na entrada de casa na mesma hora em que Amelia gritou. Liv não tinha retornado nenhuma de suas ligações nem mensagens desde a noite da briga.

– Ela avisou que viria? – perguntou Gavin.

Ele tinha acabado de botar a mala ao lado da porta, ia sair para uma sessão de fotos em Nova York. Só passaria o fim de semana fora, mas Thea temia sua ausência. Não queria que ele fosse embora nunca mais. A temporada de beisebol seria um inferno.

– Não – respondeu ela, observando a irmã pela janela da cozinha.

Gavin parou ao lado dela com a mão em suas costas.

– Quer que eu leve as meninas para algum lugar, para vocês poderem conversar?

Ela abriu um sorriso.

– Não. Mas obrigada. Liv só deve querer pegar umas coisas dela.

Secretamente, no entanto, esperava que a irmã tivesse se cansado da birra, de dormir no sofá da amiga e que estivesse pronta para voltar para casa. E aquela era mesmo a casa dela. Até Gavin sentira sua falta.

Thea abriu a porta da frente e deixou Manteiga sair. O cachorro parou e ergueu a perna junto a um arbusto, depois correu até Liv. Thea encontrou a irmã na varanda.

– Oi.

– Oi. Vim buscar minhas coisas.

– Liv, você não precisa fazer isso.

A irmã a ignorou e entrou na casa. Thea a seguiu até o porão. Liv abriu a cômoda e começou a tirar as roupas.

– Eu queria que você ficasse – disse Thea, se aproximando por trás dela.

Liv enfiou uma pilha de camisetas em uma bolsa.

– Cadê o seu marido?

– Lá em cima. Ele também quer que você fique.

Liv enrolou um suéter e o enfiou na bolsa de viagem com rodinhas.

– Então ele já saiu do quarto de hóspedes?

– Liv, você pode parar com isso só por um minuto?

– Eu tenho que trabalhar à tarde, então, não.

– Sim, ele saiu do quarto de hóspedes. O que quer dizer que você pode voltar para lá e ficar pelo tempo que quiser.

Liv fechou a bolsa e se levantou.

– Vocês precisam de um tempo juntos sem ninguém para atrapalhar.

– Você não atrapalha. As meninas querem você aqui. Eu quero você aqui.

– Olha – começou a irmã, encarando-a pela primeira vez. – Sei como isso é, tá? Você e Gavin estão ótimos de novo. Um par perfeito. Eu só vou atrapalhar.

– É esse o problema? Está com medo de eu não ter tempo para você, agora que voltei com Gavin?

Liv soltou um grunhido cheio de deboche, um som mais triste do que sarcástico.

– Não se preocupe. Eu não quero obrigar você a escolher entre nós. Eu não teria como ganhar essa mesmo.

A irmã mais velha dentro dela queria puxar Liv para um abraço protetor, aliviar a dor horrível revelada naquela única frase. Mas não eram mais crianças.

– Não é a mesma coisa. Eu não sou os nossos pais, aceitar Gavin de volta não é o mesmo que rejeitar você.

Liv revirou os olhos, um movimento clássico de fuga em que ela se especializara desde a infância.

– Ah, qual é! Depois de alguns dias de sexo bom a pessoa vira até terapeuta.

Thea precisou respirar fundo várias vezes para não reagir. Decidiu tentar outra tática.

– E para onde você vai? Voltar para a fazenda?

Antes de ir morar com eles, Liv vivia em um apartamento em cima da garagem de uma fazenda comunitária, fora da cidade.

Liv pendurou a alça da bolsa no ombro.

– Ainda não sei. Por enquanto vou ficar na casa da Alexis.

– Ainda tenho trabalho a fazer naquele mural, então nos vemos no café – observou Thea.

Liv arrastou as coisas até a escada, mas parou.

– Thea, não fico nada feliz em dizer isso. Espero que você saiba.

Ah, caramba. Thea cruzou os braços e se preparou. Liv continuou:

– Mas os homens que gostam de vencer fazem o que for preciso para conseguir o que querem.

Thea soltou um grunhido frustrado e balançou a cabeça.

– Gavin tem muitos defeitos, mas essa imagem maquiavélica que você tem dele não é real.

– Então vai lá ver o que ele esconde no armário do quarto de hóspedes.

Um arrepio percorreu o corpo de Thea. Era uma coisa estranhamente específica.

– Do que você está falando?

Liv subiu as escadas. Thea foi atrás, raiva e espanto alimentando cada passo.

– Liv, você não pode dizer uma coisa dessas e simplesmente ir embora!

A bolsa de Liv batia ruidosamente nos degraus enquanto ela subia.

– Liv! – exclamou Thea.

A irmã a ignorou.

Gavin apareceu no alto da escada.

– Tudo bem aí?

Liv pediu para ele sair da frente, e Gavin saiu.

As rodinhas da bolsa soaram altas no piso de madeira, chamando a atenção das meninas. Amelia correu até a tia, mas parou de repente.

– Aonde você vai?

Liv soltou a bolsa, se agachou e abriu os braços para as duas meninas. Manteve a voz leve e engraçada, e Thea soube que era um esforço apenas por elas.

– Vou sair em uma aventura! Vou montar em elefantes e procurar unicórnios e...

– *Rinoxerontes!* – Amelia riu.

– E javalis selvagens – completou Liv. Mas sua voz falhou.

Thea viu a irmã beijar cada menina na bochecha e se levantar.

– Na verdade, meninas, eu só vou morar em outro lugar. Porque, agora que o beisebol do papai acabou por um tempo, vocês não precisam mais de mim.

Ava abraçou as pernas dela.

– Não! A gente precisa de você, titia!

Gavin se aproximou.

– Liv, você não precisa ir.

Gavin segurou a bolsa. Liv a puxou de volta.

– Deixa ela ir, Gavin – murmurou Thea.

Quando a irmã se decidia, nada a fazia mudar de ideia.

Liv pegou suas coisas e saiu sem dizer adeus.

Não que fosse para longe. Liv trabalhava em Nashville, então ainda moraria lá. Mas Thea sentiu a partida como um fio sendo cortado.

E ouviu as palavras dela como um mantra, se repetindo sem parar em sua cabeça.

– Gavin.

Ele olhou para baixo, franzindo a testa ao notar o tom dela.

– O quê?

– O que tem no armário do quarto de hóspedes?

Cortejando a condessa

— Fale, Benedict. Me conte o que aconteceu.
— Minha mãe preparou uma armadilha para ele.

O lábio inferior de Irena tremeu tanto que ela o segurou com os dentes.

— Bom, isso explica muita coisa, não é?

Benedict passou a mão pelo cabelo.

— Não explica, não. Sei o que você está pensando, mas não, o relacionamento dos dois não tem nada a ver com...

Ele parou de falar, contrariando a própria negação.

— Com sua suposição de que eu era culpada? — acusou ela.
— Com sua disposição de acreditar no pior de mim?
— Nossa situação era... é completamente diferente.
— Então pergunte-se uma coisa, milorde... Por que o senhor presume que sua mãe preparou uma armadilha? Seu pai não estava presente durante o envolvimento?
— Claro, mas...
— O senhor não estava presente durante nosso envolvimento?

– Claro! Mas...

– Mas o quê? É sempre culpa da mulher, nunca do homem?

– Eu...

– O senhor passou a vida toda acreditando em uma versão da verdade: que seu pai era a vítima. Mas já olhou as coisas do ponto de vista da sua mãe? Já considerou que foi ela quem acabou presa na armadilha?

Sua mãe, presa numa armadilha? Uma coisa gelada percorreu sua pele, eriçando os pelos dos braços. Benedict visualizou a mãe ao longo dos anos, majestosa e fria. Mas ela era mesmo tão indiferente, ou aquilo tudo só encobria uma tristeza que ele nunca pensou existir?

Irena estava imóvel, tensa, à sua frente, mas as mãos tremiam ao lado do corpo.

– Eu odeio o que sua mãe fez ao senhor, Benedict, a forma como o abandonou. Não há desculpa para isso. Mas também sofro por ela. Sua mãe precisou passar a vida toda em um casamento frio e cruel com um homem sem coração que odiava vê-la, apesar de um dia tê-la desejado a ponto de convencê-la a ignorar as normas da sociedade, a arriscar a reputação para se juntar a ele em cantos escuros.

Benedict sentiu o estômago começar a se consumir.

– Sua mãe teve que aguentar o desdém de seu pai, que antes era apenas afeto. Quais eram as intenções dele naquelas aventuras, se não o casamento?

– Não sei – admitiu ele, a voz rouca de vergonha e medo, não só pelo que pensava antes, mas pelas novas revelações que certamente viriam.

– Mas seu pai a odiou quando a empreitada resultou em casamento – continuou Irena. – E é a ela que você culpa.

O desespero o fez falar:

– Eu me enganei com você e com suas intenções, já admiti isso. Quando lorde Melvin me falou a verdade sobre como fomos pegos...

– Essa é a questão, Benedict! – gritou a condessa, a voz elevada a um tom tão incomum que a pele dele se arrepiou. – O senhor precisou ouvir de outra pessoa para acreditar que eu era inocente! Assim como precisou ouvir de mim que talvez sua mãe não fosse a maquinadora em que você sempre acreditou.

Irena balançou a cabeça.

– O senhor já considerou que, quando fomos surpreendidos, eu fiquei presa numa armadilha tanto quanto a sua mãe?

Presa? Por se casar com um conde? Não, não tinha passado pela cabeça dele. Por que passaria? Desde o nascimento, fora criado para acreditar que estava a um passo de ser um deus, que qualquer mulher faria de tudo para se casar com ele. Que até mentiria ou trapacearia para garantir seu título.

Mas as palavras de Irena arrancaram uma venda de seus olhos, e o mundo pareceu diferente daquele ponto de vista – do ponto de vista *dela*.

Benedict tinha sido um participante ativo do envolvimento dos dois. Fora ele quem iniciara tudo. Mas só Irena carregava a cruz da vergonha perante a sociedade. Só ela sofria a ira da nobreza. Só ela era taxada de maquinadora.

A realidade era bem diferente.

O envolvimento entre os dois era um segredo dele.

Era um segredo *dela*.

Deus, Benedict tinha sido o segredinho sujo da esposa. A rebelião contra uma sociedade que ela desprezava. Ele era um conde, e ser obrigada a se casar arruinou a vida dela. O casamento a obrigava a usar vestidos de baile e ir a valsas. O casamento a lançara num poço de víboras de fofoca e escárnio, e Benedict, tolinho, acreditava que seu título seria suficiente para salvá-la.

Uma risada estranha e histérica irrompeu em seu peito, do tipo que o fez se dobrar e apoiar as mãos nos joelhos.

– Olhe para mim, milorde.

Benedict inspirou e se levantou. A expressão pétrea que o recebeu não aliviou seu sentimento de medo.

– Vou embora – avisou ela.

VINTE E SEIS

Gavin ficou com a testa coberta de suor, como se estivesse enfrentando um vencedor do prêmio Cy Young de melhor arremessador.

– Thea, escuta.

– Ah, meu Deus! – resmungou a mulher. – O que é? O que você está escondendo no armário?

– Uma coisa q-que vai exigir certa explicação, mas se você me deixar...

Thea tinha parado de ouvir. Já estava indo na direção da escada.

Calma. Pense. Gavin tirou o celular do bolso e mandou uma mensagem de texto para o grupo: *Código vermelho. Livros descobertos. Preciso de ajuda.*

Olhou para as meninas, falou para ficarem sentadinhas no sofá e foi atrás da esposa.

– Thea – chamou, esperando que o pânico na voz não ficasse tão evidente quanto soava aos seus ouvidos.

Entrou no quarto de hóspedes a tempo de ver Thea pegar uma das sacolas de livros e se sentar no chão.

Ela o encarou, franzindo o cenho.

– Livros?

Gavin deu de ombros.

– É. Livros.

– Era disso que Liv estava falando?

– Acho que sim.

Thea enfiou a mão na sacola e tirou dois livros do período regencial. Ela franziu a testa enquanto examinava as capas.

– São romances.

– Hã, são. Isso mesmo.

– São seus?

– Aham.

Gavin estava com medo de baixar a guarda, mas a situação não estava tão ruim, até o momento. Thea só tinha visto as capas. Não estava folheando. Mas, se Liv avisara sobre os livros, devia ter olhado dentro de um e talvez visto as anotações. E as passagens sublinhadas. E as passagens safadas destacadas.

Merda.

Thea pegou outro livro, e seu coração disparou um alarme de advertência. Era *A condessa sexualmente satisfeita.*

Gavin sentiu o celular vibrar.

– Você... – Ela conteve o riso. – Você gosta mesmo disso?

– Não tem nada de errado com romances! Eles... Eles refletem sobre... hã, relacionamentos modernos e feminismo e... essas coisas.

Thea riu.

– Gavin, eu sei. Eu adoro romances.

– Ah, é?

– Meu leitor digital está cheio deles. É que... desde quando você é fã? O celular vibrou mais duas vezes. Merda.

– Hã, querida. Só, hã, espera um segundo.

Ele se virou e saiu do quarto. Tinha três mensagens de texto dos amigos.

Fique calmo. Era Del.

Pergunta se ela quer encenar as partes eróticas. Mack, claro.

Acima de tudo, não minta. Malcolm.

Muito bem. Ia contar sobre o clube do livro. Só precisava levá-la para longe dos livros antes que ela abrisse um ou encontrasse alguma das anotações. Porque isso seria humilhante demais.

– Papai. – A voz de Ava soou no pé da escada.

Gavin engoliu um grunhido.

– O quê, querida?

– Estou com fome.

Gavin mentalizou mil xingamentos elegantes na voz do Lorde Empoado. *Infâmia, miséria!*

– Hã, tudo bem, querida. Dá para esperar um segundo?

– Gavin.

Thea chamou seu nome. Baixo. Com uma voz ameaçadora. Ele se virou e entrou no quarto.

Ela segurava o exemplar de *Cortejando a condessa* aberto, as anotações e partes sublinhadas bem visíveis.

Thea ergueu o rosto para ele.

– Qual de nós dois anda fingindo?

Thea observou o rosto de Gavin em busca de algum sinal de que aquilo era piada ou engano, talvez alguma espécie de pegadinha doida deixada por Liv. Qualquer coisa que a convencesse de que aquilo não era o que parecia.

A voz dele soou tensa:

– Thea, escuta.

– Todas aquelas coisas incríveis que você disse…

– Não são palavras minhas, mas…

Ela se levantou, as pernas bambas.

– "Eu sou seu." "Sou um homem pela metade." "Acabe com a minha agonia."

A última parte saiu com um grunhido. Gavin a seduzira com aquelas palavras. Conquistara sua confiança com aquelas palavras. Liv estava certa? Tinha sido só um jogo para ele? Reconquistá-la, não importavam os meios, só porque podia?

Gavin se aproximou dela, parada na porta.

– São meus sentimentos, Thea. Isso é o que interessa.

– Você me seduziu com as palavras de outra pessoa!

– São só frases de um livro. Só isso. E me ajudaram a conseguir falar com você q-quando eu não conseguia botar as palavras...

– Não foram só frases de um livro. Foram lindas e me fizeram pensar que as coisas estavam diferentes, que poderiam ser diferentes. – Ela recuou até as pernas encostarem na cama. – O que mais saiu daqui?

Gavin passou a mão no cabelo.

– Vou ter que ler todos esses livros para saber o quanto do último mês foi invenção?

– Nada f-foi invenção! O último mês com você foi o mais importante da minha vida.

– Você inventou tudo!

– Não inventei! Eu estava d-d-desesperado. Não sabia o q-que fazer para convencer você a me dar uma chance, e Del e os rapazes disseram que podiam ajudar, e...

Thea sentiu o estômago se revirar.

– Del sabe disso? – As pernas dela cederam quando as peças do quebra-cabeça começaram a se encaixar, formando uma imagem de total humilhação. Ela afundou no colchão. – Mack. E Malcolm? Na noite em que eles estavam aqui brincando de se fantasiar? Foi isso?

– É um clube do livro. – Gavin caiu de joelhos na frente dela. – N-nós lemos romances para aprender como melhorar nossos relacionamentos.

– Você fingiu ser outra pessoa!

– Não! Esse sou eu. E sou uma pessoa melhor do que antes. Não por causa dos livros, mas porque os livros me ajudaram a ver as coisas de um jeito diferente. *Por favor*, querida.

Thea ia vomitar. Ela se levantou.

– Preciso pensar. Preciso espairecer. – Ela se desviou quando ele se levantou do chão. – Preciso descobrir...

– Descobrir o quê? – perguntou ele, ríspido. – Se me ama?

Thea se virou. Os olhos apertados suplicantes tinham sido substituídos por um brilho de resignação.

– Não é essa a questão.

– Não é? – Gavin deu dois passos na direção dela, encarando o rosto virado para cima. – Porque eu te amo.

Thea sentiu um baque doloroso no peito, que rapidamente se espalhou pelo corpo.

– Eu te amo, Thea. Tentei encontrar outras f-formas de falar isso porque você não queria ouvir essas palavras, mas talvez o problema seja que você *não quer* ouvi-las.

Ela ficou sem ar. A voz sumiu. Ela estava pensando.

– Você está tentando confundir as coisas, igualar coisas que não têm a menor relação. Não quero ter essa conversa agora.

– Essa conversa é tudo! – Gavin segurou os ombros dela. – Diz que me ama.

Um soluço a deixou sem voz.

– Por que você não consegue dizer, Thea? Depois de tudo pelo que passamos. Você me ama ou não?

– Eu… não confio em você.

Gavin grunhiu, passando a mão no cabelo enquanto se virava para longe dela. Depois de um momento, ele voltou a encará-la, os ombros murchos e resignados.

– O que você quer, Thea?

– Quero sinceridade.

– Você mentiu para mim por três anos. Não venha falar de sinceridade.

– Isso não é justo.

Foi uma resposta fraca. Uma resposta desesperada. Uma resposta que dizia *não tenho outra defesa*.

– Talvez esteja na hora de você começar a ser sincera consigo mesma.

– Eu sou sincera comigo mesma! Foi por isso que pedi para você sair de casa! Por isso que vou voltar a estudar.

– Isso é besteira, é superficial. – Gavin riu, balançou a cabeça, e apontou para ela. – E essas palavras não são minhas. Foi o que Del disse quando me recusei a fazer o que precisava ser feito. Mas agora já fiz. Fiz tudo que posso. Mas não posso ser o único trabalhando nesse relacionamento.

Gavin passou por ela e saiu do quarto. Os passos suaves sumiram no corredor na direção do quarto do casal.

O medo e a mesquinharia ocuparam o palco em sua mente. Thea foi atrás dele.

– Você vai dar as costas para mim? Por que será que não estou surpresa?

Ela parou e prendeu a respiração quando o viu jogar uma mala na cama.

– Você já fez sua mala – disse ela.

– Só a mala para Nova York.

– E o que você está fazendo?

– O que mais me assusta – respondeu ele, indo até a cômoda. – O que jurei que nunca poderia fazer, o q-que significa que é a coisa que simplesmente tenho que fazer.

Gavin pegou uma pilha de roupas da gaveta de cima e a levou para a cama.

– Estou deixando você.

– Claro que está – respondeu Thea, ríspida, mas o veneno na voz foi só um disfarce para a decepção. – Porque é isso que você faz. Você vai embora.

Gavin não mordeu a isca. Mantendo a calma, fechou a mala e a ergueu da cama.

– Não, eu não faço isso. Quem faz isso é o seu pai. E eu não sou o seu pai.

– Gavin... – O tom suplicante agora era dela.

Ele parou na porta, mas não a encarou.

– O passado é tudo, Thea. Mergulhe no seu. Depois, pode ser que a gente tenha uma chance.

VINTE E SETE

Meia hora depois que Gavin foi embora, Thea voltou para as mentiras de sempre. Disse às meninas que o pai teve que ir a Nova York tirar umas fotos e que voltaria a tempo do Natal.

Em seguida, preparou uma xícara de café que não queria tomar, afastou as emoções que não queria sentir e fingiu que estava tudo bem.

Tudo desmoronou quando ouviu uma chave na porta. Com o coração acelerado, Thea pulou do sofá e disparou pelo corredor.

– Gavin…

Liv estava na porta.

– Sou eu.

As meninas, que estavam colorindo no chão da sala, correram até ela, como sempre faziam. A dor recente da traição, da culpa e da velha decepção deixou a voz de Thea áspera:

– Esqueceu alguma coisa?

Liv se soltou das meninas.

– Não.

– Então veio para jogar na minha cara? Para dizer que avisou?

– Não. Vim porque Gavin me mandou uma mensagem dizendo que você talvez precisasse de mim.

O corpo todo de Thea tremeu. Ela sufocou a reação e se virou para a cozinha.

– Não preciso.

– Thea, me desculpe – pediu Liv, indo atrás da irmã.

– Por quê? – Ela foi até a cafeteira só para ter alguma coisa para fazer.

– Isso é culpa minha.

– Não. Não é culpa sua.

– Olha – disse Liv, se aproximando. – Pode ser que eu tenha me enganado. Mandar a mensagem para mim foi uma coisa bem decente de se fazer.

Thea soltou um grunhido debochado.

– Agora ele é decente? Você passou os últimos dois meses tentando me convencer de que ele era um cretino irrecuperável!

– Me desculpe. – A voz e a expressão de Liv estavam cheias de sinceridade e tiveram o efeito de aplacar a fúria mesquinha que controlava as palavras de Thea. – Ele vai voltar.

– Eu... não sei.

Liv se adiantou.

– Me desculpe, Thea. Eu estava com tanto medo de perder você, como sempre perco todo mundo... Me desculpe, Thea. Me desculpe.

Thea abraçou a irmã.

– Não é culpa sua.

Liv passou o braço pelos ombros dela.

– Quer tomar sorvete e ver *Supergatas*?

Ela não queria, mas aceitou mesmo assim. Porque preferia isso a ficar sentada sozinha esperando ouvir o carro dele voltando e perceber que finalmente entendera outra das frases da avó:

A solidão do casamento é o pior tipo de solidão que existe.

Thea se sentia mais sozinha do que em qualquer outro momento da vida.

Gavin passou uma noite longa e sombria em um dos sofás do porão de Mack, considerando adequado que tudo acabasse no lugar em que começara.

E também porque ninguém quisera hospedá-lo. Del e Yan disseram que ele precisava enfrentar o problema sozinho, Malcolm tinha outros planos, e não havia a menor possibilidade de ir para a casa do russo. Quem sabia que horrores digestivos o aguardavam lá?

Mack o deixou entrar, lhe entregou uma garrafa de uísque e um cobertor e disse que cortaria suas bolas se ele vomitasse em qualquer outro lugar que não fosse a privada.

Agora, estava acordado, a garrafa de uísque fechada e intacta na mesa de centro, e um par de olhos que não reconhecia o encarava como se ele fosse um animal do zoológico.

– Você está doente? – A garotinha de cabelo escuro usava marias-chiquinhas e segurava um coelho de pelúcia rosa. – Tio Mack disse que você está doente.

Gavin pigarreou. A boca parecia uma lixa de tão ressecada. Como era possível ficar de ressaca sem álcool?

– Tio Mack?

– É, ele é meu tio.

– E quem é você?

– Lucy.

– É um prazer conhecer você.

Lucy botou a mão na testa dele.

– Você não está com febre. Mas está com bafo.

Apesar dos estrondos na cabeça e da caverna vazia onde antes ficava o coração, Gavin conseguiu abrir um sorriso.

– Devo estar mesmo.

– Tio Mack me mandou entregar isto.

Ela tirou uma maçã verde do bolso do moletom.

Gavin deu risada.

– Cadê o tio Mack?

– Lá em cima, com minha mãe, meu pai e minhas irmãs.

O estrondo em sua cabeça virou uma britadeira quando um raio de luz entrou pelas persianas até a porta de vidro que levava ao quintal e à piscina.

– Bem... – Gavin se sentou. – Obrigado pela maçã. Pode pedir ao tio Mack para descer?

– Posso!

Lucy saiu saltitando e deixou Gavin com um pânico crescente de ter se precipitado demais no dia anterior. De que o certo seria ter dado meia-volta e retornado assim que saiu. Implorado por perdão. Mas não podia fazer isso. Não mais.

Passos na escada anunciaram a chegada de Mack. Ele dobrou a esquina e abriu um sorrisinho.

– Está vivo?

– Eu não bebi nada.

Mack ergueu uma sobrancelha.

– Uau. Você mudou.

Gavin esfregou o rosto.

– Eu não sabia que você tem uma sobrinha.

– Tenho várias. São filhas do meu irmão.

– Também não sabia que você tem um irmão.

– Tem muita coisa sobre mim que você não sabe.

Gavin assentiu.

– Obrigado por me deixar ficar.

– Que horas sai seu voo?

Verdade. Tinha que ir a Nova York. Como se ainda se importasse com aquilo agora.

– Daqui a algumas horas.

Mack se sentou em uma cadeira e se inclinou para a frente, os cotovelos nos joelhos.

– Sair de casa foi um gesto ousado, Gav.

– Del não pareceu achar.

– Bom, você meio que violou a regra número um.

– Não falar sobre o clube do livro?

Mack hesitou por um momento.

– Tudo bem, a regra número dois.

– Não deixar o russo cagar no seu banheiro?

– Você não devia recriar o livro, espertinho. Nós *falamos* isso.

Gavin olhou para a maçã que tinha na mão.

– Não importa o que aconteça, q-q-quero que saiba que sou grato por tudo que você e os rapazes fizeram.

Ele era um homem diferente de antes do clube do livro. Reconhecia seus defeitos e erros. Estava mais confiante para se expressar. E, sim, tinha se tornado um amante melhor.

Mas ainda não era o suficiente. Amor não basta.

– Qual vai ser seu próximo ato? – perguntou Mack, se levantando.

– Tenho um avião para pegar. Depois disso, não faço ideia.

A bola estava na quadra de Thea. Só lhe restava esperar.

VINTE E OITO

Thea acordou na cama de hóspedes. Pegara no sono lendo, e o pescoço estava dolorido pela posição estranha em que dormira. Passara a noite sonhando com a Inglaterra da Regência, mas as pessoas eram reais.

E, quando acordou, a vergonha também era.

– Quer café?

Thea olhou por cima do ombro. Liv estava na porta.

– Claro.

Liv entrou e se sentou na cama.

– O que você está fazendo aqui?

Thea se levantou e foi até a janela.

– Sabe o que eu fiz a noite toda?

– Quebrou a parede?

Thea conseguiu rir.

– Não. Eu pensei na mamãe.

O senhor passou a vida toda acreditando em uma versão da verdade... Mas já olhou as coisas do ponto de vista da sua mãe?

Liv se sobressaltou.

– Por quê?

O passado é tudo.

– Só estou tentando pensar nas coisas da perspectiva dela.

– Ah, não sei se ela merece isso.

– Talvez não, mas odiar nossa mãe pelas decisões que ela tomou, sem pensar nisso, não deu muito certo para mim. Nem para você. Deu?

Liv se levantou.

– Não desencave as coisas sem se preparar para o que vai encontrar.

Thea riu.

– Vovó.

Liv e Thea deviam ter ouvido aquela frase mais vezes do que qualquer outra. Uma filosofia de vida que Thea entendera completamente errado. A questão não era ter medo da reação, mas ser forte para encará-la.

– Sou uma covarde, Liv.

A irmã fez a careta de sempre, como se dissesse "ficou louca?".

– Você? Covarde? Você é a pessoa mais forte que conheço.

– Não sou. Gavin estava certo. Sou uma covarde.

– Não faça isso, Thea.

– Mas preciso. Sabe o que provocou nosso rompimento?

Liv piscou, hesitante.

– Eu estava fingindo na cama. Ele descobriu e ficou magoado. Ele reagiu mal, eu também… e não foi justo com ele…

– Você foi mais do que justa com ele.

– Fui mesmo? Eu fingi tudo, e não foi por causa de nada que ele tenha feito. Foi porque estou destruída, Liv. Tenho medo de me abrir, de me revelar de verdade. E ele foi embora. De novo.

Gavin estava certo. O passado era tudo. Os orgasmos fingidos. A falta de vontade de dizer que o amava. A reação aos livros, ao acreditar no pior sobre ele. Tudo fazia parte do mesmo nó de questões com as quais nunca lidara. Os pais a tornaram incapaz de confiar. E isso acabou tirando dela o homem que amava.

Thea o amava. Muito.

Gavin não a abandonara, ela que o afastara.

Thea se virou e abraçou a irmã.

– Obrigada por estar aqui.

Liv a apertou.

– Claro, claro. Você e eu, sempre.

Thea recuou e afastou o cabelo dela da testa.

– Liv, sei que já pedi demais de você, mas acha que pode ficar aqui este fim de semana com as meninas?

A irmã sorriu.

– Você vai para Nova York ver o Gavin?

– Não. Eu vou ao casamento do papai.

Gavin quase perdeu o voo. Del, Yan e os outros jogadores do Legends que iam participar da sessão de fotos já estavam nos assentos de primeira classe quando ele embarcou. Enquanto enfiava a mala e o casaco no compartimento superior, recebeu de Del um dos seus olhares mortais silenciosos e fulminantes, tão intimidantes em campo.

Gavin o encarou e se sentou ao lado dele. Fechou os olhos, inclinou a cabeça para trás e torceu para Del ter entendido a mensagem de que não estava com humor para ser chamado de idiota.

– Seu idiota.

– Eu f-f-fiz o que tinha que fazer, Del.

– Como pode ter achado que sair de casa era uma boa ideia?

Gavin abriu os olhos, fazendo cara feia.

– Eu não achei que era uma boa ideia. É uma ideia horrível. Estou morrendo aqui. Meu peito está dilacerado...

O celular de Gavin vibrou, e ele o tirou do bolso da calça jeans. *Que seja Thea, por favor. Que seja Thea.*

Era Liv. *Verme, bastardo, maldição!*

– Atende, idiota – disse Del.

Ele passou o dedo na tela. Liv nem disse oi.

– Thea vai precisar de você.

Gavin se endireitou, o coração disparando enquanto imaginava o pior.

– O que houve? Alguma das meninas?

– Ela está indo para Atlanta.

Gavin tentou entender aquilo, mas ainda estava confuso.

– Ela vai ao casamento?

– Não sei o que está acontecendo, mas ela saiu daqui como se isso fosse a coisa mais importante do mundo.

– História antiga – Gavin deixou escapar.

– O quê?

– Ela está agindo. Está desencavando o passado.

– Era para eu entender?

– Obrigado por me contar, Liv. Você não tem ideia do quanto isso é importante.

Ela hesitou um pouco, então suavizou a voz:

– Toma conta dela.

Liv desligou. Gavin ficou sentado, paralisado de indecisão, até que se levantou de um pulo. Bateu com a cabeça no compartimento superior e praguejou.

– Maldição do inferno!

Ele massageou a cabeça e saiu do lugar. Uma comissária de bordo veio avisar que ele precisava se sentar, porque as portas seriam fechadas em breve.

Del se inclinou.

– Cara, o que você está fazendo?

– Tenho que sair do avião.

Ele abriu o compartimento de bagagens e pegou suas coisas.

A comissária se aproximou, as mãos erguidas.

– Senhor, preciso mesmo que se sente.

– Não posso. Você precisa me deixar sair. Eu tenho… eu tenho uma emergência.

– Eu também tenho que sair. – Del se levantou de repente.

Seguido por Yan.

– *Yo también.*

– Cavalheiros, por favor…

– Escute, temos uma emergência aqui! – gritou Del.

– Tem alguém passando mal?

As pessoas estavam olhando. Outra comissária se aproximou pelo corredor.

Del segurou o braço de Gavin e sorriu.

– É o momento grandioso?

– Ah, é. – Gavin se virou para a comissária de bordo e conseguiu fazer sua expressão mais severa. – Preciso sair do avião. Tenho que me casar com a minha esposa.

VINTE E NOVE

A fila de Rolls-Royces vintage estacionados na frente da catedral de pedra altíssima era a melhor indicação de que Thea estava no lugar certo. O pai nunca fazia nada mais ou menos. Bom, exceto quando se tratava de seus relacionamentos. Ele sempre tinha sido um marido mais ou menos. Mas as cerimônias? Ah, ele não economizava.

Thea dirigira por quatro horas até Atlanta naquela manhã. No caminho, parara várias vezes, querendo ligar para Gavin. Mas não sabia se ele atenderia e, mesmo que atendesse, não estava pronta para aquela conversa.

Por algum milagre, chegou cedo a ponto de conseguir uma boa vaga do outro lado da igreja, um lugar que permitiria que fugisse correndo, se necessário. A parte ruim era que agora ela teria que esperar muito tempo, acompanhada apenas pelos próprios pensamentos.

Thea fechou os olhos e encostou a cabeça no banco. Deus, o que estava fazendo lá? Com tantas coisas idiotas e impulsivas a fazer... De que adiantaria? Não era justo enfrentar o pai no dia do casamento dele, e não queria estragar o grande dia da noiva. A pobre mulher já tinha sofrimento suficiente a caminho.

Mas chegara ali, agora precisava ir até o fim. Porque Gavin estava certo: Thea estava fugindo e se escondendo do passado havia tempo demais, e o pai tinha um papel de destaque nessa história.

Thea deu um pulo ao ouvir uma batida na janela. Seus olhos se abriram, encontrando... Ah, droga. O pai estava lá fora, olhando. Com um smoking cinza-carvão e cabelo grisalho, ele parecia mais o pai da noiva do que o noivo.

Thea abriu a janela, o que pareceu diverti-lo.

– Vai entrar ou vai assistir ao casamento daí?

– Como você soube que eu estava aqui?

Ele apontou para o andar superior da igreja.

– Janela.

– Você me reconheceu lá de cima?

– Eu reconheci minha filha, sim.

A palavra *filha* doeu como uma agulhada. Thea conhecia tão mal aquele homem que só chamá-lo de *pai* já a deixava incomodada. Mas ele conseguia dizer "minha filha" com toda a tranquilidade...

– Eu não sabia que você vinha – comentou ele.

– Não se preocupe. Não vou comer nada.

– Não seja teimosa, Thea. A cerimonialista já foi informada e vai colocar você sentada com os pais da Jessica.

– Com os pais dela? – Thea se sobressaltou. – Ah, não. Por favor, não. Isso é na cara demais.

O pai se empertigou, indicando o banco do passageiro com o queixo.

– Posso entrar?

– Você não tem coisas de noivo para resolver?

– Já passei por isso algumas vezes. Sei o que preciso fazer.

– Isso talvez pareça engraçado para você, mas, na verdade é bem horrível.

Ele indicou o assento ao lado dela de novo.

– Posso?

Thea destrancou a porta e o viu contornar a frente do carro. Alguém devia ter chamado o nome dele, porque o pai levantou a mão em cumprimento antes de seguir para a porta do passageiro.

Quando ele entrou, o silêncio se tornou ensurdecedor. Ficar no carro com outra pessoa era uma daquelas atividades diárias que podiam ser incrivelmente triviais ou absurdamente constrangedoras. Aquela era constrangedora. O bem-estar que a maioria das pessoas sentia ao estar perto do pai não existia para Thea. O homem ao lado dela nunca a botara na cama à noite, nunca beijara seus machucados, nunca a ajeitara na cama e se aconchegara com ela, esperando que dormisse. Thea nunca procurara o colo dele em busca de consolo, nunca fizera panquecas junto dele. Aquele homem era um estranho. Como um tio distante que vemos a cada cinco anos, nas festas de família, e que sempre repete como você cresceu.

Mas, de alguma forma, o comportamento daquele estranho tinha deixado tantas cicatrizes emocionais que Thea estava prestes a perder o homem que amava. Um homem que a amava a ponto de ler, sublinhar e citar romances só para reconquistá-la.

As cicatrizes daquele estranho no carro a deixaram tão desconfiada que ela não conseguia ver os esforços de Gavin pelo que eram: uma linda declaração, apaixonada e *sincera*, dos sentimentos dele.

– O Gavin e as meninas não vieram? – perguntou Dan.

– Não. Só eu.

– Liv?

– Sinto muito.

– Bom, fico feliz que você tenha vindo. O que a fez mudar de ideia?

– Estou desencavando as coisas.

Ele ergueu os cantos da boca num sorrisinho.

– E está preparada para o que vai encontrar?

Thea olhou pela janela da frente.

– Na verdade, não sei por que vim. Tenho quase certeza de que foi um erro.

– Só se você for embora sem falar.

– Falar o quê? – Ela segurou o volante com as duas mãos.

– As coisas que anda desencavando.

– Eu não tenho nada a dizer. Acho que só queria ver.

Ele inclinou a cabeça.

– Ver?

Thea encarou o pai pela primeira vez em anos.

– Queria ver como você olha para mim.

Por um instante minúsculo, as feições dele se transformaram, e uma rachadura se abriu no peito dela. Como uma fissura cuspindo vapor do centro da Terra, ameaçando liberar o gás tóxico de anos de *passado* sufocado. E, Deus, como era bom aliviar um pouco da pressão.

– Eu queria ver se você olha para mim como Gavin olha para as nossas filhas. Você já olhou para mim assim?

Ele deu uma risadinha, impressionado.

– E você achando que não tinha nada para dizer.

Thea balançou a cabeça e apertou o botão para ligar o carro.

– É melhor você sair do carro, não? Ou vai se atrasar para o próprio casamento. Isso aqui obviamente foi um erro. Não vou conseguir encontrar nada importante com você.

Ele soltou outra daquelas risadas impressionadas.

– Eu sei que fui um pai horrível e sei que vai soar lamentavelmente clichê dizer que estou torcendo para que não seja tarde demais para compensar isso.

– Mas é – respondeu ela, mais vapor escapando. – É tarde demais.

– Então você vai ficar feliz em saber que eu sofri. Tenho que ficar de longe vendo a mulher que você se tornou, a mulher que sua irmã se tornou, e saber que não posso fazer parte das suas vidas. Vejo suas filhas lindas e sei que não posso ser avô delas.

Thea deixou as mãos caírem no colo, boquiaberta.

– Não, não fico feliz de saber disso. Nem um pouco. Fico muito triste, porque não precisava ter sido assim. Você escolheu se afastar da nossa vida, nos substituir sem parar por outra pessoa.

– Eu nunca tentei substituir vocês, Thea.

A fissura cuspiu mais vapor.

– Você deixou sua segunda esposa vender nossa casa. Deixou que ela dissesse que não podíamos morar juntos. Você a escolheu, escolheu a todas as outras mulheres, em vez de ficar com suas filhas. Por quê?

– Porque você e Liv ficavam melhor sem mim!

A fissura se tornou uma fenda, um vulcão em erupção.

– É isso que você diz para se livrar da culpa?

– Foi o que eu disse na época. Eu nunca seria o tipo de homem que treinaria seu time de softball nem... nem...

– Nem faria panquecas no sábado de manhã?

– Eu ganhava dinheiro. Era isso que eu fazia bem, era assim que podia ser pai de vocês.

– Bom, enquanto você estava inventando essa desculpa para acalmar sua consciência, Liv e eu crescemos achando que tinha algo de errado conosco. Algo que fazia as pessoas nos abandonarem, que sempre faria com que todos nos deixassem. E, agora, estou prestes a perder meu marido porque o afastei. Por medo.

Dan a encarou atentamente.

– O que está acontecendo entre você e Gavin?

Ela fez um gesto para descartar a pergunta.

– Não vim aqui atrás de conselhos, não precisa nem fazer esforço. Só me diga uma coisa...

Ah, Deus. Ia mesmo fazer aquilo. Ia fazer a pergunta que a assombrara a vida inteira.

– Você se arrepende... – Ela bufou ao expirar. – De mim?

– Nunca – respondeu Dan, a voz rouca e oscilante. – Nunca. Nem uma vez.

Thea fechou os olhos.

– Olhe para mim – ordenou o pai. E, pela segunda vez, ela o encarou. – A gravidez da sua mãe foi a melhor coisa que aconteceu comigo. Só que eu era burro e egoísta demais para aprender a ser o pai que você merecia.

A porta da igreja se abriu, e uma mulher de terninho vermelho saiu, parecendo desesperada, virando a cabeça de um lado para outro.

Dan suspirou.

– É a cerimonialista?

– É.

– Ela parece estar com medo de o noivo ter amarelado. É melhor você ir lá.

Ele assentiu, perdido em pensamentos. Em seguida, abriu a porta.

– Espero que você fique. Mas vou entender se não quiser ficar.

Ele atravessou a rua correndo. A cerimonialista o viu e levantou as mãos.

Dan tentou acalmá-la. Pareceu dar certo, porque eles se viraram e subiram a escada da porta da igreja. Lá do alto, ele olhou para trás.

E entrou.

Thea esfregou as bochechas. Ótimo. Agora a maquiagem ficaria borrada. Na verdade, era uma boa desculpa para ir embora.

Olhou para a bolsa no chão, onde enfiara o livro da *condessa irritante* sem nem pensar quando saíra de casa pela manhã.

Thea tirou o livro da bolsa e o abriu no lugar onde tinha parado de ler na noite anterior.

Benedict piscou. Tossiu. Ajeitou o paletó.

— Eu... vou mandar trazer nossa carruagem.

— O senhor não me entendeu, milorde. Eu vou para o campo. Não. Por Deus, não.

— Irena, por favor.

— Não consigo curar uma ferida infeccionada que o senhor se recusa a reconhecer, Benedict, e também não vou permitir que eu leve a culpa por isso.

— Eu não pedi nada disso.

— O senhor pode me visitar quando estiver pronto para um herdeiro, então poderemos negociar os termos — a voz dela falhou — de procriação. Mas não consigo fazer isso.

— Irena, por favor. Eu te amo.

— Achei que o senhor tinha aprendido pelo menos isso. Amor não basta.

Que baboseira. Que mentira deslavada.

O amor basta.

O amor sempre basta.

Thea saiu do carro e, mesmo de salto, correu até o outro lado da rua. Entrou faltando cinco minutos para começar a cerimônia. Uma mulher de terninho rosa lhe entregou um programa e olhou de cara feia quando ela atravessou o vestíbulo. Um quarteto de cordas tocava uma melodia suave e romântica. Os padrinhos já estavam enfileirados no altar, os smokings cinza-escuros combinando. Ela não reconheceu nenhum homem lá, só o pai, ao lado do sacerdote, as mãos unidas na frente do corpo, se balançando para a frente e para trás, nervoso como um noivo de primeira viagem.

Thea se sentou no penúltimo banco, recebendo um olhar irritado de outro casal bem na hora em que o quarteto de cordas começou a tocar *Cânone em ré maior*. As madrinhas, com vestidos verde-esmeralda, entraram lentamente, segurando rosas vermelhas. A congregação se levantou e se virou para o grande momento: a noiva. Sua nova madrasta.

Não dava para ver o rosto por trás do véu, mas ela não parecia ser mais velha do que Thea. O sorriso despontava através da renda. Seu olhar se juntou ao de Dan, que não afastou os olhos nem uma só vez quando ela se aproximou, de braço dado ao pai. E, quando chegou ao fim do caminho, Dan segurou a mão dela com uma expressão de... caramba, parecia loucamente apaixonado.

Aquilo era real para ele.

E para Jessica.

E Thea sabia, conhecia aquele olhar. Sabia como era.

Ah, Deus. O que estava pensando? Devia ter ido atrás de Gavin, o homem que a amava apesar das muitas formas que usara para o afastar. Não dirigido até Atlanta por um homem que não sabia como amá-la. Thea verificava a hora no celular a cada três minutos, recebendo olhares irritados do casal ao lado. Certo, certo. Tinha chegado atrasada e mal podia esperar para sair. E daí? Eles não sabiam que era uma emergência? Não sabiam que ela precisava salvar o próprio casamento?

E faria exatamente isso. Assim que a noiva beijasse o noivo, iria para Nova York fazer o que antes achava que jamais faria.

Implorar para que o marido a aceitasse de volta.

TRINTA

– Por que estamos correndo? – gritou Mack.

Todos estavam correndo.

Mack. Del. Yan. O russo. Gavin. Correndo por uma calçada torta em Atlanta, na direção da igreja gigantesca que surgia ao longe.

– Porque esse é o momento grandioso – explicou o russo, ofegante. – A gente sempre corre para o momento grandioso.

– E porque você estacionou a sete quarteirões de distância! – gritou Gavin.

Mack protestou alguma coisa sobre o GPS do celular estar errado, mas Gavin não se importou. Já dava para ver a igreja, e nada o impediria de chegar à esposa. Por isso, correu ainda mais rápido. Estava correndo desde que descera do avião. Correra pelo aeroporto. Correra até o carro. Pegaram Mack e o russo no caminho e dirigiram correndo.

Mas já passava das três, e estavam atrasados.

Por isso, ele acelerou. Se perdesse os votos, perderia sua chance.

Finalmente, depois do que pareceu ser uma hora, a noiva e o noivo se encararam para fazer os votos.

Thea balançava a perna sem parar, o que lhe rendeu outra cara feia.

O pai falou primeiro. Ele repetiu cada palavra depois do sacerdote, apesar de àquela altura provavelmente já ter tudo decorado. O pai jurou amor. Jurou cuidar de Jessica. Jurou ser seu melhor amigo na saúde e na doença e tudo o mais.

Thea olhou a hora.

A noiva começou a recitar as mesmas coisas baixinho.

Amar. Honrar. Cuidar. Saúde. Doença. Sim. Sim.

Beijem-se de uma vez!

As pessoas bateram palmas quando o pai baixou a cabeça para beijar a esposa, mas um estrondo altíssimo no fundo da igreja fez a noiva e o noivo se separarem. Todas as cabeças se viraram, mulheres fizeram ruídos de surpresa e homens exclamaram uma coleção criativa de palavrões.

Mas uma voz soou acima de tudo. Um gaguejo alto e ofegante.

– S-s-sim.

TRINTA E UM

Bom, talvez devesse ter pensado melhor.

Duzentos rostos atordoados olhavam para Gavin na porta. A mão da noiva voou até a boca, e o noivo... Hã, nossa. O pai de Thea não estava com a cara nada boa.

Um homem ao lado da noiva se levantou.

– O que significa isso? – gritou. – Esse é o casamento da minha filha!

O som alto de gente correndo e escorregando fez a congregação toda se espichar para tentar olhar atrás de Gavin.

Mack parou junto dele.

– Merda.

Del se inclinou, ofegante, as mãos nos joelhos.

– Perdemos os votos?

Yan e o russo se escoraram na parede.

– O que está acontecendo? – perguntou o homem na frente, de novo. – Quem são vocês?

Mack levantou a mão.

– Braden Mack.

Gavin puxou o paletó do terno.

– Desculpem. Eu, hã, estou procurando a Thea.

– Quem é Thea? – gritou o homem.

– A minha filha – explicou Dan, apontando para um banco na parte de trás da igreja.

Gavin poderia jurar que Dan estava sorrindo.

Todas as cabeças acompanharam o dedo do noivo, e foi nessa hora que ele a viu. Sentada a menos de 6 metros, boquiaberta, o peito subindo e descendo com a respiração acelerada. Thea se levantou hesitante. Mil emoções surgiram em seu rosto: surpresa, constrangimento, riso. *Amor.*

– Oi – sussurrou ela.

Gavin enxugou o suor da testa.

– Oi. N-nós podemos... – Ele apontou para a porta.

Thea seguiu pelo banco, esbarrando em joelhos, murmurando *desculpe, com licença, desculpe* até conseguir sair. Ela olhou para o pai.

– Eu vou, hã... Vou embora agora.

– Você vai ficar para a recepção, não vai? – perguntou a noiva.

– Não sei.

– Espero que fique, ainda nem nos conhecemos.

A congregação toda virava a cabeça de um lado para outro, acompanhando a conversa.

– Certo – disse Thea. – Foi um prazer. Desculpe. Vou sair agora...

Thea andou até a porta, tensa, com passos rápidos. Gavin acenou enquanto recuava.

– Desculpem pela interrupção.

Ele fechou a porta ao sair, se virou e...

– Droga, Gavin – disse Thea. – *Eu* estava bolando o momento grandioso.

Ela o agarrou pela lapela, puxou-o para a frente e o beijou. Ah, e como o beijou. Ela o beijou com a mãos no cabelo e o coração completamente exposto.

Ela o beijou enquanto falava.

– Eu ia para Nova York.

Um beijo.

– Eu ia procurar você.

Um beijo maior.

– Eu ia aparecer e dizer...

Um beijo mais profundo.

– Eu te amo.

Gavin aninhou o rosto dela entre as mãos e recuou.

– Diga de novo.

– Eu te amo, Gavin. Eu te amo. E me desculpe. Você estava certo sobre mim. Eu estava com medo e fui burra.

– Eu também.

– É bem capaz de ficarmos com medo e sermos burros de novo em algum momento.

– Mas vamos superar – prometeu ele.

Mack pigarreou.

– Acelerem o passo aí. Eles estão quase terminando os votos.

Certo. Gavin não tinha terminado. O momento grandioso não tinha acabado. Ele se apoiou em um joelho e segurou a mão de Thea.

Ela riu.

– O que você está fazendo?

– Não tive a chance de fazer isso direito antes, então estou fazendo agora. Thea Scott, quer se casar comigo?

– Agora?

– É. Agora. Estamos numa igreja.

Thea riu quando Gavin se levantou.

– Russo – disse ele, ofegante. – Venha cá.

– O nome dele é Russo?

– Meu nome é Vlad. Desculpe pelo banheiro.

– Então vocês... vocês são o Clube do Livro dos Homens? – perguntou Thea.

Mack assentiu, no começo devagar, mas foi ganhando força e coragem.

– Isso. Clube do Livro dos Homens.

– Anda logo! – disse Gavin.

Ele segurou as mãos de Thea e a encarou.

– Repita comigo – disse Vlad, abrindo o papel que Gavin lhe entregara mais cedo. – Eu, Gavin Scott...

– Eu, Gavin Scott.

Aplausos soaram dentro da igreja.

– Prometo a você, Thea Scott.

– Prometo a você, Thea Scott.

Uma música começou a tocar. Merda. Gavin arrancou o papel das mãos de Vlad e repetiu de memória.

– Prometo a você, Thea Scott, sempre contar o que sinto. Ler para você todas as noites. Apreciar seu corpo…

Mack e Del taparam as orelhas.

– Na frente das crianças não!

Gavin a puxou para perto e sussurrou o resto em seu ouvido.

– E nunca esquecer que o amor…

– Eu entendi – sussurrou Thea.

Gavin a beijou de novo bem na hora em que as portas se abriram e o novo casal, o outro casal, saiu sob aplausos e *Cânone em ré maior*.

– Bem… – disse Dan. – Vejo que as coisas estão dando certo.

Gavin olhou para o sogro, um homem cuja cara tinha vontade de socar mais do que qualquer outra coisa.

– Desculpe, não podemos ficar, Dan. Temos nosso final feliz para viver.

E tomou Thea nos braços.

– Pronta, meu amor?

Thea passou o dedo pelo maxilar dele.

– Eu sou sua, milorde.

EPÍLOGO

Véspera de Natal

Thea se aconchegou junto a Gavin e passou os dedos preguiçosamente pelo abdome musculoso dele. As luzes da árvore de Natal iluminavam seus corpos com um tom suave e amarelado. No andar de cima, as meninas estavam dormindo, sonhando com doces e novos jogos da Nintendo.

No andar de baixo, mamãe e papai tinham renovado seus votos várias vezes.

A voz de Gavin estava cansada enquanto ele lia. Os dois liam todas as noites desde Atlanta. Só que um livro diferente.

— *Irena, espere!*

Benedict correu atrás da esposa. As pessoas da alta sociedade soltaram exclamações surpresas e assistiram à cena com olhos arregalados; todos que sempre estiveram tão ansiosos para isolá-la agora não conseguiam se afastar do drama que se desenrolava em sua frente.

Benedict atravessou o salão de baile.

Irena se virou.
— Milorde, não faça isso.
— Não faça o quê? Admitir para o mundo todo que a amo?
Mais exclamações de surpresa acompanharam as palavras dele.
Benedict foi até ela e enlaçou sua cintura...

Gavin parou.
— Ele deveria beijá-la ou pedir permissão?
Thea grunhiu, pensativa.
— A essa altura, acho que um ataque sorrateiro é bom. Esse é o momento grandioso dele, é a melhor parte.
Gavin deu um beijo na ponta do nariz dela.
— Concordo.

... e enlaçou sua cintura.
— Vim pedir minha esposa em casamento.
E a beijou. Na frente de todos. As fofocas não demoraram a começar. As jovens ficaram encantadas. Irena se desequilibrou e se apoiou nele.
— Eu te amo — sussurrou Benedict, a boca colada à dela. — Eu me casei com você por amor. Você me mudou como homem. Você me tornou um homem melhor.

Gavin olhou para Thea.
— Eu me identifiquei com essa parte.
Thea ergueu o rosto e o beijou. Deixou os lábios se demorarem nos dele, mordiscando a carne enquanto suas mãos percorriam a parte inferior do corpo de Gavin.
Ele sorriu.
— Já acabamos de l-ler?
— Humm.

Gavin largou o livro e rolou com ela no chão. Thea passou as pernas na cintura dele e o beijou com o máximo de emoção que conseguiu. Estavam ficando bons nas conversas.

Gavin grudou a boca na dela, e as coisas foram de zero a orgásmicas. Thea sentiu o desejo crescer dentro de si; o desejo, a vontade e as emoções de menina que a fizeram tremer nos braços dele.

– Eu não me canso de você – disse Gavin, a voz rouca, os dedos abrindo os botões da camisa de beisebol que ela usava. Era nova. A outra tinha rasgado.

Ele abriu a camisa, expondo seus seios, e levou um mamilo à boca, depois outro.

Thea enfiou a mão entre os dois, libertando a ereção de Gavin do short. Em seguida... Ah, Deus, estava dentro dela.

– Eu também não me canso de você.

Gavin praguejou, em completa reverência.

Ele a abriu. Ele a preencheu. Ele a amou.

– Fale comigo – sussurrou ela. – Me diga o que quer.

Gavin rolou de novo até ela estar em cima.

– Quero que você monte em mim – disse, grunhindo.

Thea subiu e desceu. Rebolou os quadris para levá-lo mais longe a cada movimento. Os dois respiraram um ao outro, boca sobre boca, quadris se inclinando e se movendo como se fossem um só corpo.

– Quero que você tenha prazer – disse ele.

Thea se inclinou até os mamilos roçarem nos pelos ásperos do peito dele.

– Eu quero que você me ame para sempre, Thea.

O orgasmo veio de repente. Como acontecia com frequência agora. Como se dentro dela existisse um poço fundo de confiança que só Gavin conseguia alcançar.

– Eu te amo – disse ele, segurando-a junto ao corpo enquanto ela se perdia em ondas de prazer.

– Eu te amo – respondeu ela, se movendo de novo, subindo e descendo até Gavin tremer com um movimento fundo para cima, o nome dela como uma oração em seus lábios.

Thea caiu sobre seu peitoral, o rosto enterrado na curva do pescoço. Gavin a segurou lá, os dedos enfiados no cabelo dela.

– Como v-você acha que vai acabar?

– Acho que Benedict e Irena vão conquistar seu felizes para sempre – sussurrou ela.

– Eu também acho. – Gavin beijou o cabelo dela. – E acho que nós também conquistamos.

Thea sentiu a garganta arder. Quase tinham perdido tudo. Quase tinham perdido um ao outro.

Ela se apoiou no cotovelo para encará-lo.

– Sabe o que eu acho?

– Diga.

– Gosto mais do *nosso* final feliz.

Demorou muito para que fossem dormir.

AGRADECIMENTOS

Escrever e publicar um livro é um trabalho de equipe. Esse sonho não seria realidade sem a ajuda e o apoio de tantas pessoas que merecem minha gratidão.

Primeiro, agradeço à minha família, que me encorajou e apoiou a cada dia. Mãe: você nunca me deixou esquecer meus sonhos nem duvidar de que sou capaz de realizá-los. Ao meu marido: decidir me tornar escritora em tempo integral foi um salto no escuro, e você esteve ao meu lado a cada passo do caminho, garantindo que eu pudesse viver esse sonho louco. E pai: meu botão atrás do vidro que só deve ser quebrado em caso de emergência, obrigada por sempre ser o capitão calmo no leme do meu navio.

Um enorme obrigada à minha agente, Tara Gelsomino. Foi você que fez tudo isso acontecer, depois de me encontrar em um concurso no Twitter. Obrigada pela orientação, pelo senso de humor e pela fé nos meus meninos! E, claro, um obrigada do mesmo tamanho para Kristine E. Swartz, a editora sábia, animada e muito engraçada que lutou tanto para levar este livro aos leitores.

Ao meu grupo de escrita, que me ajudou a manter a sanidade (ou pelo menos algo parecido com isso): Meika Usher, Christina Mitchell, Alyssa

Alexander, Victoria Solomon, Tamara Lush e todas as mulheres da Binderhaus. Amo todas vocês! E faço aqui uma menção especial a Anna Bradley, que me encorajou a transformar a ideia em livro!

E tenho que agradecer aos melhores baristas do mundo, por me manterem cheia de cafeína enquanto escrevia e editava: Joey, Walls, Brandon, Allie e Alexa, do Okemos Biggby. Ninguém faz mochas como os de vocês.

Finalmente, agradeço à minha filha. Você é o motivo de tudo o que eu faço. Obrigada pelos abraços apertados, pelas mensagens de apoio no quadro branco e pelos dias comendo só cereal, quando já estava perto do prazo de entrega. Nunca esqueça que você é a heroína da sua própria história. Então escreva uma bem caprichada!

CONHEÇA OUTROS LIVROS DA AUTORA

Missão Romance

Liv Papandreas tem o emprego dos sonhos: ela é chef confeiteira do restaurante mais badalado de Nashville, comandado por Royce Preston, uma celebridade da TV. O problema é que, longe das câmeras, seu chefe é um mau-caráter.

Certo dia, Liv flagra Royce assediando uma jovem recepcionista e, ao confrontá-lo, acaba demitida. Ela jura vingança, mas vai precisar de ajuda para derrotar alguém tão poderoso.

Infelizmente, isso significa recorrer a Braden Mack, um empresário carismático e mulherengo. Ele se oferece para revelar ao mundo quem Royce realmente é, mas Liv tem dificuldade em acreditar nas suas boas intenções. Assim, Mack precisa chamar reforços: os integrantes do Clube do Livro dos Homens.

Inspirados pelo romance que estão lendo, o Clube do Livro se une a Liv para derrubar Royce. Paralelamente, eles tentam ajudar Mack a encontrar o caminho para o coração de Liv... mesmo que ela esteja determinada a ignorar qualquer chama de paixão que surgir entre os dois.

Estupidamente apaixonados

Alexis Carlisle se tornou conhecida depois de denunciar seu antigo patrão, um chef renomado, por assédio sexual. Com a fama, seu café se transformou em um espaço de apoio e acolhimento para vítimas de violência e assédio.

Mas ela nunca poderia imaginar que a fama atrairia uma nova cliente alegando ser sua irmã e fazendo um pedido muito difícil. Sem saber como agir, Alexis recorre ao único homem em quem confia – seu melhor amigo, Noah Logan.

Noah é um gênio da computação que deixou para trás seus dias de hacker para se tornar especialista em segurança cibernética. Quando Alexis lhe pede que use suas habilidades investigativas para ajudá-la, Noah se pergunta se algum dia conseguirá lhe revelar seu maior segredo: está perdidamente apaixonado por ela.

Os amigos do Clube do Livro dos Homens estão mais do que dispostos a compartilhar suas dicas para que ele consiga transformar sua amizade em um romance. Mas Noah precisa decidir se contar a verdade vale o risco de perder a melhor amiga que já teve.

Absolutamente romântico

Em toda a sua vida adulta, Elena Konnikova ficou sempre nas sombras. Filha de um jornalista russo que desapareceu misteriosamente, ela foi obrigada a se casar com um amigo de infância, Vladislav, para conseguir emigrar para os Estados Unidos.

Vlad, também conhecido como Russo, é um jogador profissional de hóquei em Nashville que pensava estar satisfeito com seu casamento de conveniência. Porém, ele percebe que é muito difícil levar adiante um relacionamento não correspondido.

Assim, ele se junta ao Clube do Livro dos Homens para tentar fazer com que sua esposa o ame. Vlad está pronto para criar seu próprio romance arrebatador, dentro e fora das páginas do livro que está escrevendo.

Os colegas do clube não querem que Russo desista de conquistar o verdadeiro amor e, desta vez, não vão agir sozinhos. Eles unem forças com as vizinhas de Vlad, um grupo de viúvas intrometidas que se autodenominam "as Solitárias". Mas, justo quando a situação parece estar se encaminhando bem, o passado de Elena ressurge para pôr em dúvida o final feliz da história.

CONHEÇA OS LIVROS DE LYSSA KAY ADAMS

Clube do livro dos homens

Clube do Livro dos Homens
Missão Romance
Estupidamente apaixonados
Absolutamente romântico
Três chances para o amor

Para saber mais sobre os títulos e autores da Editora Arqueiro,
visite o nosso site e siga as nossas redes sociais.
Além de informações sobre os próximos lançamentos,
você terá acesso a conteúdos exclusivos
e poderá participar de promoções e sorteios.

editoraarqueiro.com.br